Nicolas Vanier

Nicolas Vanier, né en 1962, se passionne pour le Grand Nord dès l'adolescence. Depuis 1982 – date de sa première expédition, en Laponie –, il explore les grands espaces vierges, et parcourt le Grand Nord, le Labrador, les montagnes Rocheuses, l'Alaska, la Sibérie et l'Arctique, à cheval, en canoë ou en traîneau à chiens. En 1993, il partage la vie de nomades évènes, éleveurs de rennes dans l'Arctique sibérien, et l'année suivante il emmène sa famille pour une expédition d'un an à travers les Rocheuses.
Nicolas Vanier a livré ses découvertes, ses rencontres et ses émotions dans une douzaine d'ouvrages (albums, romans et récits de voyage), et dans des films. "Le Grand Nord n'attendait rien de moi, dit-il. Moi, j'attendais tout de lui : la patience, l'humilité, le respect."
Entre deux expéditions, il vit en Sologne en compagnie de sa femme et de ses deux enfants.

NICOLAS VANIER

Nicolas Vanier, né en 1962, se passionne pour le Grand Nord dès l'adolescence. Depuis 1982 – date de sa première expédition, en Laponie –, il explore les grands espaces vierges, et parcourt le Grand Nord du Labrador, les montagnes Rocheuses, l'Alaska, la Sibérie et l'Arctique, à cheval, en canoë ou en traîneau à chiens. En 1993, il partage la vie de nomades évènes éleveurs de rennes dans l'Arctique sibérien, et l'année suivante il emmène sa famille pour une expédition en traîneau à travers les Rocheuses.

Nicolas Vanier a livré ses découvertes, ses rencontres et ses émotions dans une douzaine d'ouvrages (albums, romans et récits de voyage) et dans des films. « Le Grand Nord n'attend rien de moi », dit-il. Mais il attend tout de lui : la patience, l'humilité, le respect.

Entre deux expéditions, il vit en Sologne, en compagnie de sa famille et de ses deux enfants.

LE CHANT DU GRAND NORD

**

La tempête blanche

DU MÊME AUTEUR
CHEZ POCKET

L'ODYSSÉE BLANCHE

LE CHANT DU GRAND NORD
suite romanesque

1. LE CHASSEUR DE RÊVE
2. LA TEMPÊTE BLANCHE

NICOLAS VANIER

LE CHANT DU GRAND NORD

**

La tempête blanche

XO

ISBN : 2-266-12681-4

À tous ceux qui, de par le monde, se sentent étrangers sur leurs propres terres.

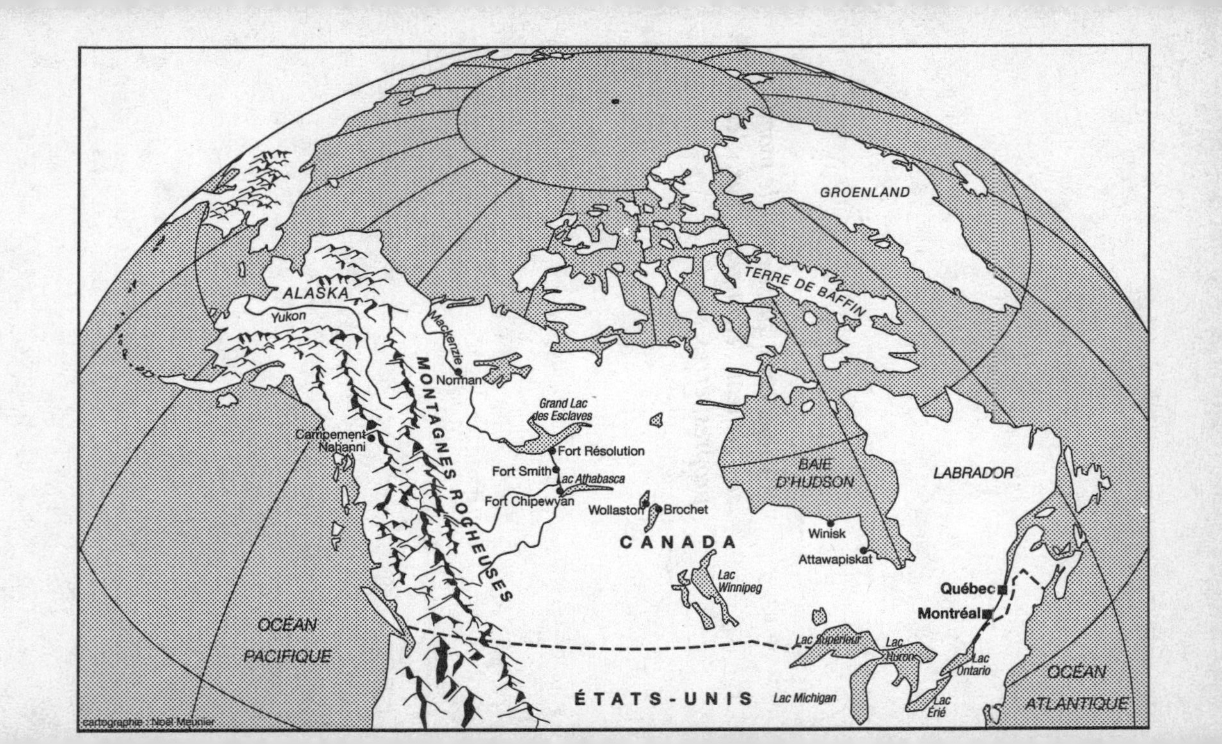
GROENLAND
TERRE DE BAFFIN
ALASKA
Yukon
Mackenzie
Norman
MONTAGNES ROCHEUSES
Grand Lac des Esclaves
Campement Nahanni
Fort Résolution
Fort Smith
Lac Athabasca
Fort Chipewyan
Wollaston
Brochet
CANADA
BAIE D'HUDSON
LABRADOR
Winisk
Attawapiskat
Lac Winnipeg
Québec
Montréal
OCÉAN PACIFIQUE
Lac Supérieur
Lac Huron
Lac Ontario
Lac Érié
Lac Michigan
ÉTATS-UNIS
OCÉAN ATLANTIQUE
cartographie : Noël Meunier

1

Les craquements sinistres de la glace qui se pliait, se soulevait, se contorsionnait ressemblaient aux gémissements d'une bête agonisante. Elle résistait, mais rien ne résiste à la débâcle. L'hiver pouvait bien refuser de céder la place, combattre et se rebeller, peine perdue. Le printemps s'installait.

La neige fondait et partout l'eau sourdait de la terre, comblait les ravines, creusait les pentes, coulait en mince filet qui grossissait toujours et dévalait vers les rivières, attaquant de toutes parts la glace qui craquait et se fendait.

Assis sur la berge, Ohio et Mayoké regardaient le combat de titans. Ils étaient torse nu, offrant aux rayons chauds du soleil leur peau privée depuis si longtemps de cette caresse délicieuse. Ohio admirait le corps parfait de la jeune femme dont la peau cuivrée se mariait si bien à la couleur noire, un peu violette de ses longs cheveux. Ses seins fermes et pleins s'arrondissaient, signe qu'il ne s'était pas trompé. La vie était en elle. Ohio souhaitait que ce soit un garçon. Il l'appellerait Mudoï, en souvenir de son ami disparu à l'automne précédent, alors qu'ils chassaient le caribou dans une rivière proche de son village. Il se sentait responsable de cet accident et, sur sa demeure éternelle, il avait promis qu'il profiterait de son grand voyage pour aller jusqu'à son village, afin que les siens puissent effectuer les rites qui permettraient à son âme de reposer en paix dans le royaume des grands esprits.

Ohio et Mayoké sursautèrent. En aval, un bruit énorme et assourdissant emplissait toute la vallée et remontait vers eux.

— Ça y est, Mayoké ! Ça y est !

Ce qu'ils attendaient depuis des jours allait se produire sous leurs yeux : la débâcle.

Les fleuves et rivières se libéraient toujours dans le sens inverse du courant, de l'aval vers l'amont. L'eau arrachait la glace, l'aspirait et l'emportait. On entendait les bruits inhabituels de l'eau libre. Ce n'était plus un écho sourd, gommé par l'épaisseur de la gangue glacée, mais bien le son joyeux et musical, mélodieux comme le chant d'un oiseau, d'une rivière retrouvant la liberté. Ils écarquillèrent les yeux. Remontant vers eux, l'eau libre de la rivière détachait les blocs. On aurait dit une armée de guerriers à l'assaut qui, infatigable, renvoyait loin derrière elle les blocs aussitôt détachés, comme on se débarrasse d'un gêneur. Des guerriers insensibles aux plaintes de leur ennemi. Pour se venger, les blocs happés par le courant tentaient de se retenir aux rives, les éventraient, déracinant les arbres, retournant les cailloux, labourant les plages, emportant tout sur leur passage. À la surface de la rivière, les débris de glace aux dimensions variables, parfois énormes, se mélangeaient aux souches, troncs et branches.

Mayoké et Ohio virent la rivière Cochrane se délivrer juste devant eux et regardèrent le phénomène passer tel un animal dont ils suivirent tout l'après-midi le travail. Ils marchaient le long des berges en restant au niveau de la débâcle, s'arrêtant avec elle lorsqu'un obstacle, une île, une anse, un bras freinait son labeur, reprenant leur marche vers l'amont dès qu'elle avait libéré le passage. Dans une longue ligne droite, il leur fallut presque courir car la glace, déjà fendue de toutes parts, n'avait pas opposé la moindre résistance. Ce fut comme une peau qui glissa, laissant sous elle apparaître la chair palpitante des eaux de la rivière. Les remous riaient, ivres de leur liberté toute neuve.

Comblés, Ohio et Mayoké revinrent sur leurs pas en fin d'après-midi, abandonnant la débâcle et le vacarme qui l'accompagnait pour revenir vers leur tipi auprès duquel veillait la meute de huskies. Ils se saoulaient de soleil et du murmure de l'eau, tout à la réminiscence des souvenirs que le printemps faisait rejaillir.

Après un long hiver glacial et obscur, le printemps était toujours une fête.

Les chiens aboyèrent de joie en les voyant, dansant sur leurs pattes arrière et se contorsionnant au bout de leur laisse en cuir de caribou tressé pour atteindre plus vite les mains d'Ohio et de Mayoké qui distribuaient des caresses en se moquant d'eux.

— De vrais petits chiots !

Ohio s'arrêta près d'Oumiak et lui soupesa le ventre qui s'alourdissait de plus en plus.

— Alors, c'est pour bientôt ma belle ?

Il la détacha. Ses yeux étaient enjôleurs. Les autres chiens aboyèrent de plus belle, jaloux et frustrés.

— Du calme ! Demain on ira faire tous ensemble une grande balade.

— Tu n'as pas peur d'un règlement de comptes entre Torok et Voulk ? demanda Mayoké.

— On surveillera.

Voulk, qui avait depuis longtemps des velléités de chien de tête, concurrençait le chef de meute à cette place. Et Ohio admettait qu'il progressait, qu'il égalait même Torok sur certains points. Depuis que Mayoké conduisait le traîneau et qu'Ohio damait la piste en raquettes devant l'attelage, Torok admettait d'être remplacé. Mais au cours de l'hiver, la tension entre les deux chiens n'avait fait qu'augmenter, contenue par le fait qu'ils étaient tout le temps attachés, la journée attelés et le soir, à la ligne. Les lâcher représentait un risque, mais il était encore plus dangereux de laisser un conflit perdurer à l'intérieur d'une meute.

Oumiak rôda quelques instants aux alentours puis s'en alla inspecter le versant de la colline.

— Elle reviendra lorsqu'elle aura trouvé une place pour mettre bas, dit Ohio qui la regardait disparaître.

— Elle va aller loin ? demanda Mayoké.

— Non, il lui faut juste un endroit abrité, une souche renversée ou une roche sous laquelle elle creusera un terrier. Cela fait, elle arrachera toute sa bourre d'hiver, cette sorte de laine qui la protège du froid, et elle en tapissera le fond.

Ils nourrirent les chiens puis retournèrent vers le tipi. Ils allumèrent un feu dehors et firent cuire lièvres et galettes sur un lit de braises en contemplant le fleuve qui charriait de la glace.

— Demain soir, ce sera fini, jugea Ohio. On pourra naviguer. Il va être temps de terminer le canoë.

— Tout est prêt, n'est-ce pas ?

— Il nous manque encore du duvet d'oie…

Ohio et Mayoké éclatèrent de rire. Alors qu'ils parlaient, se superposant à la ligne d'horizon, un immense vol de bernaches apparut, parallèlement à la rivière dont il semblait suivre le cours. Ils admirèrent les oies dont les ombres fuselées se détachaient sur le ciel en feu du crépuscule. Derrière le premier vol, d'autres glissaient dans l'air tiède du soir avec une certaine indolence.

— Elles vont se poser dans le marais pour la nuit, estima Ohio. Si tout se passe bien, demain matin nous aurons à manger et largement assez de duvet pour une douzaine de canoës.

Ils travaillaient depuis six jours sur un long canoë à l'armature en tremble et recouvert d'écorce de bouleau dont les morceaux était cousus ensemble avec un nerf d'orignal. L'étanchéité de ces coutures était assurée avec une gomme mêlant de la résine de pin et du duvet d'oie. Ohio avait taillé les pièces de bois et les avait laissées tremper dans de l'eau bouillante. Pour ce faire, il avait creusé un trou oblong dans le sol et y avait étendu une peau d'orignal. Il avait rempli d'eau le petit bassin ainsi formé, y jetant des pierres brûlantes qu'il remplaçait jusqu'à obtenir la température souhaitée, proche de l'ébullition. Le bois ainsi chauffé se pliait selon la courbure que l'on désirait. Puis il séchait, maintenu dans la bonne position par de grosses pierres, ajustées avec des coins de bois. L'assemblage se faisait ensuite avec un système de tenons et mortaises qui conférait à l'armature la rigidité et la souplesse voulues. Mayoké s'était occupée de l'écorce de bouleau. Elle avait recherché de gros arbres isolés car leur écorce était plus épaisse, comme si leur solitude les incitait à se protéger davantage. Ensuite, il fallait étudier l'écorce en repérant les trous éventuels ou les zones de faiblesse, de manière à tailler les morceaux en conséquence. La récolte effectuée, les rouleaux étaient graissés puis immergés dans l'eau froide pour éviter qu'en séchant ils ne se fendillent.

Ohio et Mayoké se levèrent avant l'aube et, à la lumière de la lune dans son deuxième quartier, ils se dirigèrent vers le marais où ils avaient confectionné une dizaine de pièges pour les oies. Piqueté d'îlots minuscules, le marais exposé au soleil avait partiellement dégelé, attirant les oies qui, au cours de leur migration, s'arrêtaient toujours au même endroit. Au moyen de baguettes de saule, Ohio et Mayoké avaient construit de petits enclos circulaires qui contraignaient les oies, pour accéder ou sortir de ces îlots à emprunter les trois au quatre passages colletés avec du fil de nerf de bison.

Lorsqu'ils arrivèrent à proximité du marais, le jour se levait. Ils traversèrent un rideau d'aulnes puis débouchèrent sur le marais grouillant de vie. Partout des oies s'agitaient, s'ébrouaient, s'envolaient. Ils demeurèrent immobiles un long moment, tout à la contemplation de cette somptueuse farandole ailée. Brusquement, l'or du soleil monta au-dessus de la ligne des arbres et alluma les flots de neige et d'eau mêlées. Alors une clameur retentit, ponctuée de cris stridents, et le marais trembla. Un nuage d'oiseaux s'éleva et s'effilocha en tournoyant dans l'azur. Ce mouvement de spirale permettait aux oies de prendre de l'altitude tout en organisant leur formation que des retardataires rejoignaient à tire d'ailes en criaillant.

Un à un, les vols se détachèrent de la masse et disparurent, mus par une force que rien ne pouvait arrêter. Alors seulement, Ohio et Mayoké aperçurent les autours, buses et aigles qui se repaissaient de leurs prises. Ils s'avancèrent. Les rapaces s'envolèrent à contrecœur et se perchèrent sur le faîte des pins cernant le grand marais.

— Heureusement que nous n'avons pas attendu. Ils ne nous auraient rien laissé, constata Ohio en arrivant sur le premier îlot où deux des quatre oies prises étaient en partie dévorées.

Ils pataugeaient dans un mélange d'eau et de neige fondue. Heureusement, la glace recouvrant les parties les plus profondes tenait et ils pouvaient aller partout sans risquer de trop s'enfoncer. Pratiquement tous les collets avaient pris, à l'exception de ceux bousculés par un couple d'orignaux qui avait traversé le marais. Ils ramassèrent une trentaine d'oies, laissant aux rapaces la dizaine d'oiseaux déjà éventrés. Ils durent effectuer deux voyages jusqu'à leur campement, ne pouvant tout transporter en une seule fois.

Ensuite Ohio récolta de la résine de pin et la chauffa dans une marmite en pyrite avant de la mélanger avec le duvet d'oie. Il obtint une colle fibreuse de belle qualité qu'il coula dans un morceau d'intestin de bison dont il noua les deux bouts. Ainsi la colle ne sécherait-elle pas.

En milieu de journée, la rivière cessa de charrier de la glace. Ne subsistaient, par intermittence, que des vagues de blocs de glace correspondant à des zones de hauts-fonds, des anses ou des bras morts qui se libéraient par l'action de la montée des eaux. Bientôt, il ne resterait rien. La rivière ne voulait plus de la glace.

Dès que la colle fut prête et tous les morceaux d'écorce de bouleau positionnés et retaillés, ils abandonnèrent le canoë et allèrent libérer les chiens.

Ohio s'était emparé de son arme dont il ne s'était encore jamais servi depuis qu'il l'avait échangée dans un de ces comptoirs où les Blancs troquaient du matériel et de la nourriture contre des fourrures.

— Prends ton arc, Mayoké !

— Tu veux chasser ?

— Oui, je vais te montrer une technique de chasse assez spectaculaire.

Les sept mâles tournaient autour d'Ohio en jappant de joie. Ils galopaient, revenaient, sautaient et labouraient le sol de leurs griffes.

— Oumiak !

Elle avait entendu le tintamarre et n'avait pas résisté. Elle voulait être de la fête.

— Allons-y ! Torok, par ici !

Le chef de meute obéit instantanément. Il emboîta le pas à son maître et à Mayoké qui avaient pris la direction des marais. Les huit huskies suivirent à la queue leu leu, à la manière des loups.

2

Ohio ne connaissait pas de meilleur exercice pour améliorer la cohésion de la meute que de les faire chasser ensemble un grand gibier. D'instinct les chiens se regroupaient, sachant qu'ils ne pouvaient, seuls, venir à bout d'un orignal. Ils savaient aussi que de la bonne exécution des ordres donnés par leur chef dépendrait la réussite de la poursuite, et ils obéissaient, par émulation.

Dès qu'ils furent en contact avec des traces fraîches, les chiens devinrent loups. Ils dépassèrent Ohio et s'élancèrent, la truffe au vent, humant les senteurs animales avec avidité. La métamorphose était saisissante et Mayoké, surprise, les regarda s'éloigner avec un mélange de curiosité et d'appréhension. Il y avait une telle cruauté dans leur regard, une telle détermination dans leurs allures de bêtes sauvages qu'ils semblaient avoir mué de manière irréversible. S'agissait-il vraiment des mêmes chiens, si tendres, si dociles ?

Torok était en tête, talonné par Voulk qui ralentissait par moments pour respirer les traces, comme s'il voulait montrer au reste de la meute qu'il surveillait Torok et ne tolérerait pas la moindre erreur. Oumiak était derrière, suivie de Gao dont la blancheur de la robe mettait en valeur son étonnante robustesse. Un vrai colosse qui se contentait pourtant d'une position hiérarchique intermédiaire car sans ennuis et sans trop de responsabilités. Gao ne briguerait jamais la place de Torok et de Voulk. Derrière lui, Huslik, fin mais tout en muscle, trottait avec légèreté, s'imprégnant des odeurs et du paysage. Il était sans aucun doute le plus intelligent des jeunes chiens issus des deux dernières portées et régnait en maître sur ces derniers, à l'exception de Voulk bien entendu, à part depuis toujours. Nome aurait pu prétendre à cette place de « chef de meute des jeunes » mais il était mort à l'automne, empoisonné par le soi-disant chaman du village d'Ohio qui s'était ainsi vengé de lui.

Derrière Huslik, calé dans ses pas, Aklosik, en bon élève obéissant, ne se mêlait pas aux deux frères inséparables, Narsuak et Kourvik qui se doublaient dès qu'ils en avaient l'occasion.

L'attelage fut happé par la forêt où les orignaux s'étaient enfoncés. La neige, protégée du soleil par les épinettes et les pins, y était lourde et épaisse. Heureusement, les deux orignaux puis les huit chiens avaient creusé un véritable sentier qu'Ohio et Mayoké pouvaient suivre sans trop d'effort. Ohio, en osmose avec ses chiens, se coulait comme un fauve sur la piste. Il était tout entier à la chasse, tendu vers un seul but, les sens en éveil, réceptif, attentif à la moindre saute de vent, au moindre bruit. Il était entré dans une sorte de transe, un loup parmi les loups. Son regard était devenu argent. Mayoké lui emboîta le pas, heureuse qu'il partage avec elle cette passion secrète. Les chiens les distancèrent dans la forêt, mais ils les rattrapèrent près d'un ruisseau où des épinettes abattues par la foudre gênaient leur progression.

— Regarde, Mayoké ! Les empreintes sont toutes

fraîches. Les chiens ne vont pas tarder à les rattraper.

Elle avait peur tout à coup. Un curieux pressentiment, tenace, et qui enflait. Elle hésitait à le lui dire, mais elle se ravisa car plus rien ne pouvait arrêter ni les chiens ni Ohio. Au bord de la rivière, le taillis s'éclaircissait et les chiens galopèrent sur l'arête de la rive dégarnie de neige. Ils prirent de l'avance et disparurent de nouveau dans la forêt. Ohio courait lui aussi. Tout à coup il s'arrêta, comme frappé en pleine course.

— Écoute !

Elle entendit au loin, dans l'épaisseur de la forêt, comme un jappement étouffé.

— Ça y est ! Ils l'ont acculé, vite !

Il chargea son arme, versa la poudre dans le canon et y inséra une balle d'acier, puis il tassa le tout avec un goupillon qu'il portait dans le dos et vérifia que la mèche n'était pas mouillée.

— Allons-y !

Il se rua en avant, les yeux brillants, alors que la peur s'inscrivait sur le visage de Mayoké dont le cœur se mit à battre la chamade. Elle encocha une flèche puis se coula derrière lui. Ils pénétrèrent dans un hallier d'aulnes qui ceignait une petite clairière.

L'orignal mâle était là, faisant face aux chiens et protégeant ainsi la fuite de la femelle. Sur son crâne, on discernait des moignons recouverts de velours, témoins de la repousse des bois tombés au début de l'hiver. Comme il ne pouvait se servir de ses panaches il propulsait ses sabots acérés et ses pattes immenses vers les chiens qui s'approchaient trop près ou essayaient de le contourner pour lui mordre les jarrets. L'orignal soufflait de rage, le poil hérissé sur l'échine, couvert de sueur. Les chiens grognaient et aboyaient, en proie à la plus vive excitation, mais ils gardaient leurs distances, se contentant de simuler des charges qui épuisaient l'orignal. Au fur et à mesure qu'il se fatiguait, la meute resserrait son étreinte cruelle. Ohio s'approcha encore de quelques mètres et leva son arme. Il attendit que le cercle des chiens s'ouvre pour allumer la mèche mais les huskies allaient et venaient sans arrêt, virevoltant autour de l'orignal. Enfin, il se décala un peu pour faire face à Torok et Oumiak qui l'attaquaient sur le flanc. Ohio visa l'épaule sous le garrot et alluma la mèche soufrée. En moins d'une seconde, le feu atteignit la poudre qui explosa au moment où Narsuak, s'appuyant sur ses pattes arrière, sautait pour attirer l'attention de l'orignal. Ohio le vit rentrer dans son champ de visée, mais trop tard. Le coup était déjà parti.

— Narsuak !

La fumée se dissipa et Ohio ne vit que le chien étendu sur le sol de la clairière labouré par le combat. C'est Mayoké qui en hurlant réussit à le tirer de sa léthargie.

— L'orignal !

Blessé, il chargeait, les yeux révulsés de rage, expulsant l'air de ses naseaux recouverts d'écume en soufflant comme un ours. Il était déjà sur eux. Mayoké bouscula Ohio qui s'étala dans la neige, juste derrière un sapin. L'orignal, emporté par son élan, passa à côté d'eux dans un fracas de branches brisées, entraînant derrière lui la meute hurlante.

— Vite !

Ils se relevèrent alors que l'orignal faisant volte-face se préparait déjà à revenir sur eux. Ohio se saisit de la petite lance de Mayoké et la propulsa de toutes ses forces. Elle se ficha dans le cou de la bête qui s'agenouilla en râlant. Les mâchoires des chiens se refermèrent sur les pattes de l'agonisant qui ne pouvait plus se défendre. Ohio s'approcha derrière lui et porta le coup de grâce entre deux cervicales, puis il se retourna. Mayoké était auprès de Narsuak gisant dans son sang. Il lâcha la lance, et les bras ballants, insensible au bruit que faisaient les chiens à l'hallali, il s'avança, les yeux embués de larmes.

— Narsuak ! Mon petit Narsuak…

— Il respire !

Il se pencha et souleva la tête ensanglantée du chien. La balle avait ricoché sur le crâne en entaillant la peau et l'os avant de traverser l'oreille, déclenchant une importante hémorragie. Mais il était vivant.

— Le choc lui a fait perdre connaissance, dit Mayoké en lui nettoyant le crâne avec de la neige.

Narsuak papillota des yeux.

— Il faut lui recoudre l'oreille, jugea Ohio.

— Son crâne d'abord. Je dois regarder s'il y a une fracture.

Ohio la laissa faire. Il se demanda comment il allait ramener Narsuak. Il ne pouvait pas le porter dans ses bras.

— Rien de grave, dit-elle.

— C'est la faute de cette arme, gronda Ohio. Sa faute si j'ai tiré sur Narsuak et encore sa faute si l'orignal a chargé ! Avec une flèche, l'orignal ne nous aurait pas localisés. Il serait mort sans s'en rendre compte. Cette invention est à l'image de ceux qui l'ont conçue. Je n'en veux plus. On n'en a pas besoin.

Mayoké ne répondit pas. Lorsqu'elle avait vu le chien tomber puis l'orignal charger, elle avait cru sa dernière heure arrivée. Elle était heureuse de s'en tirer à si bon compte. Cet accident constituait un avertissement qu'elle n'oublierait pas.

— J'ai une idée ! Je vais faire une sorte de sac à dos avec les cuirs du jarret de l'orignal et porter Narsuak jusqu'au campement.

Il sortit son coutelas de sa gaine et l'aiguisa avec la petite pierre qu'il gardait toujours avec lui.

— Vas-y, je m'occupe de lui.

Les chiens avaient cessé d'aboyer. Ils léchaient le sang qui coulait des plaies de l'orignal et arrachaient des lambeaux de peau pour les élargir.

— Arrière !

Les chiens obtempérèrent. Pas assez promptement au goût de Torok qui se jeta sur Voulk à la vitesse de l'éclair. Ohio se rua sur eux. La mâchoire de Torok s'était déjà refermée sur la gorge de Voulk qui se débattait en lui labourant le ventre avec ses griffes. Ohio lui assena un terrible coup de poing sur la truffe. Torok lâcha en grognant.

— Arrière, j'ai dit !

Les chiens reculèrent la queue basse, penauds.

— Couché !

Ils se couchèrent les uns après les autres. Ohio ne perdit pas de temps. Il dépouilla les pattes de l'orignal et en fit une sorte de sac dont l'essentiel du poids était supporté par un bandeau frontal, deux courroies étant passées aux épaules, qu'il ajusta.

— Il se réveille, dit Mayoké lorsqu'il revint près d'elle.

Narsuak ouvrait des yeux étonnés, encore étourdi.

— Mon brave Narsuak, tout va bien.

Il le mit dans le sac où ses pattes arrière étaient coincées dans deux trous conçus à cet effet.

Mayoké l'aida à le charger, en le rassurant car il s'affolait un peu.

— Allons-y. Torok, derrière !

Les chiens, qui hésitaient à laisser l'orignal, obéirent en voyant Torok, Voulk et Oumiak emboîter le pas de leur maître. C'était lourd, mais Ohio avançait à bonne allure. Ils mirent à peine plus longtemps qu'à l'aller. Narsuak qui se réveillait essaya bien de se débattre, mais comme il ne pouvait pas bouger, il se résigna. Ils arrivèrent le long de la rivière où subsistaient les restes calcinés du village entièrement détruit par les flammes à la fin de l'hiver. Tous les habitants avaient été massacrés par des Hurons agissant pour le compte de la Compagnie de la baie d'Hudson.

— Un feu ! s'exclama Mayoké.

— Vite, cachons-nous !

C'était trop tard. Les chiens avaient aboyé et Ohio vit un des Indiens s'approcher de la rive pour voir de quoi il s'agissait. Il était armé et agressif.

— Reste là. Je vais voir.

— Fais attention, Ohio. Il y a eu assez de morts comme ça !

Sous le couvert des arbres encombrant la rive, Ohio s'approcha du groupe d'Indiens qui maintenant s'était rassemblé sur le surplomb dominant la rivière où était échoué un canot.

— Derrière ! commanda Ohio à ses chiens.

Les six Indiens étaient armés. Ohio, caché par un groupe de sapins, les interpella.

— Qui êtes-vous ? Je suis envoyé par mon chef.

— Nous sommes ojibways. Et toi qui es-tu ? répondit l'un des hommes. Il n'y a qu'un tipi ici, où se cachent les autres ?

Ohio s'avança. Les Ojibways eurent un mouvement de recul en voyant la meute de chiens aux allures sauvages qui l'escortait.

— N'ayez aucune crainte ! Mes chiens ne font de mal qu'à ceux qui m'en font. Mais vous devriez tout de même adopter une attitude moins agressive.

Ils baissèrent leurs armes.

— Où sont les autres ? demanda celui qui semblait mener la bande en regardant autour de lui.

— Tu veux parler de ceux de ce village ?

— Non ! De ceux qui t'accompagnent.

— Ils sont restés en arrière.

— Qui nous dit qu'ils ne sont pas en train de nous encercler ?

— Moi.

— Pourquoi devrions-nous te faire confiance ?

— Parce que vous ne pouvez pas faire autrement.

Ils se regardaient, incrédules.

— Qu'est-ce qui est arrivé à ceux de ce village ? demanda Ohio.

— Tu ne le sais pas ? C'est la guerre.

— La guerre ? Les Indiens sont frères.

— Les Indiens de la Baie qui volent les territoires ne sont pas nos frères.

— Je suis nahanni, et je n'appartiens ni à la Baie, ni à la Nord-Ouest, précisa Ohio. Je n'appartiens pas aux Blancs ! Et je ne comprends pas comment les Indiens peuvent s'entre-tuer pour le compte de ces Blancs qui ne respectent rien.

— Nous avons des accords avec les Français de la Nord-Ouest, et ils respectent les accords. Ceux de la Baie sont des voleurs et nous nous débarrasserons d'eux.

— Le sang coule dans tous les territoires que j'ai traversés et aucun Indien n'y trouve son compte. Mais les Blancs, eux, tirent profit de cette zizanie qu'ils ont souvent créée et encouragée pour servir leurs propres intérêts.

— Qui es-tu pour prétendre connaître nos intérêts ?

— Laissez donc vos armes et venez partager un thé dans mon tipi. Chez moi, c'est comme cela que font les Indiens qui se rencontrent.

— Laisser nos armes ! C'est donc cela ton plan. C'est ce que tes hommes attendent pour nous tomber dessus !

— La haine vous aveugle, dit Ohio en haussant les épaules avec dédain.

Il s'avança. Les chiens qui s'étaient couchés se levèrent et grognèrent en passant devant le groupe.

— Je vais installer mes chiens, allumer le feu et j'irai chercher Narsuak qui est blessé, dit Ohio.

— Qui... qui est Narsuak ?

— Un de mes chiens.

Ohio leur tourna le dos et les Ojibways, surpris par son attitude, se consultèrent. Il les entendit parler à voix basse. Ohio attacha ses chiens, à l'exception d'Oumiak, et alluma un feu, puis il revint sur ses pas. Les Indiens n'avaient pas bougé.

— J'ai mis des galettes à réchauffer. Servez-vous !

— C'est un piège ! Arrête de nous prendre pour des idiots. Où est ta bande ?

Ohio s'approcha de celui qui avait rugi et le regarda gravement. Le silence se fit.

— Je te dis que tu n'as rien à craindre de moi ! Je viens de loin et plus j'avance dans ce voyage plus je vois de haine et d'horreur. Ça m'écœure. Regarde autour de toi, ce village. C'est moi qui ai enterré les corps de ceux qui se trouvaient ici, des cadavres d'enfants et de femmes à moitié brûlés et dévorés par les bêtes sauvages....

Ohio s'était mis en colère et respirait plus fort à l'évocation de ce souvenir. Il regardait toujours dans les yeux l'Indien qui était devenu blême.

— Alors je ne sais pas qui vous êtes, ce que vous avez fait ou non, ni ce qu'une parole peut bien représenter pour vous, mais je te promets que tu n'as rien à craindre, ni de moi, ni de ceux que je représente, tant que tu ne toucheras pas à ce qui nous appartient. Et maintenant laisse-moi partir chercher Narsuak et celle qui m'accompagne ou tire-moi dans le dos.

Il posa son arme sur le sol et s'en alla.

3

Lorsque Ohio revint avec Narsuak et Mayoké, les Ojibways avaient déposé leurs armes devant le tipi et les regardaient approcher.

— Rentrons !

Ohio souleva le pan du tipi et entra avec Narsuak et Mayoké.

— Tu vois, on a décidé de te faire confiance. Pourtant on aurait pu te sauter dessus.

— Tu aurais pu essayer…

— Tu es bien prétentieux et sûr de toi.

— C'est une qualité qui par moments se transforme en défaut, je te le concède.

— Tu as parlé des Nahannis ?

— C'est mon peuple. Nous vivons dans les montagnes, à un bon hiver de marche d'ici.

Les hommes, incrédules, essayaient de s'imaginer cette distance.

— Et tes amis, ton chef, où sont-ils ?

— À un jour d'ici. Nous sommes avec Mayoké les éclaireurs.

— Et où allez-vous ?

— À Québec, pour dire aux Blancs que nous ne les laisserons pas envahir nos territoires.

Ohio, qui venait d'imaginer ce mensonge, le trouva parfait.

— Mais vous êtes combien ?

— Notre nombre importe peu. Ce qui compte, ce sont tous les territoires que nous représentons : les Nahannis, les Sekanis, les Tahltans, les Kaskas, les Tutchones, les Kutchins et beaucoup de territoires des Chipewyans.

Les Indiens semblaient éberlués par cette initiative.

— Mais... qui allez-vous rencontrer ? C'est un voyage colossal.

— Ce qui est colossal, c'est de traverser tous ces territoires en guerre. Cela nous conforte dans notre choix de rester maîtres de notre destin. Vous rendez-vous compte de ce à quoi vous êtes arrivés ?

Mayoké regardait Ohio avec surprise. D'où lui était venue cette idée ?

— Tout allait bien avant la venue des Anglais. Ce sont eux les responsables. Ce sont eux les envahisseurs contre qui la hache de guerre a été déterrée. Les Français, eux, nous ont apporté des quantités de choses qui nous facilitent l'existence et nous leur en sommes reconnaissants.

— Au point de tuer vos frères !

— Protégez-vous comme vous l'entendez, mais vos palabres ne serviront à rien. Nous préférons combattre.

Ohio ne répondit pas. À quoi bon ! Il avait déjà eu cette conversation de multiples fois et les réponses étaient toujours les mêmes. Il versa de l'eau bouillante sur les feuilles de thé et déplaça la théière sur le coin du feu alors que Mayoké terminait de laver la plaie de Narsuak.

— Restons-en là, proposa Ohio, et dites-moi plutôt ce que vous faites ici ?

— Nous allons vers l'embouchure de la rivière

Patkam. Sur les pentes de la colline Patkam poussent les meilleurs bouleaux à canoë.

— Vous cherchez de l'écorce ?

— Oui, nous devons construire une dizaine de canoës à huit places, il nous faut les meilleures écorces.

— Et pourquoi tant de canoës ?

— C'est une commande de la Nord-Ouest. Nous fabriquons les meilleurs canoës et la compagnie en a besoin pour effectuer en été le transport des peaux et des marchandises depuis les postes jusqu'au lac Supérieur. Ensuite la navigation se fait sur des embarcations encore plus grandes.

— Qui conduit ces canoës ?

— Des Indiens et un ou deux Blancs.

— C'est dangereux ?

— Très. C'est pourquoi nous voyageons en groupe, mais c'est bien payé.

Ohio se fit indiquer sur une carte la route d'eau suivie par les convoyeurs. Dans sa tête, un vague plan naissait. Il imaginait d'effectuer le voyage jusqu'à Québec par la baie d'Hudson, puis de revenir à l'automne par le sud avec l'un de ces groupes. Passer par la baie à l'aller constituait un gros détour, mais il traverserait ainsi le territoire des Montagnais. Ohio savait maintenant que Mudoï était originaire de cette région et qu'il avait fait halte au lac Brochet. Il voulait s'y rendre.

Ohio ne se séparait jamais de la petite bourse en cuir offerte par Sacajawa avant son départ et qui contenait des aiguilles taillées dans des arêtes de saumon et quelques bobines de fil de nerf de caribou. Il recousit l'oreille et la peau sur le crâne du chien. Narsuak se laissa faire, bien qu'Ohio ait planté son aiguille assez profondément pour que les points tiennent.

— Nous devons repartir, dit Ohio aux Ojibways. Nous avons tué un orignal à une heure de marche d'ici et je ne peux pas le laisser plus longtemps. J'ai relevé là-bas beaucoup de traces de carcajous.

— Comment comptes-tu ramener autant de viande, et la peau ?

— Dans les sacs de bât que tu vois empilés là. Il y en a une paire par chien. En deux ou trois trajets, l'élan sera ici.

— Tu l'as tué près de la rivière ?

— Pas loin.

— Tu n'as qu'à prendre notre canoë, proposa celui qui paraissait être le chef de la bande. Si tu veux, je vais avec toi.

— C'est gentil de ta part.

Ohio admira leur embarcation. C'était une merveille de finesse et d'esthétisme. Les proportions étaient justes, l'équilibre parfait. Ohio et Mayoké s'installèrent au milieu et à l'avant avec les chiens. L'Ojibway se plaça à l'arrière pour diriger. Il slalomait avec beaucoup de doigté entre les épaves que charriait encore le fleuve : des arbres et quelques blocs de glace, les derniers morceaux arrachés aux rives.

Mayoké et l'Ojibway découpèrent l'orignal pendant qu'Ohio effectuait des aller retour jusqu'au canot. Lourdement chargés, les chiens avançaient au pas en humant l'odeur alléchante de la viande sanguinolente qu'ils transportaient.

— T'inquiète pas, mon Torok, tu auras ta part.

Le husky le regardait avec intelligence et Ohio le caressa après l'avoir délivré de son double sac, fixé sous le ventre et maintenu en place par deux courroies, l'une passée autour du poitrail et l'autre à l'arrière.

Ohio allait repartir lorsqu'il aperçut, au loin, deux

embarcations qui remontaient le fleuve. Son canoë étant à moitié plein, il ne pouvait le tirer sur la berge. Il le poussa donc à l'abri des aulnes jusqu'à un petit ruisseau où il le cacha. Il recula un peu et ordonna aux chiens de se coucher à ses pieds.

— Sage, hein !

Il s'agissait de deux canots assez lourds recouverts de peaux d'orignal que deux Indiens halaient depuis la berge alors qu'un troisième, sur ses gardes, marchait en éclaireur. Il était armé. D'autres hommes, deux par embarcation, utilisaient de grandes perches en bois pour maintenir le canoë à distance de la berge tout en contournant les obstacles.

Ils passèrent devant Ohio sans se douter de sa présence alors que les chiens étouffaient des grognements. Comme le courant était violent en cette période de débâcle, les hommes progressaient doucement. Ohio put observer leur habillement. Ils portaient des vestes avec des capuchons en peau de tête de loup sur laquelle on avait laissé les oreilles. Il s'agissait de Crees, ennemis des Ojibways. Sans doute des parents de ceux qui avaient été massacrés dans le village. S'agissait-il d'une expédition punitive ? Ces Crees étaient-ils au courant de la tuerie dont les Ojibways étaient sûrement responsables ? Autant de questions dont les réponses aboutissaient toutes à la même constatation. La confrontation entre les deux groupes était inévitable et serait sanglante.

— Il faut intervenir ! décida brusquement Ohio qui regrettait de s'être caché.

Mais quelle aurait été la réaction de ces hommes s'il s'était montré ?

— Qu'est-ce que je peux faire ? Je n'en peux plus de tous ces morts, de ces massacres. N'y aura-t-il personne pour s'interposer ?

Il eut soudain la conviction que la petite guérilla qu'allaient se livrer ces deux groupes et qui ne le concernait pas aurait pour lui une importance considérable. S'il n'était pas capable d'arrêter ou de détourner le si mince filet d'eau de cette bataille, comment pouvait-il prétendre un jour dévier le cours d'une rivière ? Il ne voulait plus se contenter d'être le spectateur d'une telle folie.

Il se mit à courir sur le sentier tracé par les orignaux le long de la berge. Il allait bien plus vite que les Indiens qui halaient leurs canoës et s'arrêtèrent dans un coude de la rivière. Ohio se coula jusqu'à leur niveau en se faufilant entre les aulnes et observa. Ils déchargeaient les canoës ! Ils avaient donc l'intention de s'approcher du village et de ses occupants éventuels le plus discrètement possible. Pourquoi ? Il en eut immédiatement la réponse. Une mince colonne de fumée blanche montait au-dessus des arbres dans un ciel immobile et trahissait une présence sur l'ancien emplacement du village. Les Crees s'armaient d'arcs et de fusils lorsque Ohio s'avança à découvert et les interpella.

— Bonjour, frères de la taïga !

La panique s'empara des sept Indiens. Ohio vit à leur attitude qu'ils se croyaient encerclés et il les rassura immédiatement alors qu'un fusil se levait dans sa direction.

— Baisse ton arme. Je ne suis pas un ennemi et je ne suis pas armé !

Il était obligé de hurler pour se faire comprendre par-delà les eaux tumultueuses.

— Qui es-tu ?

— Je suis Ohio, du clan nahanni. J'ai voyagé tout l'hiver pour arriver jusqu'ici.

Ils se consultèrent.

— Les Nahannis sont de la Baie ou de la Nord-Ouest ?

Ohio s'attendait à cette question, devenue rituelle. Sa réponse était toute prête.

— Je ne suis pas un Blanc. Je suis un Indien et je n'appartiens à personne.

Nouveau silence embarrassé.

— Traverse, lui proposa un des Crees.

— Je ne peux pas, mon canoë est beaucoup plus bas.

— Qui est au village ?

— Des voyageurs comme nous.

La réponse ne les satisfaisait pas.

— Qui sont-ils ?

Ohio se fit répéter la question.

— Je n'entends rien. Venez donc sur cette rive !

— Nous ne viendrons pas. C'est un piège !

— Alors allez-vous-en ! Allez vous entre-tuer avec vos frères, comme tous les autres.

— Nos frères sont morts. N'as-tu pas été dans le village ?

— Comment savez-vous que tout le monde est mort ? Je suis ici depuis deux lunes et je n'ai vu personne.

— Netsilik est l'un des rares à s'être échappé.

Il lui montra l'homme en question, qui fit un signe affirmatif de la tête et l'interrogea.

— As-tu vu Spiwesk, notre chaman ?

— Je l'ai vu mourir. C'est lui qui a sauvé ma compagne.

— Tu l'as tué ?

— Je ne tue que pour me défendre.

Les Crees parlementèrent un bon moment. Netsilik s'emportait. Il montrait Ohio du doigt et brandissait son fusil en fustigeant les autres. Ohio attendait lorsqu'un coup de fusil éclata juste derrière lui. Un jet d'adrénaline se propulsa dans ses veines. Il vit un Indien se tordre de douleur sur la rive alors que les autres se précipitaient à l'abri des rochers. Ohio plongea dans les aulnes. Une balle siffla au-dessus de lui, puis une autre. Ohio vérifia que les quatre chiens étaient près de lui et détala. Il manqua renverser l'Ojibway qui courait lui aussi se mettre à couvert sous les sapins.

— J'ai suivi tes traces ! lui dit-il.

Ohio avait envie de l'étriper.

— Pourquoi as-tu tiré, espèce de putois ? hurla-t-il en l'empoignant par le col de sa veste en cuir d'orignal. Tu aurais pu me faire tuer !

— Ce sont des Crees et je devais prévenir mes hommes. Sans cela ils se seraient fait massacrer !

Ohio ouvrait la bouche pour répondre lorsqu'une balle se ficha dans le tronc du sapin à quelques pas d'eux. Il le fixa dans les yeux et resserra son étreinte, insensible au danger. À côté d'eux, le poil hérissé sur le dos, les babines retroussées sur des crocs étincelants, Torok grognait, prêt à intervenir.

— Écoute-moi bien ! Si jamais il arrive quelque chose à mes chiens par ta faute, je t'ouvrirai le ventre comme un vulgaire poisson. Tu m'as bien entendu !

Et il le jeta sur le sol avant de s'enfuir.

4

Lorsque l'Ojibway était parti voir pourquoi Ohio tardait tant, Mayoké ne s'était pas inquiétée, mais quand elle avait entendu les coups de feu, elle avait paniqué. Elle s'était mise à courir en coupant à travers la forêt, croisant sans s'en rendre compte Ohio qui revenait, lui, par le sentier d'animaux sauvages.

Il arriva bientôt en vue de la carcasse de l'orignal dont la peau pendait, tendue entre deux pins. Quelques geais arctiques qui arrachaient les morceaux de gras s'envolèrent en criaillant.

— Mayoké !

Il n'obtint pas de réponse.

« Elle a entendu les coups de feu et elle a filé », pensa Ohio. Il regarda autour de lui et reconnut facilement les fines empreintes de ses mocassins qui s'enfonçaient dans la forêt. La neige recouvrait encore les parties sombres de la taïga alors que de toutes les parties ouvertes jaillissait la vie, des fleurs déjà et quelques brins d'herbe frêle se mêlant aux lichens imbibés d'eau. Ohio dérangea une compagnie de tétras qui s'envola avec fracas pour se reposer non loin de là, dans l'épaisseur de quelques sapins. Mais il ne leur accorda pas la moindre attention. Il avait peur que Mayoké ne soit allée se jeter dans la gueule du loup. Torok, Gao, Huslik et Narsuak trottaient, bondissant souplement au-dessus des obstacles. Ils arrivèrent au bord de la rivière.

— Derrière !

Les chiens comprirent au ton employé qu'il fallait obéir et se rangèrent derrière Torok qui s'imposa en grognant juste à côté d'Ohio. Il n'y avait aucun bruit et pas la moindre silhouette en vue. Ohio remonta le long de la berge jusqu'à l'emplacement des canoës. Ils n'étaient plus là.

— Mayoké ! Mayoké !

Toujours ce silence pesant et angoissant, seulement troublé par les remous de la rivière. Ohio allait plus lentement car l'absence de neige sur la rive rendait la lecture des traces difficile.

— Ma petite Mayoké, mais où es-tu donc allée ?

Les traces devinrent illisibles sur les rochers qui flirtaient avec la rivière. Ohio revint en arrière et empoigna Torok, le forçant à se baisser jusqu'aux traces.

— Mon Torok ! Cherche Mayoké ! Oui, là, Mayoké. Cherche !

Il lui indiquait la piste. Torok renifla, indécis.

— Mayoké, cherche Mayoké !

Il renifla encore un peu, désorienté, puis essaya un pas.

— Oui, c'est ça, Torok. Vas-y. Suis Mayoké. Cherche-la.

Une lueur s'alluma dans les yeux intelligents. Torok avait enfin compris ce qu'on lui demandait. Consciencieux, il avança de quelques pas, et comme Ohio l'encourageait il continua. La piste était fraîche et son odorat assez puissant pour la suivre sans erreur.

— C'est bien, mon Torok ! C'est bien !

Ohio, concentré, étudiait chaque zone d'ombre, chaque rocher, chaque détour de la rivière où les

Indiens auraient pu lui tendre une embuscade. Mais ces précautions n'étaient pas nécessaires, il s'en rendit compte lorsqu'il entendit la fusillade et les cris. Non loin de son tipi érigé sur l'emplacement du village détruit, l'affrontement avait lieu. Une fois de plus des Indiens allaient s'entre-tuer, et Mayoké était là-bas !

— Allez Torok !

Le chien comprit à la façon dont Ohio forçait l'allure que le pistage était terminé, et il s'élança.

Les coups de feu s'espacèrent. Le pouls d'Ohio s'accéléra. Le sang battait dans ses tempes. Il courait à en perdre haleine lorsqu'il aperçut l'un des canoës sur la rivière. Il se jeta dans les maigres buissons de saules en ordonnant aux chiens de se coucher. Ohio compta quatre Crees. Il reconnut à l'avant Netsilik, ainsi que le chef de la bande avec lequel il avait parlementé qui ramait à l'arrière. Les deux autres scrutaient les rives, l'arme prête. Le canoë, propulsé par les deux vigoureux rameurs et porté par le courant, descendait la rivière à vive allure. Ohio s'écrasa sur le sol. Il entrouvrit le maigre rideau de végétation pour observer l'embarcation et vérifia que la seconde n'arrivait pas. Son regard se reporta sur le canoë lorsqu'il passa à toute vitesse juste devant lui. Il reçut comme un choc si violent qu'il se dressa en hurlant.

— Mayoké !

Il venait de l'apercevoir, assise dans le fond du canoë, vraisemblablement attachée. Elle tourna vivement la tête, mais l'homme placé juste derrière elle lui assena un coup de crosse sur la nuque avant de diriger l'arme vers Ohio qui s'était mis à courir. Le Cree n'avait cependant pas plus de chances d'atteindre Ohio que lui n'en avait de suivre le canoë qui dévalait la rivière. Il dérapa sur un caillou glissant et s'affala. Torok fut aussitôt sur lui. Ohio, sonné, l'écarta doucement pour apercevoir le petit point blanc du canoë qui disparaissait dans un coude de la rivière. Il se mit à sangloter, impuissant et découragé. Il aurait préféré mourir que de voir Mayoké aux mains de ces Indiens capables du pire.

— Ma petite Mayoké…

De sa grosse langue râpeuse, Torok séchait ses larmes en gémissant. Comment pouvait-il aider son maître ? Il grattait autour de lui, souffrant de son incapacité à comprendre. Ohio eut pour lui un faible sourire qui ressemblait à une grimace.

— Mon Torok. Tu n'y es pour rien. T'en fais pas.

Il hésitait. Tout s'embrouillait.

« Ça ne sert à rien que je parte à leur poursuite à pied, se dit-il. Pour commencer, il me faut une embarcation et une arme. Ils auront peut-être laissé l'autre canoë. Quant à mon arc et mon fusil, ils sont près du tipi. Et je dois m'occuper des chiens. »

Mais il ne pouvait se résoudre à repartir en sens inverse. À s'éloigner délibérément de Mayoké que ce Cree avait osé frapper devant lui, elle qui portait son enfant ! Ses poings se serrèrent à cette idée. Son corps refusait d'obéir. Il se leva comme s'il soulevait un orignal.

— Allez, vite !

Les quelques restes de cabanes calcinées servaient de perchoir à des corbeaux qui s'envolèrent à l'arrivée d'Ohio, prouvant que personne n'était dans les environs. Il suivit la berge jusqu'à son tipi qu'il eut la maigre consolation de trouver encore debout. Le second canoë était échoué à côté de deux cadavres. Ohio s'approcha. Des Ojibways. Gao qui fouinait aux alentours lui fit voir un autre corps, celui d'un Cree cette fois, la tête à moitié arrachée par une balle.

— Quelle folie ! Quelle folie ! répétait Ohio en contournant un quatrième corps.

Il entrait dans le tipi lorsqu'il entendit une plainte. Torok avait découvert un Cree qui gisait dans son sang près de la rivière, une flèche plantée dans la cuisse et une seconde dans le ventre. Il s'approcha, sur ses gardes, mais l'Indien n'était plus en état de faire quoi que ce soit, ni même de survivre. Il leva des yeux implorants vers Ohio et, quand il voulut parler, un flot de sang lui envahit la bouche.

— Que les grands esprits aient pitié de toi et comprennent que les Blancs sont en partie responsables de votre folie, dit Ohio.

Il lui souleva légèrement la tête alors qu'il hoquetait et d'un coup sec lui brisa les vertèbres cervicales, abrégeant ainsi ses souffrances.

Ohio retourna dans la tente. On avait pris son arme mais il en avait aperçu une autre près d'un des corps. Il transporta ses affaires jusqu'au canoë où il compta ses flèches. Il y en avait au moins trois douzaines. Il se félicita d'en avoir fabriqué autant. Il fouilla les corps et trouva ce qu'il cherchait : des allumettes, de la poudre et deux petits sacs de cuir contenant des balles d'acier. Son estomac se noua lorsqu'il entreprit de rassembler les affaires de Mayoké. C'est à ce moment-là qu'Oumiak souleva le pan de la tente et vint se blottir contre lui.

— Ma petite Oumiak !

Son état ne laissait aucun doute. Elle avait fait ses petits.

« Quelques minutes de plus ou de moins n'y changeront rien », se dit Ohio.

— Allez, vite ! Montre-moi ça !

Il fallait voir avec quelle fierté elle le mena jusqu'à sa tanière. Ohio se faufilait entre les rochers lorsqu'il entendit les grognements furieux d'une bagarre dont il imagina sans mal quels pouvaient être les adversaires. Il s'élança pour intervenir mais s'arrêta. À quoi bon ! Cet affrontement devait avoir lieu. Autant le laisser aller à échéance pendant qu'il était encore là. Au moins veillerait-il à ce qu'aucun chien ne s'en mêle.

C'est le cœur serré qu'il assista au combat entre Torok et Voulk, écartant Huslik qui voulait se joindre à la bataille.

« Pourquoi la vie s'accélère-t-elle parfois au point d'exploser ? Ces Indiens qui débarquent, l'enlèvement de Mayoké, Oumiak qui nous fait ses petits, et maintenant ça ! Tout cela en l'espace de quelques heures alors que nous vivons ici depuis deux lunes aussi calmement qu'un nuage traversant un ciel d'été ! La foudre s'est abattue sur moi. »

Les deux chiens s'arc-boutaient sur leurs pattes arrière, et leurs mâchoires claquaient dans le vide. Ils se ruèrent de nouveau l'un sur l'autre, se bousculèrent et roulèrent dans un nuage de poussière.

« Grand esprit des animaux, je vous en prie, faites que ce combat s'arrête ! »

C'était comme si chaque coup de dent se plantait dans sa propre chair. Les griffes raclaient le sol en arrachant des mottes de terre. Le corps des deux chiens maculés de sang formait un seul amas de fourrures, si bien qu'il était impossible de dire qui avait le dessus.

Enfin, Torok assura sa prise et bloqua Voulk, qui de ses griffes continuait pourtant à lui labourer le ventre. Étranglé, il finit par s'immobiliser. Après un temps qui sembla infini à Ohio, Torok desserra légèrement l'étau de ses mâchoires alors que Voulk tournait de l'œil. Couché sur le dos, Torok sur lui, la mâchoire ouverte sur sa gorge, Voulk ne bougea plus. Ils restèrent ainsi un long moment, Torok faisant mine de le mordre chaque fois qu'il esquissait le moindre mouvement.

Le chef de meute releva doucement la tête et, sans cesser de gronder, regarda autour de lui pour savourer sa victoire tout en vérifiant que la leçon avait profité à tous. Qu'on le comprenne bien. C'était lui le patron et quiconque briguerait cette position se verrait ainsi châtié. Alors seulement, Torok avec une lenteur toute calculée s'écarta de Voulk, toujours sur le dos. D'ailleurs, lorsqu'il ébaucha un geste, Torok revint sur lui à la vitesse de l'éclair, prêt à l'égorger. C'était à lui de décider quand il pourrait bouger et Voulk devait supporter cet affront. Le poil hérissé, les babines retroussées sur des crocs étincelants, Torok bombait le poitrail et portait haut sa tête de vainqueur. Il alla d'un chien à l'autre en grognant, alors que les huskies s'écrasaient à son passage, la queue basse, les oreilles aplaties. Autant de signes prouvant qu'ils acceptaient la domination du chef de la meute.

Voulk rampa jusqu'à un bouquet d'aulnes à l'ombre duquel il se coucha pour lécher ses plaies. Ohio irait le voir plus tard. Le problème était réglé, au moins pour quelque temps, car il ne faisait aucun doute qu'il ressurgirait. En prenant de l'âge, Voulk acquerrait de la confiance et s'améliorerait dans l'art de la bagarre alors que Torok vieillirait. C'était l'ordre des choses. Un jour le fils voulait la place du père et, dans une meute de chiens comme chez les loups, cette passation de pouvoir s'effectuait rarement sans heurt ni effusion de sang.

— Allez ! Allons vite voir ces chiots !

Il y en avait huit, cinq mâles et trois femelles qu'Ohio noya aussitôt. Il ne gardait jamais les femelles. En posséder plus d'une dans un attelage, c'était multiplier les risques de tension. Oumiak sortit de sa tanière à la recherche des trois chiots qu'Ohio avait discrètement dérobés puis la réintégra vite, les cinq mâles piaillant comme des oisillons.

De toute façon, cinq suffisaient. En nourrir huit aurait forcément divisé les forces au détriment de certains.

— C'est bien, Oumiak ! Ils sont magnifiques, tes petits. Tu vas rester là bien tranquillement.

Il la caressa puis il boucha l'entrée du terrier au moyen d'une grosse pierre, laissant juste l'espace nécessaire pour que la chienne puisse entrer et sortir. Ensuite il libéra les chiens qui ne l'étaient pas et alla ausculter Voulk dont une seule blessure sur la cuisse arrière droite nécessitait quelques points. Il les fit sans attendre puis il se dirigea vers Torok dont l'oreille saignait, mais la blessure n'était que superficielle.

— Mon brave Torok, je te confie la meute. Tu dois m'attendre ici.

Le chien le regardait, les yeux humides et brillants d'intelligence.

— Tu comprends ? Tu vas rester ici, Torok !

Il penchait la tête comme chaque fois que toute son attention était focalisée sur ce qu'Ohio essayait de lui faire comprendre. Ohio planta ses yeux dans les siens et puisa dans le regard de son chien un peu de réconfort car il sentait ses forces vaciller.

— Ils ont enlevé Mayoké ! Tu te rends compte, Torok ? Ils ont enlevé ma petite Mayoké !

L'œil brun de Torok accrocha des lueurs dans cette fin d'après-midi sombre. Il lécha la main qui caressait sa tête et remua les oreilles. Un événement grave était survenu, il l'avait compris au ton de la voix de son maître. Il était prêt. Il ferait ce qu'Ohio lui demanderait. Du mieux qu'il pourrait.

5

Le crépuscule avancé étirait sur la rivière l'ombre des bois et une brume un peu mauve montait des eaux par longues écharpes qui s'en allaient enrubanner la forêt. Ohio poussa d'un pied le canoë et s'assit à l'arrière en plongeant sa pagaie à la manière d'une dérive pour lui faire gagner le centre de la rivière.

— Reste ici ! Reste !

Torok connaissait cet ordre. Il laissa Ohio partir sans essayer de le suivre et la meute l'imita. Le canoë, emporté par les eaux rapides, filait à vive allure. Le cœur d'Ohio se serra lorsqu'il se retourna une dernière fois et vit toute sa meute qui le regardait s'éloigner, sans comprendre. Tant de choses pouvaient arriver : un grizzly, des hommes, des loups... Mais d'un autre côté, Ohio se sentait mieux maintenant qu'il pouvait évacuer un peu de son anxiété en ramant vigoureusement dans la direction par laquelle Mayoké avait disparu. Il ne pensait plus qu'à une chose : écraser sous une pierre la tête de celui qui avait osé la frapper.

— Si tu touches encore à un seul de ses cheveux... ! gronda-t-il tout haut, la mâchoire serrée, comme s'il pouvait être entendu.

Derrière lui, la pagaie formait de gros remous qui s'entortillaient dans le courant. Ohio menait l'embarcation, pourtant un peu grande pour lui, d'une main sûre, retrouvant presque instantanément ses réflexes endormis par huit longs mois d'hiver. La rivière ne charriait plus de glace et de moins en moins d'arbres. Elle commençait à se laver de toute cette terre, reprenant peu à peu les teintes grises, légèrement bleutées, des eaux de fonte. Les rives défilaient, mais Ohio ne les regardait pas. Il observait la rivière, cherchant à deviner ses pièges. Sa concentration était totale. Il ne pouvait pas se permettre de heurter quelque obstacle qui l'eût retardé. Le jour baissait, il devrait bientôt interrompre la navigation. De cette rivière, il savait seulement qu'elle menait au grand lac Wollaston où vivait une bande de Crees. Est-ce que des rapides ou des chutes barraient son cours ? Cette question hantait Ohio, tout au souvenir de son naufrage que les bruits de la rivière et les sensations de la conduite du canoë faisaient ressurgir en lui douloureusement. Il mesura tout à coup l'immensité du chemin parcouru depuis qu'il avait quitté son village, l'été précédent. Il avait vécu tant d'aventures, tant d'événements heureux et malheureux, de péripéties en tout genre, d'accidents, de moments de doute et d'exaltation !

Maintenant qu'il avait rencontré Mayoké, et surtout depuis qu'elle attendait un enfant, il aspirait au calme. Il voulait profiter d'une pause dans le tumulte de sa vie, et voilà qu'une nouvelle fois les événements le contraignaient à tout remettre en question. Jusqu'où lui faudrait-il aller ? Quelle bataille allait-il encore devoir livrer ? Il était las tout à coup. Pourquoi ne s'étaient-ils pas enfoncés tous les deux vers le nord, loin de tout ? Ils n'avaient besoin de rien ni de personne pour vivre dans la taïga. Ils auraient trouvé un bel emplacement au bord d'une chute d'eau, sur un coteau exposé au soleil, et ils auraient passé l'été là, pêchant les saumons et chassant les oies et les caribous. Autour d'eux, les chiens en liberté auraient partagé leur temps entre les bains de soleil et de grandes balades dans les alpages de lichen, poursuivant lièvres et lemmings. Oumiak aurait élevé ses petits pendant que le ventre de Mayoké se serait arrondi. Ohio aurait construit un deuxième traîneau, et une roue pour prendre des saumons qu'ils auraient fumés. La vie se serait écoulée dans le plus beau et le plus parfait des équilibres. Les jours de pluie, ils seraient restés bien à l'abri dans le tipi auprès du feu, enroulés dans les fourrures. Ohio avait mal. Une telle envie d'elle auprès de lui.

Pourquoi avait-il fallu qu'ils reviennent vers les hommes ? Qu'était donc cette force qui le poussait à poursuivre son voyage envers et contre tout ? Le bonheur n'était-il pas à portée de sa main ? Certes, il avait promis d'aller jusqu'au village de Mudoï, mais il ne pouvait se mentir à lui-même, cette promesse lui offrait un trop beau prétexte. Tant qu'il ne serait pas allé au bout de ce voyage, il ne pourrait pas vivre en paix. Il le savait. Il repensa à Cooper, à tout ce qu'il avait découvert. Son père avait abandonné sa mère, enceinte, après lui avoir fait la promesse de revenir. De retour en Angleterre et tout auréolé de la gloire que son voyage à travers les montagnes Rocheuses lui avait procurée, il s'était marié et n'était jamais revenu. Le grand Cooper avait oublié Sacajawa. Elle n'était qu'une petite Indienne dont il avait cru s'amouracher !

Comment sa mère pouvait-elle l'aimer encore à ce point ? Du temps où Ohio ignorait tout cela, il avait pensé aller à la recherche de ce père inconnu, suivre sa trace, savoir ce qu'il était devenu, comprendre. Ce qu'il avait appris ensuite l'avait écœuré.

Alors il s'était désintéressé de Cooper. Mais depuis, Ohio avait rencontré Keith, le vieux coureur des bois qui l'avait réconcilié avec les Blancs. Or ce vieil homme plein de bon sens et de tendresse avait voyagé avec Cooper. Il le connaissait bien et il ne le croyait pas capable d'une telle indifférence envers celle qui, à l'entendre, occupait toutes ses pensées. Ces révélations qui, sur le moment, n'avaient pas bouleversé Ohio outre mesure, l'intriguaient aujourd'hui de plus en plus. Se pouvait-il que l'attirance qu'il éprouvait pour ces territoires de l'Est y trouve son origine ? Quelle réponse attendait-il à toutes ces questions qu'il se posait ? Il en voulait à cet étranger, pour ce qu'il avait fait à sa mère, mais aussi pour cette sorte de persécution morale dont il était victime, au point de lui faire accomplir un voyage dont le sens lui échappait totalement.

Grâce à ce voyage, cependant, il avait rencontré celle qui illuminerait sa vie. Il avait aussi pris conscience de la menace qui pesait sur son peuple dont le territoire serait envahi, tôt ou tard. Et ce qu'il avait vu lui permettrait peut-être de montrer aux siens comment résister…

Tout se mélangeait, mais une seule chose comptait : Mayoké. Sa petite Mayoké dont il se refusait à imaginer les conditions de détention. Une seule chose le rassurait. S'ils ne l'avaient pas tuée immédiatement, se donnant la peine de l'embarquer, ce n'était pas pour s'en débarrasser ensuite. Mais une inquiétude naissait de cette constatation. Que comptaient-ils faire d'elle ?

Qu'ils touchent à un seul de ses cheveux… !

La pointe des épinettes crénelait l'horizon crépusculaire et scintillait dans le soleil couchant. La plainte d'un huart retentit, et un peu plus loin les aboiements d'un renard en chasse. Ohio canota encore quelque temps puis avisa une plage où un rocher plat, un peu surélevé, lui fournirait un abri sec et confortable pour la nuit. La proue du canoë se planta dans le sable avec un chuintement discret. Un fracas de branches brisées dans les aulnes ainsi qu'un grognement caractéristique avertirent le jeune homme du départ inopiné d'un gros ours noir dont il aperçut les empreintes. Ohio n'aimait pas cela. À cette époque de l'année, les ours affamés par leur long jeûne hivernal étaient prêts à tout pour se procurer un peu de nourriture. À la faveur de l'obscurité, celui-ci n'allait pas manquer de venir rôder autour des sacs de provisions.

Pourtant, la nuit tombait et Ohio ne voyait guère d'autre endroit où s'arrêter.

— Je vais dormir dans le canoë, décida-t-il. Il n'osera pas s'approcher. Surtout si j'allume un feu et que je l'alimente deux ou trois fois dans la nuit.

Il déchargea le canoë, puis, s'armant de sa lance et d'une machette, il partit à la recherche de bois mort avant que l'obscurité ne devienne totale. En pénétrant dans la forêt, il repéra le souffle de l'ours qui de loin reniflait les odeurs. Il trouva quelques aulnes morts sur pied et un pin d'un bon diamètre qu'il ramena en deux morceaux. Il alluma aussitôt un feu. La lumière rassurante des flammes lui fit du bien. Il n'avait pas faim mais il se força à manger, car il voulait canoter toute la journée du lendemain, sans s'accorder la moindre pause. Il se préparait à se coucher lorsqu'il entendit un animal se frayer un chemin au galop dans les aulnes. L'ours chargeait ! Ohio se rua sur le canoë où sa lance reposait. Il entendit le souffle de la bête qui arrivait droit sur lui, et il eut à peine le temps de la diriger vers son agresseur. La bête fondait sur lui à la vitesse de l'éclair. Tout se passa en une fraction de seconde. Ohio, dans un sursaut de lucidité, chercha le cou de l'animal pour lui porter un coup mortel ou tout au moins efficace, et c'est à ce moment-là qu'il reconnut Voulk. L'effroi s'inscrivit sur son visage lorsqu'il vit la lance frapper la tête de son chien. Il n'avait pas eu le temps de dévier suffisamment sa lame. Ils s'écroulèrent tous les deux. Ohio mit quelque temps à reprendre ses esprits, fêté par Voulk qui lui léchait le visage en gémissant de joie.

— Voulk !

À la lueur des flammes, Ohio vit que la lame n'avait fait qu'érafler la joue en coupant quelques poils.

— Mon petit Voulk, mais tu es complètement fou. J'aurais pu te tuer !

Le husky haletait. Il avait galopé sur une telle distance ! Ohio n'en revenait pas. Le fait qu'il soit seul prouvait qu'il s'était éclipsé discrètement. La meute était restée là-bas, près de Torok, comme il l'avait ordonné. Voulk avait désobéi, mais Ohio ne pouvait lui en vouloir. À vrai dire, il était ravi de cette compagnie.

— Montre-moi ta cuisse !

La plaie, comme il s'y attendait, s'était rouverte. Il la nettoya avec de l'eau chaude et retailla de la pointe de son couteau avant de recoudre.

— Tu vas rester là, bien sagement au bord du feu.

Le husky n'avait nullement l'intention de bouger. Maintenant qu'il avait retrouvé Ohio, il n'aspirait plus qu'au repos. Ohio lui donna quelques morceaux de pemmican récupérés dans le village. Le husky mangeait lorsqu'il redressa brusquement la tête et se mit à aboyer rageusement.

L'ours !

Ohio l'entendit qui marchait dans l'épaisseur des aulnes, rôdant autour de la plage.

— Reste ici !

Le chien, tous crocs dehors, le poil hérissé sur le

dos, voulait s'élancer mais dans la nuit noire il n'avait aucune chance d'acculer l'ours quelque part où Ohio pourrait le tirer. Ohio chargea son arme et attendit d'apercevoir un mouvement à la lueur du minuscule quartier de lune. Il ne vit rien, mais Voulk continuait de gronder, prouvant que la bête était encore dans les parages. Elle y resterait vraisemblablement toute la nuit.

Pas moyen de dormir !

Ohio chargea le canoë, fit monter Voulk et traversa la rivière en priant pour ne pas toucher de pierre. La traversée se fit sans incident. Comme il s'y attendait, la rive opposée n'offrait aucun emplacement de campement. Abrupte, la berge montait franchement dans un chaos de rochers et de buissons d'aulnes. Ohio dériva quelque temps puis se gara dans une petite anse et débarqua. C'était vaseux mais une frange de joncs offrait une petite surface où il put s'aménager un coin à peu près sec.

— Allez Voulk, dormons ! La journée risque d'être dure.

Il eut du mal à trouver le sommeil. Où était Mayoké ? Que faisait-elle ? Et il eut cette pensée pour sa mère dont il comprenait mieux aujourd'hui les longs silences et les angoisses. « Toutes ces années d'attente, d'anxiété, d'incertitude surtout ! Oui, pensa Ohio, je comprends maintenant tout cela et le pire est bien de ne pas savoir, car cette incertitude entretient l'espoir telle une petite flamme qui ne s'éteint jamais ! Combien d'heures Sacajawa a-t-elle passées à étudier toutes les éventualités, combien de rêves et de cauchemars ont hanté ses nuits ? Comment Cooper a-t-il pu faire cela, lui qui disait rentrer en Angleterre uniquement pour tenir sa promesse à ceux qui avaient commandité son expédition et parce qu'il voulait annoncer lui-même aux familles la mort de certains de ses hommes ? Comment un homme avec un tel sens de l'honneur avait-il pu abandonner ainsi ses projets et ses serments ? N'avait-il pas organisé, planifié son retour en laissant des chiens et tout le matériel nécessaire chez des Outaouais ? Que s'est-il passé ? Je ne peux pas me contenter de ce que j'ai appris. Je dois comprendre pour que ma mère puisse enfin vivre en paix. »

Quand il s'endormit enfin, Voulk, lové contre lui, l'entendit murmurer plusieurs fois le nom de cette jeune Indienne qu'il s'était mis à aimer lui aussi.

6

Depuis des temps immémoriaux les Nahannis chassaient sur un territoire si vaste qu'il ne leur était jamais venu à l'idée de devoir un jour en fixer les limites. Un territoire hérissé de hautes montagnes habillées de glaciers et d'alpages enneigés qui tranchaient sur le vert profond des forêts accrochées aux versants. Leurs voisins, les Tagishs et les Chipewyans au nord, et les Sushines au sud, étaient leurs amis. Des mariages avaient eu lieu entre leurs clans, tel celui de Sacajawa et d'Oujka, prouvant qu'ils étaient frères par le sang. Mais Klawask était arrivé. Dans les bagages de ce Tagish, il y avait une arme, des pièges en acier et de merveilleuses inventions comme des allumettes ou du whisky. Et rien n'était plus comme avant…

Depuis toujours, les Nahannis se nourrissaient de la viande du caribou, s'habillaient avec son cuir, cousaient avec le fil de ses nerfs séchés, fabriquaient des ustensiles de cuisine avec ses os, des gourdes avec ses intestins, des mocassins avec le cuir de son échine, leurs tipis étaient recouverts de ses peaux. Les Nahannis ne trappaient pas, à l'exception de quelques carcajous pour les capuchons de leurs parkas. Les lynx vivaient tranquilles. Mais voilà que

Klawask proposait d'échanger ses trésors contre des fourrures. Alors tout avait commencé…

Les clans s'étaient disputés pour s'approprier les meilleures zones, celles où les lynx vivaient nombreux. Puis les Sushines s'étaient attribué les droits de trappe dans les grands marais d'Isotia où les Nahannis chassaient les orignaux…

Heureusement, Sacajawa était là. Dès le début, elle s'était interposée dans les conflits naissant de temps à autre, et Ouzbek, le chef du village nahanni, appuyé par le chaman, l'avait encouragée à intervenir pour toutes les questions qui, de près ou de loin, touchaient au commerce avec les Blancs. Tout le monde y avait trouvé son compte car elle était juste et ses décisions étaient prises dans l'intérêt général. Elle organisa un tirage au sort des secteurs riches en animaux à fourrure et proposa aux Sushines un partage équitable des grands marais qu'ils acceptèrent au terme d'une longue discussion. Elle offrit aussi de négocier l'ensemble des fourrures directement avec Klawask plutôt que de laisser chacun négocier individuellement, arguant que l'union faisait la force. Ce qu'elle obtiendrait serait réparti en fonction du nombre de fourrures rapporté par chacun. Enfin, elle refusa énergiquement que Klawask fasse venir au village du ravitaillement sous forme de farine et de pemmican pour compenser le manque de caribous qu'engendrerait la pratique de la trappe plutôt que la chasse. Il fut décidé avec Ouzbek qu'aucun Nahanni n'irait trapper tant que les provisions de viande pour le village ne seraient pas suffisantes. Ils approuvèrent tous cette sage décision.

— Que nous suggère Klawask ? D'aller chasser les lynx et les castors plutôt que les caribous et d'échanger ces fourrures contre une nourriture qui n'est pas la nôtre. Ne soyons pas aveuglés par ces marchandises nouvelles. Certes les allumettes, les vitres, les bougies et les lames de fer nous intéressent et nous échangerons quelques fourrures contre ces marchandises, mais nous ne nous passerons pas des caribous, car le grand troupeau est l'âme de notre peuple. Ne pas se nourrir de lui, c'est refuser que le sang de nos ancêtres irrigue nos veines. Iriez-vous naviguer sur une rivière asséchée ? Voilà à quoi ressemblera notre peuple si nous nous engageons dans cette voie-là !

— Sacajawa a raison ! intervint Ouzbek. Tant que nous vivrons, le sang de *haï-ouktou,* le grand troupeau, coulera dans nos veines et nous donnera la force et la lucidité, ainsi en ai-je décidé.

Tous approuvèrent et les Sushines suivirent leur exemple. Ils refusèrent eux aussi d'acheter de la nourriture alors que les rivières et les forêts leur procuraient tout ce dont ils avaient besoin.

Au cours de l'été, Klawask revint au village en canoë avec la quantité de pièges en acier qu'il avait promise et qu'il voulait distribuer à titre d'avance sur les fourrures. Sacajawa lui expliqua le système mis en place et récupéra tous les pièges qu'elle répartit équitablement. Klawask voulut s'y opposer, mais Ouzbek lui expliqua que c'était à prendre ou à laisser.

— N'oublie pas, Klawask, que nous ne sommes pas dupes, déclara Sacajawa. Si tu effectues ce long voyage depuis le comptoir de la rivière Pelly jusqu'ici pour échanger ces marchandises contre des fourrures, c'est que tu y trouves ton compte. Le fait de nous avancer des pièges ne te donnera pas le droit de nous tromper sur les bases de l'échange.

Klawask, pris au dépourvu, marmonna entre ses dents une vague réponse inintelligible. Il essaya bien, durant les quelques jours où il resta dans le village, de créer un marché parallèle en soudoyant quelques hommes avec de l'alcool, mais en pure perte, car l'un d'entre eux rapporta la chose à Sacajawa. Elle menaça Klawask d'organiser elle-même une expédition jusqu'à la rivière Pelly s'il ne se soumettait pas aux règles. Klawask promit.

Dès lors, les tensions disparurent et chacun alla construire sa petite cabane de trappe sur le territoire qui lui avait été attribué, certains s'entraidant même à trois ou quatre. Sacajawa savait qu'il ne s'agissait là que d'une trêve. Il lui faudrait user de beaucoup de diplomatie mais aussi de fermeté pour faire face aux nombreux remous qui viendraient modifier le cours tranquille de leur vie. L'arrivée inopinée des Blancs sur les bords de la rivière Pelly rouvrait la plaie qui cicatrisait doucement depuis qu'un petit enfant grandissait dans son ventre. Elle s'était retenue pour ne pas charger Klawask d'une mission. « Je pourrais lui demander d'interroger les deux Blancs qui tiennent ce comptoir. Étant anglais, ils doivent connaître Cooper, savoir ce qu'il est devenu. » Mais elle avait épousé Oujka et, ce faisant, elle s'était promis de refermer à jamais la petite porte qu'elle gardait jusque-là entrouverte dans son cœur. Elle avait jeté dans un ravin la médaille donnée par Cooper, tirant un trait sur son passé. Il fallait ne plus penser à lui et se donner entièrement à cette nouvelle vie, à Oujka et à leur enfant. Cependant, malgré tous les barrages qu'elle érigeait autour de lui, le cours tortueux de ses pensées revenait souvent à Cooper. Oujka le savait. En épousant Sacajawa, après quinze étés d'attente, il avait accepté de la partager avec cet homme invisible. Cette concession n'entachait pas son bonheur. Sacajawa était bien la plus belle femme des Nahannis et elle jouissait d'une aura formidable qui rejaillissait sur lui. Que ses rêves et ses silences soient habités par cet homme faisait partie intégrante de Sacajawa, comme un nœud sur un arbre, qui grandit avec lui sans jamais se résorber tout à fait.

7

Une lueur rose montait derrière la forêt où la lame dentelée des épinettes sciait un bandeau noir entre le ciel et son reflet sur la rivière. Ohio était parti à l'aube. Voulk, à la proue, hiératique, fixait intensément l'horizon que des brumes noyaient dans une nuit un peu grisâtre. Dans un glissement d'ailes mouillées, les oies s'échappaient des anses où elles avaient fait halte. Un calme infini régnait sur la taïga encore endormie même si, de la forêt, sourdaient les sifflements de quelques pinsons à gorge rouge et de loin en loin le chant timide d'une sittelle.

Voulk humait les odeurs que les brumes dérivant sur les eaux lui apportaient. Plusieurs fois il se redressa pour capter un effluve, celui d'élans dont Ohio aperçut le corps massif fuyant dans la brume et, un peu plus tard, celui d'un ours endormi sur la berge et qui s'échappa en grognant.

Le paysage s'aplanissait, la rivière s'élargissait, les collines boisées de trembles disparaissaient au profit de hautes forêts de pins piquetées de bouleaux effilés et de quelques sapins dodus. La navigation devint facile, mais Ohio avançait lentement, tout à la force des bras. Le courant n'aidait plus beaucoup. Puis la rivière devint lac et le vent qui ne rencontrait plus aucun obstacle se leva, parsemant sa surface d'or. Ohio, ne pouvant poursuivre sa route, assista au coucher du soleil en scrutant l'horizon où il lui sembla discerner le halo d'un feu. Enfin le vent se calma. Ohio se remit immédiatement en route. Le lac était immense, mais dans la nuit on distinguait maintenant nettement les lueurs d'un village. Ceux qui avaient enlevé Mayoké étaient forcément là et cette évidence donnait à Ohio les forces qui venaient à lui manquer. Il alla droit vers la lumière, attiré par elle comme un papillon par le feu où il va se griller les ailes. Il n'avait pas de plan. Il était prêt à tout et cette inextinguible volonté l'empêchait d'imaginer autre chose que de foncer droit vers Mayoké et ses ravisseurs.

Il rama pendant des heures, d'un côté, puis de l'autre. Le canoë filait, sans un bruit, pareil à une lame blanche ouvrant la surface argentée du lac où se mirait la lune. Les lueurs s'éteignirent mais Ohio avait pris des repères et allait droit grâce aux étoiles. Voulk, bercé par le clapotis des vagues, s'était assoupi à ses pieds. Il se réveillait par intermittence, bâillait, levait des yeux vagues vers le plafond d'étoiles puis se rendormait. Ohio pensait à sa meute et essayait de l'imaginer, couchée sur un épaulement de terrain à la manière des loups.

« Pourvu qu'il ne leur arrive rien ! Pourvu qu'ils restent là-bas ! Que vont-ils faire lorsqu'ils vont s'apercevoir que je ne reviens pas ? »

Il approchait, à la faveur de la nuit d'encre qui précédait l'aube, et accosta sur une plage de cailloux ronds envahie de bois échoués. Voulk sauta sur la rive, pissa et s'ébroua, reniflant les odeurs nouvelles. Ohio n'avait pas la moindre idée de la direction du village. À droite ou à gauche ? En voyant Voulk aller et venir autour de lui, Ohio eut une idée et imita le jappement d'un chien. Aucune réponse. Il recommença lorsque Voulk, répondant à l'écho, aboya lui aussi. Alors, au loin, un chien réveillé aboya sans conviction, mais c'était suffisant. Ohio savait où aller. Il porta son canoë jusqu'aux arbres, le cacha et s'empara de son arc. Il préférait cette arme silencieuse et sûre à celle des Blancs, bruyante et dont la poudre s'humidifiait.

Le village était plus loin qu'il ne l'avait cru. Un léger vent d'ouest avait dû le dévier de sa route alors qu'il ramait. Il marchait difficilement sur la rive envahie par les aulnes où subsistaient des restes de neige, à l'ombre des sapins chétifs. Enfin, il déboucha sur un sentier qui suivait l'arrondi de l'anse au fond de laquelle se trouvait le village. Il écouta. Pas d'autre bruit que le clapotis des vagues contre les cailloux.

— Derrière, Voulk ! Et tais-toi !

Le chien obéit. Ils se coulèrent silencieusement jusqu'à la première cabane. Le village comptait autant d'habitations en dur que de tipis où quelques feux s'allumaient avec l'aube, éclairant de taches mordorées les peaux transparentes. Ohio dissimula son arc et son carquois sous une souche et s'engagea dans le village. Au bord du lac, il aperçut une grande cabane. La blancheur des fûts de pins abattus depuis peu qui la constituaient montrait qu'elle était neuve : le comptoir. Une lueur filtrait à travers l'un des carreaux. Ohio s'avança et vit un jeune homme aux cheveux blonds, fraîchement rasé, penché au-dessus d'une table en pin équarri qu'éclairait une lanterne. Il était seul. Ohio, sans même prendre le temps de réfléchir, toqua au carreau. Le jeune homme se redressa, se leva et vint coller son œil à la fenêtre.

— Ouvre-moi ! cria Ohio.

— Qui es-tu ?

— Je m'appelle Ohio. Je viens de loin !

Le jeune homme alla chercher sa lanterne et l'approcha de la fenêtre.

— Qu'est-ce que tu veux ?

Ohio s'apprêtait à répondre lorsqu'un homme à la carrure impressionnante entra dans le cercle de lumière. Le jeune homme se retourna vivement, comme pris en faute, et discuta avec le nouveau venu. Celui-ci s'avança.

— Que veux-tu ?

— Je viens de loin. J'ai traversé le lac de nuit pour être ici à l'aube.

L'homme jura entre ses dents et se dirigea jusqu'à la porte qu'il déverrouilla en maugréant.

— Le comptoir n'ouvre qu'à neuf heures, repasse tout à l'heure.

Il parlait parfaitement la langue algonquine mais il s'exprimait avec un fort accent.

— Des Indiens m'ont attaqué et ont enlevé ma compagne qui attend un enfant. Je n'ai pas de temps à perdre.

Les deux Blancs se regardèrent puis le visage grave et un peu agressif du molosse se détendit.

— Allez, entre !

Il lui laissa le passage. Voulk resta sur le pas de la porte. Une odeur des plus agréable régnait dans la pièce surchauffée.

— C'est le pain qui finit de cuire. Veux-tu partager un café avec moi ? Maintenant que je suis réveillé.

— Je… je ne connais pas le café.

— Un thé alors ?

— Un thé oui, très bien…

L'homme s'adressa au jeune homme dans une langue inconnue d'Ohio.

— Alors qu'est-ce qui est arrivé là-haut ?

— Comment savez-vous que le problème vient de là-haut ?

— Ne m'as-tu pas dit que tu avais traversé le lac ? Et de toute façon, les problèmes viennent tous d'en haut.

— La plupart des problèmes que j'ai rencontrés ne venaient ni d'en haut ni d'en bas mais bien de la zizanie que créent les Blancs entre nos peuples.

Ses deux interlocuteurs parurent surpris et quelque peu amusés par sa remarque.

— Ta façon d'appréhender et de juger les problèmes que connaît actuellement le pays est un peu naïve ou tout du moins simpliste, non ?

Ohio n'avait que faire de cette conversation.

— Une seule chose m'intéresse pour le moment. Avez-vous vu ou entendu parler de cette bande de putois crees ?

— Les Assiniboines qui sont ici n'entretiennent plus de bonnes relations avec les Crees du Nord. Je suppose que cette bande vient des lacs Kasbas ?

— Je ne sais pas. Tout un village a été détruit sur la rivière Cochrane.

— J'ai entendu ça, dit l'homme en soupirant. Ce serait encore de la faute de Walter, cet idiot d'Écossais qui a pactisé avec les Français de Fort Waboden. Les Crees de la rivière Cochrane sont allés échanger leurs peaux sur l'un des postes de la baie d'Hudson et Walter s'est vengé avec des Ojibways et quelques Hurons.

— Il les a tous massacrés.

— On ne sait pas réellement ce qui s'est passé.

— Moi je le sais. J'ai rencontré leur chaman qui m'a tout raconté.

Le Blanc haussa les épaules.

— Il y a autant de versions que d'Indiens !

— À vrai dire, cette histoire ne me concerne pas. Je recherche cette bande de Crees. S'ils ne sont pas ici, où peuvent-ils être ?

Le Blanc se fit raconter toute l'histoire, mais il

semblait bien plus intéressé par celle d'Ohio que par le sort de Mayoké.

— Le mieux si tu cherches une compagne est d'en prendre une ici. Il y a de très belles et jeunes Assiniboines.

— Je retrouverai Mayoké même si je dois fouiller un à un tous les villages du Grand Nord, lui répondit Ohio, le regard noir.

— Les territoires crees sont déchirés par les guérillas, plusieurs villages sont détruits, les pistes sont dangereuses. Seul, tu n'as aucune chance.

— Indique-moi la route pour me rendre aux lacs Kasbas.

— Comme tu voudras.

Il fallait suivre la rive ouest du lac jusqu'à la rivière Genwal puis la remonter jusqu'au portage de Vijiansx qui conduisait aux lacs Kasbas.

— Le courant est faible dans la rivière Genwal. Tu la remonteras sans trop forcer sur les rames.

— Même si le courant était aussi rapide qu'une flèche, rien ne m'empêcherait de retrouver ces charognards.

— Et en imaginant que tu les retrouves, comment comptes-tu t'y prendre, seul contre toute une bande ?

— Je repasserai par ici. Je te raconterai.

Le Blanc fit une moue sceptique en s'habillant. Il vint lui serrer la main.

— Bonne chance !

Et il sortit. Ohio se leva pour l'imiter, mais le jeune homme l'arrêta.

— Je m'appelle Hans. Viens ! J'ai quelque chose pour toi.

Intrigué, Ohio le suivit. Hans passa dans l'autre pièce et fouilla dans une malle. Il en extirpa une veste en grosse toile, une chemise de laine à carreaux rouges et bleus, et un pantalon de cuir avec une bande de tissu cousue sur les côtés. Il les lui donna.

— Mais je n'en ai pas besoin !

— Oh si, tu en as besoin ! C'est le seul uniforme qui te permettra peut-être de passer sans être inquiété.

— C'est quoi, cet uniforme ?

— Celui des gars qui acheminent le courrier. C'est un service indépendant dont se servent tous ceux qui font du commerce. Les forts et les comptoirs communiquent grâce à ce système. Tu n'auras qu'à te faire passer pour l'un d'eux. Avec ton accent et tes yeux clairs, on te croira. Le mieux serait que tu te coupes les cheveux.

— Me couper les cheveux ?

— Oui, la plupart des coureurs des bois qui remplissent cette mission ont les cheveux moins longs. Il faudrait les couper un peu, cela renforcera ton côté européen.

Ohio observa le jeune homme avec intensité.

— Pourquoi fais-tu cela ?

— Moi aussi, j'ai une petite Mayoké qui attend un enfant.

— Une Indienne de ce village ?

— Oui.

— Comment s'appelle-t-elle ?

— Shellburne.

— Je te souhaite un beau garçon, dit Ohio en prenant les vêtements qu'il lui tendait. Je te les ramènerai.

Puis il eut une hésitation et regarda Hans droit dans les yeux.

— Je connais un Blanc qui a abandonné une merveilleuse Indienne après lui avoir fait un enfant. N'abandonne pas Shellburne.

8

Hans l'accompagna jusqu'à son canoë dans lequel il déposa un sac de toile rempli de nourriture, d'un paquet de boîtes d'allumettes, de bougies et de quelques fausses lettres pour des comptoirs du Nord.

— Qui êtes-vous exactement, ton père et toi ? lui demanda Ohio. Pour quelle compagnie travaillez-vous ?

— Pour celle qui nous propose les meilleures marchandises. À vrai dire, papa s'arrange pour contenter les deux. Comme nous négocions beaucoup de fourrure, tout le monde y trouve son compte et pour l'instant nous restons à l'écart de tout cela.

— Vous êtes anglais ou français ?

— Papa est allemand mais ma mère était française.

— Était ?

— Oui, elle est morte du scorbut lorsque nous sommes arrivés à Montréal, il y a de cela plus de dix ans.

— Et cet uniforme ?

— C'était le mien. J'ai été engagé par le gouverneur de la Nouvelle-France pour transporter le courrier depuis le lac Winnipeg jusqu'à Fort Chipewyan.

J'ai arrêté de voyager depuis que j'ai rencontré Shellburne.

— Mais ce comptoir est neuf. Vous n'êtes pas ici depuis très longtemps ?

— Il y avait un missionnaire qui avait fondé ici un établissement. Il négociait les fourrures des Assiniboines en toute neutralité. Lorsqu'il est mort, on a repris le commerce mais on ne s'occupe pas des âmes !

— Des âmes ?

— Tu n'as jamais entendu parler de Dieu ?

— Non, qu'est-ce que c'est ?

— Dieu est celui qui a créé le monde et les missionnaires sont ses représentants sur Terre.

— Dieu règne à côté des grands esprits ?

— Dieu règne sur toute chose.

— Comment le savez-vous ?

— Écoute, c'est le travail des missionnaires de t'expliquer tout ça. Moi, je n'y comprends pas grand-chose. Je suis baptisé au cas où, et puis voilà.

— Baptisé ?

— C'est une cérémonie au cours de laquelle tu te confies à Dieu.

— Les Nahannis appartiennent à leur terre.

— Oui, mais c'est Dieu qui a créé la Terre.

— Les grands esprits règnent sur toute chose. Ce Dieu est une invention des Blancs.

— Je te l'ai dit, je ne me mêle pas de ça.

Ohio rangea son canoë et fit monter Voulk. Hans regarda l'horizon tout en maintenant l'embarcation pendant qu'Ohio y prenait place.

— La journée va être magnifique. Le vent ne se lèvera pas avant ce soir. Tu auras atteint la rivière.

— J'espère bien être plus loin que ça.

— Tu es courageux. Tu vas la retrouver.

— Merci pour tout, Hans.

Il poussa le canoë vers le large. Ohio lui fit un

signe de la main et s'éloigna en adoptant un rythme rapide dont Hans doutait qu'il le tienne longtemps. C'est pourtant ce que fit Ohio jusqu'au milieu de l'après-midi, insensible aux crampes qui le faisaient souffrir dans les avant-bras et le dos. Il avait atteint la rivière dont les eaux brunes salissaient celles du lac et la remonta sur une petite distance. Là, il accosta sur une plage de sable encombrée de bois mort échoué et alluma un feu. Pendant que le pemmican de Hans réchauffait, il se vêtit de ses habits qui s'ajustaient bien.

— Une chance que nous soyons à peu près de la même taille.

Puis avec son couteau, il se coupa les cheveux au-dessus des épaules. Il le regretta aussitôt car, maintenant qu'ils n'étaient plus assez longs pour être attachés dans son dos, ils lui tombaient sur le visage. Il se fit un serre-tête au moyen d'une bandelette de cuir et mangea sans faim. Il n'avait pas dormi depuis deux jours, mais il ne ressentait pas la fatigue.

Soudain, Voulk, assoupi près de lui, se dressa sur ses pattes et se mit à grogner. Ohio se rua vers le feu et jeta une gamelle pleine d'eau sur les braises, qui grésillèrent et s'éteignirent. Puis il tira le canoë dans la forêt et effaça ses traces. Il fixa l'amont de la rivière où Voulk regardait, mais il ne vit rien.

Ce n'est que beaucoup plus tard qu'un grand canoë recouvert de peaux d'élans cousues ensemble arriva, une douzaine d'Indiens à son bord. Il semblait très lourdement chargé. Ohio en déduisit qu'il s'agissait d'un de ces groupes effectuant le transport de marchandises et de fourrures depuis les comptoirs du Nord jusqu'au lac Supérieur, où de grands bateaux les acheminaient jusqu'aux villes de Montréal et de Québec. Il s'avança sur la plage et leur fit signe quand ils arrivèrent à sa hauteur. Aussitôt plusieurs armes se levèrent, menaçantes, alors que la plupart des regards scrutaient la forêt derrière lui.

— Vous n'avez rien à craindre. Je suis seul ! leur dit Ohio.

— Nous ne craignons personne, lui répondit celui qui s'était mis debout et dirigeait le canoë.

Ohio découvrit alors un second canoë qui suivait le premier à quelque distance. La pointe du premier s'échoua sur le sable. Le conducteur ficha une perche contre le courant pour retenir l'arrière du canoë dont il n'avait visiblement pas envie de descendre.

— Qu'est-ce que tu fais par ici ?

— Je suis chargé d'acheminer le courrier vers le Nord.

— Est-ce que tu as du whisky à échanger ?

— Non !

— Dommage. Nous sommes pressés. Tu as besoin de quelque chose ?

— Je recherche une bande de Crees qui a enlevé une Chipewyan sur la rivière Cochrane.

— Qu'est-ce que tu leur veux ?

— Je pense qu'ils l'ont enlevée par erreur. Un messager est parti hier pour rendre compte de cet enlèvement au chef des Chipewyans. Elle est sa fille et je crains que sa réaction ne soit très violente. Il se pourrait que des centaines de guerriers descendent à sa recherche.

— Ce ne sont pas nos affaires. Les Crees font ce qu'ils veulent sur leur territoire.

— Vous avez rencontré ou entendu parler de cette bande ?

— Non. La plupart des Crees sont partis pour le lac Black aussitôt après avoir négocié leurs fourrures. Elles sont là ! dit-il en indiquant l'intérieur du canoë.

— Je croyais qu'ils étaient aux lacs Kasbas ?

— Sûrement pas, leur grand chef Toqueiyazi organise un immense Potlatch sur les bords du lac Black à la prochaine grande lune et de nombreux Crees y sont déjà. On dit que Toqueiyazi va donner le plus grand Potlatch qu'aucun chef cree n'a jamais donné.

— En quel honneur ?

— Le grand Toqueiyazi va transmettre ses pouvoirs à Oulickbuck, son fils.

— Vous n'y allez pas ?

— Nous, les Hurons, nous avons mieux à faire.

Ils se mirent à rire.

— Qui es-tu ?

— Je suis Mark, le fils de Cooper.

— Connais pas.

— Ça n'a pas d'importance. Je souhaite que votre voyage se passe bien.

Le Huron remercia et repoussa le canoë vers le centre de la rivière. Le second canoë derrière lui attendit qu'il se fût un peu éloigné pour suivre. Ohio les regarda partir avec un serrement au cœur. Il venait d'imaginer quelque chose d'horrible. Mayoké était peut-être cachée, ligotée sous les peaux. Mais que pouvait-il faire, seul, face à ces deux douzaines d'hommes armés jusqu'aux dents ? Il ne pouvait tout de même pas fouiller tous les canoës, toutes les cabanes du Grand Nord en suspectant chaque être humain qu'il rencontrerait ?

Il déroula sa carte et chercha le lac Black. Il se situait au sud des lacs Kasbas, à environ deux jours de navigation. Que faire ? Ohio sentait le désespoir le gagner. Plus le temps passait, plus les possibilités se multipliaient. Mayoké pouvait être partout, d'autant qu'il n'avait toujours pas recueilli une seule information valable. Rien que des hypothèses. Il observa longuement la carte. En considérant que les ravisseurs ne s'étaient pas dirigés vers le sud puisque les Assiniboines ne les avaient pas vus, ce dont il était sûr, il ne restait que deux possibilités : ils pouvaient avoir pris vers l'est en portageant leurs canoës d'un lac à l'autre jusqu'à la rivière Seal, mais Ohio ne voyait pas ce qui les aurait poussés dans cette direction. Il y avait donc toutes les chances pour qu'ils aient emprunté cette rivière, soit vers le lac Kasba, soit pour bifurquer vers le lac Black.

— Mon Voulk, heureusement que tu es là !

Ohio était découragé. Il aurait préféré se battre, poursuivre pendant des jours et des nuits un canoë. Il ne supportait pas cette sorte d'impuissance qui le contraignait à chercher ceux qu'il voulait affronter. Plutôt mourir dans un duel inégal que vivre sans Mayoké. Comme il restait encore quelques heures de jour et malgré l'extrême fatigue qui tomba sur lui tout à coup, Ohio reprit place dans le canoë et pagaya en ignorant ses muscles qui se nouaient. Le courant, faible au début, augmentait progressivement. Au crépuscule, il arriva au confluent de deux rivières dont l'une se dirigeait vers les lacs Kasbas et l'autre vers le lac Black. Il y avait là une cabane inhabitée ainsi que de nombreuses perches servant d'armatures à des tipis.

« Un camp de pêche », se dit Ohio qui, prudent, accosta à l'abri de quelques aulnes.

Voulk sauta lestement sur la berge, pissa contre une souche et, la queue haute, se dirigea vers le campement sans donner le moindre signe d'inquiétude.

« Il n'y a personne ! » en déduisit Ohio.

Effectivement, le camp était désert. Dans la cabane en désordre, Ohio trouva de nombreuses bouteilles de rhum vides. Il alluma un feu dans le petit poêle et se prépara un repas qu'il ingurgita en bâillant, les yeux à demi fermés, puis il s'endormit sur sa peau de caribou. Voulk se coucha contre lui et somnola, se réveillant par intermittence. Alors il se levait sans un bruit et, par la porte entrebâillée, sortait humer les senteurs de la nuit, tous les sens en alerte. Rassuré, il revenait se lover contre Ohio qui dormait d'un sommeil agité.

Il faisait nuit et Ohio, caché derrière un rideau de jeunes trembles, apercevait autour d'immenses feux la masse grouillante de centaines d'Indiens ivres qui dansaient au son des tambours. Le bruit était assourdissant et lancinant. Les hommes, torse nu, le corps peinturé, gesticulaient sans plus se soucier du rythme alors que de jeunes femmes aguichaient des Blancs assis à côté des chefs sur de larges fauteuils en os de caribou recouverts de peaux. Quelques-uns dansaient en caressant les corps souples et fermes des plus belles Indiennes qu'ils entraînaient ensuite dans l'ombre. C'est à ce moment-là qu'il la vit : Mayoké, que deux Blancs aidés par des Ojibways forçaient à boire. Il voulut hurler son nom, mais les sons restaient dans sa gorge. Il voulut s'élancer, mais des liens dont il n'avait pas eu conscience jusqu'ici l'empêchaient de bouger. Alors il assista, impuissant, au spectacle odieux. Après l'avoir déshabillée, ils se mirent à danser en cercle autour d'elle. Ivre, elle vacillait, mais les hommes qui avançaient vers elle pour la caresser la retenaient dans leurs bras. Bientôt l'un d'entre eux l'entraîna un peu plus loin sur des peaux alors que les autres s'approchaient, pour attendre leur tour. Le regard d'Ohio s'attarda sur un des Blancs qui regardait la scène en souriant de façon bestiale comme s'il jouissait de la souffrance de la petite Indienne qui se débattait en pleurant. Ohio sut que c'était Cooper.

C'est à ce moment-là qu'il s'éveilla. Voulk s'était approché de lui et gémissait. Ohio était en sueur et respirait péniblement. Il mit un moment à reprendre ses esprits.

— Mayoké ! Mayoké ! répéta-t-il plusieurs fois, la gorge nouée par l'émotion, des larmes se mêlant aux gouttes de sueur sur ses joues.

Il alluma une des bougies de Hans et s'essuya le front. Se pouvait-il que ce rêve soit prémonitoire ? Ohio n'en savait rien, mais au contact des chamans rencontrés au cours de son voyage, il avait appris que la concentration confère à certains des pouvoirs leur permettant de rejoindre le monde mystérieux des esprits. Une énergie particulière leur permettait de capter ce qui par moments effleurait la conscience, comme une odeur que l'homme ne perçoit pas alors qu'un chien peut en trouver l'origine.

— Mayoké est là-bas !

Il en était convaincu.

Il ramassa ses affaires, chargea le canoë et repartit dans la nuit vers le lac Black. Une humidité pénétrante montait de la rivière. La clarté tombant de la lune étirait sur les eaux des reflets de métal. Le regard perdu dans la forêt où se faufilaient déjà les lueurs de l'aube, Ohio avançait, les lèvres serrées par l'effort et la mâchoire contractée par la douleur.

9

Comprimée entre deux élévations de terrain la rivière s'accélérait, et Ohio dut renoncer à pagayer. Il se tailla une perche dans un rejet de tremble et s'en servit pour remonter le courant en suivant les hauts-fonds. Ohio apprécia de solliciter d'autres muscles que ceux soumis à si dure épreuve par la pagaie. La pratique de la perche exigeait de la dextérité, mais il fallait surtout être capable d'appréhender la rivière. Ohio appelait cela l'« intelligence de l'eau ». Savoir lire une rivière, déchiffrer les messages que livrent ses rives et ses reliefs, comprendre ses caprices avec ses courants et contre-courants qui peuvent être tour à tour amis ou ennemis, c'était là que se faisait la différence entre un percheur et un autre. L'un, sans jamais donner l'impression de forcer, ouvrait le courant comme le faisait la lame d'une hache bien aiguisée attaquant la chair de l'arbre à l'endroit adéquat, avec le bon angle. L'autre poussait trop fort, se fatiguait, donnait des à-coups, à l'image d'un bûcheron entaillant l'arbre plusieurs fois au même endroit.

Ohio aimait cet exercice où il excellait. Combien d'heures avait-il passées ainsi, enfant, à s'exercer devant le village avec des petits canots construits par Oujka, le compagnon de sa mère ? Adolescent, malgré son manque de force, il allait déjà aussi vite que bon nombre d'adultes. Il aimait sentir s'exercer la pression de l'eau sur la proue de l'embarcation mise exactement dans l'axe. La perche devait glisser d'un long mouvement régulier en balançant le corps de l'avant vers l'arrière. Le corps restait un moment immobile alors que seuls les bras s'allongeaient. Puis le percheur poussait sur la perche et se redressait, tout en lui donnant plus ou moins de torsion pour diriger le canoë.

La moindre faute de rythme, le moindre écart non maîtrisé menait au désastre. Le nez du canoë, brusquement pris dans le courant, était emmené, retourné. Pour aller droit et vite, il fallait se mettre dans la peau d'un saumon. Ohio avait longuement étudié les poissons au corps effilé, qui utilisaient au mieux la rivière, allant chercher les contre-courants créés par les rochers ou les langues de terre, rasant les rives puis frôlant un remous pour profiter de sa bordure. Il avait regardé comment ils traversent, d'une rive à l'autre, choisissant les passages où le courant et la distance sont le plus faibles, se reposant dans les remous et profitant des écarts du courant pour se relancer. Un art instinctif. Lorsque Ohio remontait une rivière, il devenait poisson.

Comme il ne s'accordait guère de repos, il rattrapa deux groupes de Crees. Ils allaient tous vers le lac Black pour le Potlatch de Toqueiyazi. Ils ne parurent pas surpris de la présence d'Ohio qui se présenta comme le chargé de courrier. Les hommes semblaient de bonne humeur et ne manifestèrent aucune hostilité. Ici, ils ne craignaient personne. Pas un ennemi, à moins d'attaquer en très grand nombre, n'aurait osé pénétrer dans le secteur de Toqueiyazi où des centaines de Crees allaient se rassembler.

Le deuxième jour, alors qu'Ohio avait dépassé les

chutes Jiogk, il rencontra encore plus d'embarcations, et de toutes tailles. La plupart étaient halées depuis la berge. Tous ces Crees arrivaient du Nord, des secteurs de toundra à la limite des arbres où ils avaient passé l'hiver. Aux alentours des rapides de l'Ours, ils se rassemblèrent par groupes, portageant canots et sacs chargés de cadeaux en s'aidant de chiens qui, au lieu d'être bâtés, traînaient de petites charges sur des travois en bois. Il régnait sous le soleil de l'été qui achevait de fondre les dernières neiges une atmosphère de fête. Les enfants couraient, les femmes plaisantaient, les hommes se moquaient. Tout au long des deux sentiers de portage qui évitaient les rapides, des tipis étaient dressés et on s'y arrêtait pour boire du thé et discuter. Les bouteilles d'alcool étaient rarement ouvertes. Ils les gardaient pour le grand Potlatch dont tout le monde parlait avec enthousiasme.

Dans ce capharnaüm, Ohio passait inaperçu. S'il était là, c'est qu'il était invité et cela suffisait. Il remarqua quelques Indiens de tribus voisines de celle des Crees et même deux Blancs qui voyageaient avec eux. Il dévisageait discrètement chaque nouvelle tête dans l'espoir de reconnaître l'un des ravisseurs, mais il n'en vit aucun.

Il arriva au bord du lac Black au matin du troisième jour. Il y avait là plusieurs dizaines de tipis où les voyageurs attendaient comme lui que le vent se calme pour traverser le lac jusqu'au village de Toqueiyazi, en face. Ohio s'endormit dans son canoë où Voulk veillait, grognant chaque fois qu'un chien approchait de l'embarcation. Avec la tombée du jour, le vent s'apaisa et tout le monde se remit en route. Il y avait onze embarcations de une à huit places en plus de celle d'Ohio. Ils ramaient en cadence et en chantant et Ohio rêva d'une paix retrouvée. Se pouvait-il que tous ces hommes riant et chantant autour de lui se soient livrés à des crimes comme ceux auxquels il avait assisté ? Il se prit à imaginer que tout allait redevenir comme avant. Il allait retrouver Mayoké, danser avec elle et les Crees. Il n'y aurait plus de guérillas, plus de crimes, plus de vols.

Les chants scandaient la mesure. Les flocs que faisaient les pagaies en pénétrant dans l'eau au même instant rythmaient leur progression. Derrière les canoës, douze sillons parallèles et éphémères scintillaient sous la lune nimbée d'une lueur dorée. Les feux du village brillaient dans la nuit. Il y en avait des dizaines et autour d'eux, des tipis, partout.

Ils accostèrent enfin. Une centaine de Crees s'avancèrent pour accueillir les nouveaux venus. C'étaient des éclats de rire, des accolades fraternelles, la joie des retrouvailles, mais la douleur aussi de ceux qui apprenaient la disparition d'un être cher. Ohio ne resta pas à l'écart de ces effusions et arborant un sourire de convenance alla saluer Toqueiyazi qui arrivait, entouré de ses proches. Tout à sa joie de voir affluer les invités, dont il ne connaissait pas l'identité pour la plupart, Toqueiyazi se contenta de le saluer en prononçant les paroles rituelles de bienvenue. Ohio retourna à son canoë et le hala sur la berge en s'aidant des quelques billes de bouleaux posées sur le sable à cet effet. Voulk, impressionné par tout ce monde et cette agitation, ne l'avait pas quitté. Ohio noua une corde à son collier de cuir et l'attacha au canoë.

— Tu vas rester sage, ici, Voulk !

Le husky le regardait, attentif.

— Reste ici !

Il l'installa dans le canoë, sur une peau. La plupart de ses compagnons de route étaient partis vers les feux, affamés par leur long voyage, ou portaient leurs bagages vers les emplacements où des perches avait été préparées pour les tipis.

— Qu'est-ce que tu fais ?

Il se retourna. Une Indienne au teint très mat, dont les cheveux descendaient jusqu'au bas du dos, le regardait en souriant, les yeux vifs, mutine.

— J'attachais mon chien !

— Tu ne prends pas tes affaires ?

— J'attendrai le jour pour monter le tipi. J'aime dormir dehors quand il fait si bon.

— À moins que tu ne trouves une couche confortable et toute prête pour la nuit ?

— Ce n'est pas vraiment ce que je recherche.

— C'est du whisky que tu veux ?

— Non, surtout pas.

— N'aimes-tu aucun plaisir ? Le Potlatch commence demain et tout le monde est ici pour faire la fête.

— On peut faire la fête sans boire l'alcool des Blancs.

— Et sans partager les plaisirs ?

— Tu es belle et tu n'auras aucun mal à trouver.

Son sourire se crispa. Elle le considéra dédaigneusement et tourna les talons.

Ohio la rattrapa alors qu'elle s'en allait, la tête haute.

— Excuse-moi ! Je ne voulais pas t'offenser. Je suis très fatigué. Tellement fatigué.

Elle le regarda, radoucie.

— Tu veux manger quelque chose ?

— Oui !

— Viens.

Il la suivit. Elle s'appelait Angma et vivait avec sa grand-mère dans un vaste tipi. Elle était seule depuis que ses deux frères, sa mère et son père étaient morts en affrontant des Iroquois lors d'une expédition de ravitaillement vers le sud. Son compagnon faisait partie de ceux qui étaient partis à leur recherche et il n'était pas revenu non plus. Elle le questionna. Il dit qu'il s'appelait Mark et que des Crees l'avaient invité à se joindre à cette grande fête, parce qu'il s'occupait du courrier dans l'Est.

— Tu ne ressembles pas plus à un Blanc qu'à un Indien.

— On dit aussi que je ressemble aux deux.

Elle rit en versant dans un bol de bois du ragoût de castor odorant qu'il dévora. Dehors, on entendait des rires et des chants.

— Toqueiyazi a interdit les tambours et garde précieusement les caisses d'alcool pour demain.

— Il a interdit les tambours ?

— Oui, le Potlatch commence demain et il ne veut pas que les invités s'épuisent avant l'heure.

— La décision est sage.

— Toqueiyazi est un grand chef.

— Est-ce à la taille d'un Potlatch, au nombre d'invités et de bouteilles d'alcool que l'on mesure la valeur d'un chef ?

— Tu es ironique et quelque peu cynique envers ton hôte.

— J'ai vu trop d'horreurs.

Elle ne comprenait pas et il n'insista pas. Il essaya de l'interroger sur des Crees ayant remonté la rivière Cochrane, mais elle ne savait rien des déplacements des uns et des autres. Ohio résista à l'envie d'aller fouiller de fond en comble le campement. Mayoké était sans doute ici, cachée quelque part. Mais il ne devait pas éveiller l'attention. Les ravisseurs l'avaient vu avec des Ojibways, leurs ennemis jurés, et s'il était reconnu il serait capturé aussitôt, sacrifié sur l'autel du Potlatch. Il devait agir avec discrétion.

La grand-mère ronflait bruyamment, et Angma la secoua pour qu'elle cesse. Les yeux d'Ohio se fermaient. Tout son corps réclamait du repos. Il devait reprendre des forces. S'il retrouvait Mayoké, il leur faudrait fuir. Angma s'approcha de lui, lui enleva sa veste puis déboutonna sa grosse chemise de laine. Elle lui montra les douillettes couvertures en peau de lièvre étendues dans un coin. Il enleva son long pantalon de cuir et s'y faufila alors que la jeune fille se déshabillait entièrement. Elle remit quelques bûches dans le feu, le recouvrit de sable et éteignit la bougie qui éclairait d'une lueur timide l'intérieur du tipi. Elle se plaqua contre lui et il la laissa faire. Elle n'alla même pas jusqu'au bout de son plaisir tant il manifestait peu d'entrain.

— Excuse-moi, je n'ai pas dormi depuis trois jours. Je n'en peux plus.

Elle se pelotonna contre lui. Cette présence chaude et vivante lui rappela combien il était bon de se coller contre Mayoké dont il prononça plusieurs fois le nom au cours de cette fin de nuit agitée.

10

Le soleil était déjà haut dans le ciel et filtrait à travers les peaux de caribou constituant les parois du tipi. Ohio ouvrit les yeux. Il n'y avait personne mais une galette aux airelles et un bol de thé fumant attendaient près du feu. Il mangea avec appétit, s'habilla et sortit. La plupart des hommes s'étaient couchés au petit matin et dormaient encore alors que les femmes s'activaient autour d'immenses feux.

Ohio se dirigea vers la plage. Voulk dormait dans le canoë. Il ne s'approcha pas et s'en retourna vers le village dont les quelques cabanes étaient groupées sur une petite élévation de terrain, là où une rivière aux eaux un peu vertes se jetait dans le lac. Il vit au loin plusieurs canoës qui se dirigeaient vers le village. Des retardataires arrivant juste à temps pour le grand Potlatch qui réunirait au moins six cents Crees et amis. Ils avaient de la chance, le vent arrière les poussait. S'il avait été de côté ou de face, ils auraient été obligés d'attendre le soir.

Ohio s'éloigna vers les tipis et alla d'un feu à l'autre. Il aperçut Angma qui, avec deux autres femmes, pétrissait de la pâte, près d'un four où des hommes robustes enfournaient d'énormes bûches de tremble. Un peu plus loin, d'autres découpaient des petits morceaux de viande que les femmes enfilaient sur de longues baguettes de saule. Il y avait là plusieurs gigots d'élan, de bison et de caribou. Soudain, Ohio reconnut l'un de ceux qu'il cherchait. Il bifurqua aussitôt et, à l'abri d'une talle de bouleaux, observa le groupe qui ne l'avait pas remarqué tant il y avait de monde, allant et venant d'un bout à l'autre du campement. Il y avait là deux hommes du groupe qui avait enlevé Mayoké, dont Netsilik.

— Elle est ici ! Mayoké est ici !

Ohio eut recours à toute sa volonté pour ne pas crier et courir vers les ravisseurs qu'il voulait étrangler aussitôt que ceux-ci lui auraient dit où elle se trouvait. Il retourna vers le tipi où, à l'abri des regards, il tenta de retrouver son calme.

« Je vais attendre ce soir, décida-t-il. L'alcool aidant, personne ne fera plus attention à rien. L'un de ces putois s'éloignera forcément à un moment ou à un autre et je lui tomberai dessus. » Ohio esquissa un sourire vengeur à cette idée. « À la faveur de la nuit, nous partirons. »

Il s'allongea sur les peaux et ferma les yeux. Il avait besoin de forces.

Quand Angma revint en fin d'après-midi, Ohio fit semblant de dormir alors qu'elle tentait de le réveiller.

— J'ai mal dormi, lui dit-il.

— Oui, ton sommeil était agité comme celui d'un loup cervier et tu parlais d'une certaine Mayoké.

Elle voulut se coller contre lui, mais il la repoussa gentiment.

— Angma, je dois aller voir quelqu'un, mais ce soir nous partagerons les plaisirs et je n'arrêterai pas tant que tu ne me le demanderas pas.

— Ça sera ta dernière chance !

Elle s'éloigna, déçue.

Au crépuscule, il y avait au moins une quinzaine de feux et autant de caisses de whisky et de rhum ouvertes dans l'allégresse générale. Des hommes se mirent à marteler les tambours recouverts de peaux de caribou séchées, d'autres frappaient avec des os d'orignal sur des cornes de bœuf musqué qui produisaient des sons très variés en fonction de leur taille et de leur forme, des femmes s'agitaient au rythme de hochets en bois remplis de cailloux ou chantaient d'une voix gutturale des hymnes joyeux.

Les plus jeunes filles, les seins nus et habillées d'une simple jupe de cuir, se tortillaient déjà sur les pistes de danse qu'éclairaient des torches en écorce de bouleau imprégnée de graisse de castor. Les hommes buvaient et écoutaient les chants dont certains avaient été conçus en l'honneur de Toqueiyazi et de son fils :

Il est glorieux de voir le grand chef
Il est glorieux de le voir régner
Le Potlatch est à son image
Les Crees ont accouru nombreux
Et célèbrent aujourd'hui ses nombreuses victoires
Que son fils marche sur ses traces
Et conduise les Crees à la victoire et à la prospérité.

Les Crees acclamèrent alors Toqueiyazi et son fils qui brandissaient leur lance en signe de victoire et de remerciement à leurs invités. Le grand chef alla d'un groupe à l'autre et proposa des bouteilles à tous, exhortant les femmes à distribuer de la nourriture afin que personne ne manque. Il était fier et bombait le torse. Aujourd'hui, il triomphait. Il savait qu'il resterait Toqueiyazi, « celui qui a remporté de nombreuses batailles et organisé le plus grand Potlatch de tous les temps ». Les cadeaux affluaient et en retour Toqueiyazi et son fils offraient aussi des couteaux, des haches, des pièges et des colliers. Ohio était impressionné par tant de richesses. Combien de vies humaines avaient-elles coûté ?

Ohio mangea et, en voyant Angma se diriger vers lui, se mêla à un groupe dont il fit mine de s'extraire à son arrivée.

— Là-bas, il y a du rhum délicieux.

Elle le prit par la main et l'entraîna. Il ne put faire autrement que de boire le liquide dont le goût fruité n'était pas sans rappeler la boisson alcoolisée que les Nahannis fabriquaient en faisant macérer des myrtilles. Elle lui en resservit un gobelet qu'il put jeter à terre sans qu'elle s'en aperçoive, mais derrière lui une voix tonna.

— Tu jettes à terre le rhum que le grand chef t'offre ! disait l'homme aux yeux allumés par l'alcool.

Il avait parlé fort et plusieurs Crees se retournèrent. Mais Ohio ne se laissa pas intimider et lui répondit sur le même ton.

— Je jette le fond de mon gobelet où un malotru a fait tomber de la viande.

— On ne jette pas le rhum !

Heureusement, un homme s'interposa et l'éloigna. Mais Ohio vit le regard de plusieurs Crees s'arrêter sur lui avec curiosité. Il prit Angma par la taille et la conduisit vers un autre feu où les Indiens, saouls, s'étaient mis à danser au rythme de plus en plus rapide des tambours. La fête battait son plein.

— Je reviens, Angma. Je vais vérifier que Voulk va bien.

— Je t'accompagne !

— Non ! Reste là. Je reviens tout de suite.

Elle n'insista pas. Ohio étouffait. Il se dirigea vers la plage, bifurqua puis revint vers la fête en restant dans l'ombre, au-delà du cercle de lumière. Il chercha longuement et commençait à se décourager lorsqu'il repéra enfin Netsilik qui titubait sur la piste plus qu'il ne dansait. Dès lors il ne le lâcha plus des yeux.

Enfin, celui-ci, las de danser, s'écarta un peu mais il était accompagné d'une jeune fille. Ils allèrent s'allonger dans les myrtilliers et Ohio patienta. Netsilik était un garçon pressé et la chose ne prit pas longtemps. L'Indienne se releva seule. Ohio attendit qu'elle ait disparu et rampa vers l'endroit où ils avaient partagé si rapidement les plaisirs. Il faillit buter contre Netsilik qui, avachi, marmonnait des paroles sans suite. Il était complètement saoul. Ohio rengaina son couteau et le mit debout. Netsilik rouspéta mais il le fit taire. Il ne tenait pas sur ses jambes. Alors Ohio le mit sur son dos et le porta. Il s'éloigna rapidement, craignant que ses grognements de protestation n'alertent un homme encore sobre, ce qui ne devait pas être facile à trouver. Ils arrivèrent au bord du lac alors que Netsilik commençait à se débattre. Ohio le bascula dans l'eau. Il suffoqua. L'eau était glaciale et acheva de le réveiller. Il secoua la tête et voulut sauter sur Ohio, mais celui-ci esquiva et le jeta à terre. Alors Netsilik tenta de crier, mais Ohio l'étrangla.

— Tu me reconnais, n'est-ce pas ? Tu me reconnais ?

Netsilik ne répondait pas. Il tremblait de froid plus que de peur.

— Tu vas me dire tout de suite où est Mayoké ou je te saigne.

L'homme essaya de se débattre mais Ohio raffermit sa prise et lui entailla la peau de la gorge avec son couteau. Il lui montra ses doigts rougis par le sang.

— Tu vas baigner dedans, sale putois, si tu ne me dis pas où elle est.

Comme il ne faisait toujours pas mine de vouloir parler, Ohio mit la lame du couteau dans sa bouche et commença à l'enfoncer. Netsilik hoqueta en ouvrant des yeux horrifiés alors que la lame pénétrait dans sa gorge.

— C'est ta dernière chance de parler ! Je ne vais pas perdre plus de temps avec toi. La prochaine fois, je te crève comme un vulgaire poisson et je vais chercher un autre de ta bande qui parlera, lui !

— Je ne sais pas où elle est !

— Tu te moques de moi ?

Empoignant fermement ses cheveux, Ohio lui maintint la tête contre le sol et approcha son visage crispé par la colère. Netsilik crachait du sang et se débattait.

— Je te promets… Je te promets. On voulait l'amener ici mais…

— Mais quoi ? Qu'est-ce que tu voulais en faire ? Qu'est-ce qui s'est passé ?

Il se tut tout à coup, conscient d'avoir hurlé. Netsilik voulut parler, mais Ohio lui mit la main sur la bouche, lui écrasant presque la mâchoire. Il écouta. Personne n'arrivait. Les bruits de la fête avaient couvert ses cris.

— Parle. C'est ta dernière chance.

Ohio le secoua.

— On voulait l'amener pour le fils de Toqueiyazi. On voulait lui en faire cadeau…

— Mayoké, un cadeau !

Il le secoua, lui frappant l'arrière de la tête sur les galets.

— Et alors, qu'est-ce qui s'est passé ?

— Aux chutes Jiogk… On s'est réveillés le matin et elle n'était plus là. Quelqu'un l'a enlevée.

— Elle s'est échappée, voilà tout, dit Ohio qui reprenait espoir.

— Non. On a retrouvé des traces de pas qui

n'étaient pas les nôtres derrière le tipi. On pensait que c'était toi.

— Tu sais ce que je vais faire ?

Netsilik fit non de la tête.

— Je vais t'attacher dans le fond du canoë et je vais aller chercher un gars de ta bande et le faire parler. Si jamais il ne me dit pas la même chose que toi …

Il s'interrompit. Un homme venait d'apparaître au-dessus de lui, se découpant sur la rive où jouaient les lueurs de la fête.

— Qu'est-ce qui se passe ici ?

Ohio se coucha sur Netsilik, la lame sur sa gorge pour l'empêcher de parler.

— Angma et moi, on veut être tranquilles ! Va ailleurs !

— Angma ? Ça va, Angma ?

Pas de chance ! Il tombait sur quelqu'un qui la connaissait et qui ne semblait pas trop saoul.

— Laisse-nous tranquilles, lui répéta Ohio.

— Je vous laisse tranquilles quand Angma me dira que tout va bien pour elle. Ici, on ne force pas les femmes qui ne veulent pas partager les plaisirs.

Tout en parlant, l'homme s'était approché pour tenter de voir ce qui se passait. Ohio n'avait plus le choix. Il se détendit, lui décochant un coup de poing qui l'atteignit en pleine mâchoire. Il s'écroula et Ohio lui sauta dessus. Netsilik s'était remis debout et courait vers la fête en appelant à l'aide.

— Un Ojibway ! Un Ojibway !

Ohio voulut se relever, mais le Cree avait retrouvé ses esprits et l'attrapa à la gorge. Ils roulèrent sur les cailloux de la berge. L'homme était costaud. Dans quelques instants, Ohio serait perdu. Netsilik reviendrait avec toute une bande qui lui tomberait dessus. Il ne savait trop quel sort on lui réserverait. L'occasion était trop belle. Une mort lente l'attendait. Avec l'énergie du désespoir, Ohio essaya de se dégager, mais son adversaire savait qu'il n'avait pas longtemps à tenir. On entendait déjà les cris de ceux qui accouraient. Il hurla :

— Voulk !

Tout se passa en un éclair. Voulk se libéra et en quelques bonds fut sur l'Indien qu'il égorgea d'un seul coup de mâchoire. Aussitôt Ohio se rua vers le canoë qu'il fit glisser dans l'eau et qu'il poussa en montant dedans. Voulk suivait à la nage. Mais cinq hommes arrivaient, dont Netsilik. L'un d'eux, plus rapide que les autres, parvint jusqu'au canot. Ohio voulut lui assener un coup de rame, mais c'était trop tard. Il avait réussi à se saisir de la proue et retourna le canoë. Un cri de victoire retentit. Ohio tomba dans l'eau glaciale et nagea frénétiquement vers le large. Trois Crees prirent place dans le canoë après l'avoir retourné une nouvelle fois pour le vider de son eau pendant que les autres ramenaient vers la rive les affaires d'Ohio qui flottaient à la surface. Armé d'une lance, un homme prit place à l'avant alors que les deux autres ramaient, l'un avec la pagaie d'Ohio, le second avec ses mains.

Ohio nageait parallèlement à la rive. L'eau était glaciale et il savait qu'il ne disposait que de peu de temps avant que son corps refuse de répondre. Le canoë le rattrapait et sur la berge, plusieurs Crees couraient à sa hauteur. Il était perdu.

Il plongea pour éviter un coup de lance et refit surface en suffoquant un peu plus loin. Les hommes riaient maintenant, sûrs d'eux, et s'amusaient. Ils ne cherchaient même plus à le rattraper. Sa fuite était dérisoire. Ses membres s'engourdissaient. Ohio leva les yeux. Il était arrivé à hauteur de la forêt, où ses poursuivants marchaient avec plus de difficulté, dans l'obscurité relative. Il plongea une nouvelle fois et passa sous le canoë, qu'ils avaient positionné entre la rive et lui pour lui couper toute retraite. Il ressortit un peu plus loin puis nagea de toutes ses forces vers la berge. Voulk qui l'avait perdu le rejoignit au moment où il plongeait une dernière fois. Netsilik cria.

— Attention, il va vers la rive.

Ohio refit surface dans les joncs le plus silencieusement possible. Sa tête explosait, comprimée par le froid. Il entendit :

— ... Tuer le chien !

Il regarda au-dessus de lui et ne vit personne. Il n'avait plus qu'à tenter le tout pour le tout. Il se releva, attrapa une racine et dégaina son couteau alors qu'un Cree arrivait. Mais Voulk était plus rapide que lui et lui sauta dessus. Dans le canoë, Netsilik hurlait.

— Il est là ! Il est là, vite !

Gênés par la forêt, les autres tardaient. Soudain, deux d'entre eux se dressèrent devant Ohio qui n'eut d'autre recours que de plonger à nouveau. En repassant à la nage sous le canoë, il eut une idée. Il remonta à la verticale et, poussant de toutes ses forces, retourna l'embarcation. S'ensuivit une pagaille indescriptible, car les Crees ne savaient pas nager. Ohio en profita pour gagner le bord et s'échapper par la forêt. Il eut la présence d'esprit d'appeler Voulk pendant que sa mâchoire crispée par le froid lui permettait encore d'articuler un mot. Il courait sans se soucier des branches qui lui fouettaient le visage, tombant dans les ornières, s'arrachant les mains sur les pierres. Mais il était sain et sauf. Et Voulk aussi, qui venait de le rejoindre.

11

Cette course lui fit du bien, mais il fallut s'arrêter et Ohio sut que la mort le guettait encore, qu'il n'avait fait que la repousser un peu. Il s'en voulait. Pourquoi n'avoir pas retourné plus tôt le canoë et ses occupants, au lieu de fuir en pure perte, en laissant le froid s'insinuer jusqu'au plus profond de lui ? Il grelottait et ses membres étaient gourds. Ses doigts ne répondaient plus. Il sentit une somnolence le gagner.

La nuit était d'encre dans la forêt, et le sol gorgé de neige fondue. Ohio enviait Voulk qui s'ébrouait à côté de lui, évacuant les quelques gouttelettes d'eau encore accrochées à sa chaude fourrure. Lui n'avait rien, pas une affaire sèche, que des allumettes trempées. Une peau lui aurait suffi. Il se serait déshabillé et roulé dedans, Voulk contre lui. Il aurait grelotté longtemps, mais la chaleur serait revenue.

Dormir. Il n'avait plus que cette envie-là. Se mettre dans un coin, se rouler en boule et fermer les yeux. Il essayait de résister, mais dans cette lutte opiniâtre, les échanges entre son corps et son esprit se trouvaient étouffés, comme une voix qui s'éloigne. Il savait qu'il devait marcher, mais il ne parvenait plus à faire bouger ses bras et ses jambes. Ils étaient trop loin. Il regardait son pauvre corps mourir. Lui était bien. Une douce chaleur l'envahissait, il entrait dans une longue grotte qu'éclairaient de grands feux. Que la mort était douce. Près du feu, une jeune femme l'attendait. Mayoké ! Soudain, une douleur sur le côté droit de son corps. On le griffait. Il fit un effort surhumain pour ouvrir les yeux. Il sentit la langue chaude et râpeuse de Voulk sur son bras puis sur son visage. Il était allongé dans la mousse spongieuse du sous-bois. Il lui suffisait de refermer les yeux pour retrouver le feu. De l'autre côté, le cauchemar d'une nuit froide l'attendait. « Il faut que je bouge », mais son corps ne bougeait pas. Pourtant il sentait la présence, bien réelle celle-ci, de Voulk. Donc il vivait encore. « Bouger ! oui, mais après ? Comment gagner ce combat inégal entre la vie et la mort ? Marcher. Marcher le plus vite possible jusqu'à retrouver la sensibilité de mes mains. Et après ? »

Ohio fit un effort désespéré, d'une violence telle qu'il lui arracha des cris de souffrance. Il se leva et mécaniquement se remit en marche. Il ne savait même pas où il allait. Revenait-il vers le village, s'en éloignait-il ? Il s'en fichait. Il avançait parce que son instinct lui commandait de survivre, mais il se refusait à penser plus avant.

Il avançait sans même écarter les branches qui lui lacéraient le visage. Il claquait des dents. Tout son corps, agité de tremblements, suivait le spectre de lui-même, telle une ombre qui sur le sol reproduit le vol du rapace dans le ciel. Combien de temps marcha-t-il ainsi ? Il l'ignorait mais il arriva tout à coup à l'orée d'une vaste clairière où il retrouva un peu de clarté de lune. Alors, mécaniquement, Ohio mit à exécution le plan qu'il ne se rappelait même pas avoir imaginé. Il sortit le couteau de sa gaine et enleva sa veste de cuir détrempée. Dans son dos, le froid de la nuit le griffa de ses mains de glace. De ses doigts encore gourds, il se saisit de son couteau et tailla dans le cuir une cordelette. Comme il grelottait, l'exercice n'était pas facile, il dut recommencer plusieurs fois. Puis, l'esprit toujours embrumé, il tailla dans une branche de pin courbe un petit arc auquel il noua la cordelette. Il se mit alors en quête d'un bon morceau de bois sec qu'il ne pouvait trouver sur le sol gorgé d'eau. Il chercha dans les branches basses des pins. Il les cassait, car il y voyait à peine. Il eut la chance de tomber par hasard sur un nid d'oiseau parfaitement séché par le soleil et le vent. Un excellent combustible pour démarrer son feu.

Son choix s'arrêta enfin sur une grosse branche dont le bruit lui plut. Un claquement net. Avec son couteau, il enleva des copeaux afin de rendre plate une surface grande comme la main et creusa une petite encoche sur l'un des bords. Il prit ensuite un bâton, donna un tour à la lanière de cuir de l'arc, et commença un mouvement de va-et-vient, faisant tourner le bâton à grande vitesse. La surface de contact entre le bâton et l'encoche se réchauffa et l'amas de brindilles et de mousse sèche du nid se mit à fumer de plus en plus abondamment. Pourtant, Ohio dut s'y reprendre à trois fois avant d'obtenir un minuscule tison. Alors, redoublant d'effort pendant quelques instants, il lâcha tout soudainement et souffla légèrement sur le tison. La flamme jaillit tout à coup. Ohio avait préparé des rameaux d'épinette qu'il plaça méticuleusement sur la mousse sèche, en prenant bien soin de ne pas étouffer le feu qui grandissait.

— Sauvé ! Sauvé !

Un cri de victoire s'échappa de la gorge d'Ohio qui grelotta de plus belle. Il était temps ! Il se rua sur les arbres, en cassa toutes les branches basses.

Voulk, qui avait tourné autour de lui en gémissant pendant toute l'opération, trouva enfin comment l'aider. Il en attrapa une dans sa gueule, qu'il traîna jusqu'au bord du feu. Ohio n'en revenait pas.

— C'est bien, mon Voulk ! C'est bien !

Le chien, ravi, courait du bois jusqu'au feu. Ohio disposa les branches et se réchauffa au contact des flammes qui illuminaient la clairière. La vie revenait. La chaleur pénétrait le cuir de ses mains et il ne les recula que lorsqu'il sentit une odeur de brûlé. Ignorant complètement où il se trouvait, il ne se déshabilla pas entièrement comme il l'aurait voulu. Il devait rester prêt à fuir. Même si la forêt le protégeait un peu, le feu formait au-dessus de la clairière comme une voûte éclairée qui pouvait se voir de loin. Voulk le préviendrait assez tôt pour qu'il ne redoute pas d'être pris dans une embuscade. Il sécha donc ses vêtements un à un sur un feu qu'il réduisit un peu au fur et à mesure que les braises se formaient. Il était affamé, mais il n'avait rien à manger. Alors il se prépara un lit de branches de sapin et se coucha près du feu, une provision de bois à portée de la main pour l'alimenter.

— Voulk, je compte sur toi. Attention, hein !

Il se refusait pour l'instant à penser à Mayoké et à ce qu'il avait appris. On l'avait enlevée une seconde fois ! Mais qui avait pu prendre un tel risque, dans quel but ? Il sombra immédiatement dans un profond sommeil. Heureusement, mû par une sorte de réflexe, il refaisait surface à intervalles réguliers et ne laissa jamais le feu s'éteindre.

Lorsqu'il se réveilla à l'aube, il eut du mal à ouvrir les yeux et ne put se mettre debout. Il toucha son front. Il était brûlant.

La fièvre.

Et il n'avait plus rien. La bourse de cuir contenant

ses plantes et racines médicinales était avec tout le reste, entre les mains de ces putois de Crees. Il sortit de sa poche le petit fourreau en écorce de bouleau contenant ses allumettes mouillées et il les fit sécher une par une, ainsi que le grattoir qu'il avait découpé sur la boîte. Il en récupéra ainsi une trentaine. Les autres étaient inutilisables. Cette tâche l'épuisa et il vomit le peu qu'il avait dans le ventre. Sa fièvre augmenta encore, alors que pour la première fois depuis le début des beaux jours, quelques moustiques et moucherons faisaient leur apparition. Il n'avait même pas la force de les chasser. Voulk allait et venait en gémissant, conscient de son impuissance. Ohio avait tour à tour froid et chaud. Il avait surtout terriblement soif. Il essaya de se lever, mais il ne tenait pas debout. Toute la clairière tournait. Alors il se mit à quatre pattes.

— De l'eau ! De l'eau !

Il rampa jusqu'à un ruisselet d'eau de fonte. Il but, mais il vomissait au fur et à mesure qu'il avalait. Il se coucha au bord du ruisselet, incapable de revenir près du feu, et commença à délirer.

— Je suis foutu. Les Crees vont arriver. C'est fini. Cette fois, c'est bien fini.

Il s'éveilla à la tombée de la nuit. Son visage et ses bras n'étaient plus que des boursouflures. Les piqûres d'insectes saignaient dans les éraflures infligées par les branches lors de sa fuite dans la nuit. Il se lava le visage, mais cette toilette lui arracha des cris de douleur. Il put enfin boire sans vomir. Voulk, à côté de lui, gémissait toujours.

— Ça va aller, Voulk. Ça va aller !

Il prit sa tête entre ses mains et l'embrassa. Toujours à quatre pattes, il réussit à revenir près du feu qui s'était éteint. Il le ralluma, mais il ne restait presque plus de bois, et il fallait aller de plus en plus loin pour en trouver.

— J'ai faim. Que j'ai faim !

S'il voulait avoir une chance de survivre il devait manger, or il était incapable de se procurer la moindre nourriture. La nuit tombait. Bientôt il n'y verrait plus rien. Il se leva, et, titubant, alla chercher du bois. Il ne put porter qu'une branche. Les forces lui manquaient. Il revint près du feu.

— Va, Voulk ! Va chercher celle qui reste.

Voulk bondit vers la forêt et revint fièrement en traînant la branche.

— C'est bien, mon Voulk !

Ohio alimenta le feu et sombra. Il se réveilla un peu plus tard, grelottant de froid. Il allongeait le bras pour se saisir d'un morceau de bois lorsqu'il aperçut un tas énorme constitué d'un amas invraisemblable de branches, de morceaux de souche, de troncs et même quelques tiges de saule vert arrachées. L'intelligence de Voulk l'étonnait. Il l'appela.

— Voulk !

Il attendit un peu et le vit qui revenait avec une nouvelle tige de saule. Comment lui faire comprendre la différence entre du bois vert et du bois sec ?

— C'est bien, mon Voulk !

Ohio caressa longuement le chien et lui demanda de se coucher contre lui. Il frissonnait. Il brûlait de fièvre. Il sombra de nouveau et ne se réveilla qu'à l'aube. Voulk n'était plus là. Ohio avait faim, tellement faim. Il mordilla dans le cuir de sa veste pour faire taire son estomac qui se nouait. Il essaya de se mettre debout, mais il était trop faible. Comment espérer attraper le moindre gibier alors qu'il n'avait plus ni arc ni collet, et encore moins l'énergie pour en fabriquer. Il allait se voir mourir. Combien de jours s'étaient-ils écoulés ? Il ne savait plus. Il ne pouvait plus faire la différence entre ses rêves et la réalité. Mayoké existait-elle ? Était-ce bien Sacajawa qui rallumait le feu, préparait un ragoût de caribou et sortait du four de belles galettes dorées ? Il ouvrait les yeux et le feu dansait comme une jeune femme entortillant ses jupes de couleur autour de son corps de serpent.

— Mayoké ! Mayoké !

Il sentit son haleine chaude sur sa joue et un immense sourire se dessina sur ses lèvres. Il ouvrit les yeux et hurla d'épouvante. Juste au-dessus de lui, la gueule en sang, un loup montrait des crocs étincelants. Il fit un geste pour se défendre mais le loup refermait déjà sa terrible mâchoire pour le secouer. Il se mit à quatre pattes. Tout tournait. Le feu. Le loup. Il avait envie de mourir. Qu'on en finisse. Mais le loup ne bougeait pas. À ses pieds gisait un petit tas de fourrure.

— Voulk ! Mon Voulk !

Il lui avait rapporté un lièvre.

Ohio s'approcha et s'empara du gibier. Il le dépiauta et commença à le manger cru. Il arracha l'arrière-train qu'il jeta dans les braises. Il sentit le sang encore chaud de l'animal qui coulait dans sa bouche. Il mâcha longuement la viande juteuse et l'avala avec un murmure de satisfaction. Voulk était déjà reparti en chasse. Ohio eut toutes les peines du monde à patienter jusqu'à ce que le morceau fût cuit tant l'odeur qui s'en dégageait était alléchante. Lorsqu'il eut terminé, Voulk revint fièrement avec un second lièvre.

Ohio le dépiauta et ils le partagèrent.

— Mon Voulk. Tu me sauves la vie.

Il le caressait et l'embrassait sur la truffe, et le husky, clignant des yeux de plaisir, se laissait aller à miauler comme le font les petits lynx lorsque leur mère leur chatouille le ventre.

12

La fièvre tomba deux jours plus tard et Ohio put se lever. Voulk lui avait rapporté sept lièvres et plusieurs gélinottes. Ses forces revenaient doucement. Il avait considérablement maigri, mais la sombre perspective d'une mort lente était définitivement éloignée. Il parvint à marcher jusqu'en haut d'une petite colline d'où il put se situer. Il était à une bonne heure de marche du lac et autant du village dont il aperçut au loin les reliefs de quelques cabanes. Sur la plage étaient échoués à peine une douzaine de canoës. La plupart des invités au grand Potlatch de Toqueiyazi étaient donc repartis vers leurs villages respectifs. Les Ojibways n'avaient-ils pas profité de ce que les villages crees étaient désertés pour les détruire ? Ohio s'en fichait.

Le ciel étant menaçant, Ohio dénicha un abri sous un gros rocher. Il se fit un nouveau lit de branchages, puis, au moyen d'une fronde qu'il confectionna avec le cuir de sa veste, il abattit trois jeunes gélinottes qui ne savaient pas encore voler et que leur mère défendait en simulant une aile cassée pour que le chasseur la poursuive. Les jeunes oiseaux étaient délicieux. Le lendemain, il eut la chance de trouver un porc-épic qu'il tua facilement puisque sa technique de défense consistait à se mettre en boule plutôt qu'à s'enfuir. En revanche, Ohio eut beaucoup de peine à ôter les piquants que Voulk s'était planté dans la gueule en voulant mordre l'animal.

À la faveur d'une nuit pluvieuse, Ohio s'approcha du village et se glissa jusqu'aux canoës, alignés sur la plage. Malheureusement, seules deux embarcations n'étaient pas trop grandes pour qu'il puisse les diriger, et elles étaient en cours de réparation. Il ne pourrait les porter jusqu'à la forêt pour les réparer lui-même. Un chien se mit à aboyer et il dut s'enfuir, n'emportant qu'une longue corde de cuir tressé. C'était peu en comparaison de ce qu'il leur avait laissé. Ohio retrouva Voulk qu'il avait attaché à un arbre en lui demandant de rester sagement à l'attendre, et se mit en route le long du lac, sans vraiment savoir où il allait. Ce qu'il voulait dans un premier temps, c'était fuir cet endroit où tôt ou tard il tomberait nez à nez avec une bande de Crees.

Ohio, qui n'avait pas encore recouvré toutes ses forces, progressait lentement. Mais cette marche dans la forêt lui permettait de se procurer du gibier qu'il n'aurait pas trouvé en glissant sur les eaux du lac et des rivières. Voulk attrapait des lièvres et Ohio tuait tétras et gélinottes avec sa fronde. Il les faisait rôtir sur de petits feux qu'il s'imposait d'allumer sans allumette, pour les économiser en prévision d'un coup dur.

Quelques jours plus tard, il arriva au bout du lac et suivit le cours tourmenté de la rivière. Il restait prudent, mais ne rencontra personne. Il attrapa quelques truites à la main dans un ruisseau, puis harponna un beau brochet qui s'était embusqué à fleur d'eau, derrière la souche d'un arbre déraciné par la débâcle. Plus loin, il cueillit des camarines dont il écrasa les grains pour en extraire le jus. Mélangé à de l'argile, il composait un répulsif efficace contre les moustiques et les moucherons, dont il s'enduisit le visage et les mains avant de reprendre sa marche vers les chutes Jiogk. Là non plus il n'y avait personne. C'était donc ici qu'il perdait la trace de Mayoké ! Une profonde et inextinguible tristesse comprimait sa poitrine comme si un rocher l'écrasait.

— Mais où es-tu Mayoké ? Où es-tu ?

Il errait sur les lieux du campement. Il ne cherchait rien. Quel indice aurait été susceptible de l'aider ? Aucun. Il était seul et désemparé. Il n'avait même pas été capable de protéger Mayoké, pas plus que l'enfant qu'elle portait. Il était indigne de la confiance qu'elle lui avait donnée. Une rage muette s'empara d'Ohio qui se mit à tourner en rond sans pouvoir se décider. Où aller ? Où la cachait-on ? Que devait-il faire ? Voulk le suivait pas à pas. Il regardait son maître avec indulgence, les yeux pleins d'amour.

— Qu'est-ce que je vais devenir ?

Il devait retourner à son campement, retrouver les chiens, terminer son canoë. Là-bas, il lui restait du matériel. Il s'organiserait et repartirait en quête de Mayoké. Il irait dans tous les villages des environs et l'hiver venu, il étendrait ses recherches. Il fouillerait de fond en comble le Grand Nord, d'une mer à une autre. Il la chercherait jusqu'à son dernier souffle.

Pour accéder à la rivière Cochrane, il n'aurait que trois rivières de faible importance à traverser. Il calcula qu'en huit jours il pouvait être auprès de sa meute.

Mais dès le lendemain, il couvrit une très grande distance, galvanisé par un sombre pressentiment. Sa nuit avait été peuplée de cauchemars. Il arrivait à son campement et il ne retrouvait rien, ni ses chiens, ni même son tipi ou son canoë inachevé. Rien que les cendres d'un village détruit et les os éparpillés de ceux qui étaient morts sur cet emplacement maudit. Jamais Ohio n'avait ressenti un tel désespoir, car la perspective de revoir ses chiens, Torok et les autres, était la dernière chose à laquelle, à court terme, il pouvait encore se raccrocher.

Aux beaux jours qui avaient entouré la pleine lune succéda une période de mauvais temps, du vent et de la bruine, sans arrêt. La forêt était détrempée, le sol spongieux. Le cuir de ses mocassins commença à se déchirer, ses vêtements en partie arrachés lors de sa fuite dans la forêt partaient en lambeaux. Son visage, lacéré par les branches et boursouflé par les piqûres, suppurait. Mais tout cela importait peu. Un matin, alors qu'il suivait, au bas d'une colline, les rives caillouteuses du lac, il glissa et son pied se tordit entre deux pierres, vrillant sa jambe. Il hurla de douleur. Aussitôt, Voulk vint se coller à lui et, le voyant gémir en tenant sa jambe, lui lécha le visage. Ohio rampa jusqu'aux arbres et attendit pour s'ausculter que la douleur s'estompe un peu. Mais il savait. Un ou plusieurs muscles étaient déchirés et il ne pourrait plus marcher avant une bonne douzaine de jours !

« C'est ma faute, pensa-t-il. J'accumule les erreurs. J'aurais dû me débrouiller pour m'emparer d'un canoë. En été, on ne peut rien faire sans canoë ! »

Au cours des jours suivants, il ne cessa de s'autocritiquer et son moral se détériora. Il se détestait, s'accusait de tous les maux. Sa vie et son voyage repassaient au ralenti et il n'y voyait que des preuves supplémentaires de son manque de discernement, de son égoïsme, de son incapacité à faire face à l'adversité. Tout ce qui lui arrivait était mérité. La punition que les grands esprits lui infligeaient était la conséquence logique de ses erreurs. Il ne vivait plus.

C'est tout juste s'il survivait. Il se bâtit un abri de branchages rudimentaire qui laissait passer la pluie et demeurait prostré des heures entières devant un petit feu. Il s'était fabriqué une attelle qui lui permettait d'aller à la recherche de bois, c'était sa seule activité. Voulk chassait pour lui. Il partait des heures entières et revenait avec dans la gueule un lièvre, un écureuil ou une gélinotte. Pour chauffer l'eau et boire des tisanes d'épinette, Ohio avait trouvé un rocher creux dans lequel il jetait des pierres brûlantes. Il cueillit aussi quelques tiges de prêle, excellente contre les douleurs musculaires, qu'il fit infuser.

La notion de temps s'éloigna peu à peu. Il se mit à parler tout seul pendant des heures, la nuit comme le jour. Un matin, il se réveilla persuadé que Mayoké vivait maintenant avec un autre que lui, de son plein gré. Leur séparation avait permis à Mayoké de prendre conscience de l'incapacité d'Ohio à protéger une femme, à assumer son futur rôle de père. Il n'avait qu'à se regarder. Il n'était plus que l'ombre de lui-même, pareil à ces saumons qui, au retour du frai, perdent toute couleur et gisent dans un bras mort, sur le côté, l'œil blanc, le corps suturé de cicatrices, en attendant la fin.

Le ciel restait désespérément gris et Ohio commença à tousser. La fièvre revenait. Il se leva péniblement et, pendant toute une journée, lutta pour rendre le toit de son abri étanche, en accumulant dessus des branches de sapin et des morceaux d'écorce de bouleau. Il boitait et sa jambe le rappelait à l'ordre dès qu'il faisait le moindre faux pas. Il se força à manger une perdrix, mais fut aussitôt pris de nausées qui achevèrent de l'épuiser. Pendant deux jours, il délira, toussant et vomissant tout ce qu'il essayait de boire ou de manger. Voulk cessa d'aller chasser et resta contre lui. Une nuit, un ours noir s'approcha que le chien fit décamper aussitôt en grognant agressivement. Le feu s'éteignit et Ohio grelottait avec pour seule couverture sa veste tailladée. Heureusement, Voulk lui communiquait sa chaleur.

Enfin, une nuit, le ciel se libéra et, au petit matin, un soleil éclatant caressa la taïga qui se mit à fumer comme un linge humide. Ohio en sentit la caresse chaude sur ses joues pleines de croûtes et de boutons d'insectes et ouvrit un œil. Il resta un long moment prostré, puis fit un effort surhumain pour se lever, mais il ne put allumer de feu. Il n'avait plus l'énergie de faire aller et venir son arc, et il ne se souvenait plus d'avoir encore des allumettes. Ce n'est que tard dans l'après-midi, après avoir mangé une perdrix crue, qu'un semblant de force lui revint, en même temps que le souvenir de ses allumettes. Il se mit torse nu pour exposer son corps malade aux rayons chauds du soleil et fut stupéfait de sa maigreur. Il n'avait plus que la peau sur les os. Mais les muscles de sa jambe étaient réparés et il put progressivement recommencer à marcher.

Plusieurs jours passèrent encore. Il reprenait des forces petit à petit, et avec elles quelque lucidité. Depuis combien de temps était-il ici ? Il l'ignorait. Ça n'avait plus d'importance. Il avait vu Mayoké. Elle vivait dans un village de Crees au bord d'un grand lac et était l'épouse d'un chef puissant. Elle l'admirait et oubliait Ohio. Il n'avait été dans sa vie qu'un oiseau de passage. Il ne lui restait plus qu'à tenter de retrouver ses chiens, sans illusion. Eux aussi avaient dû être enlevés par quelqu'un capable de s'occuper d'eux. Il se rendrait tout de même là-bas. Ce but, aussi futile fût-il, lui donnait une raison de vivre ou plutôt de survivre.

13

Lorsqu'il se remit en marche en boitant, une chaleur étouffante écrasait la taïga bruissant de mille bruits. Des myriades d'insectes avaient éclos et sur le lac, les truites moucheronnaient avec frénésie. Trois aigles pêcheurs planaient au-dessus d'elles, piquant par moments, les ailes repliées le long du corps, pour percuter l'eau en l'éclaboussant. Leurs serres se crispaient sur le poisson assommé qu'ils enlevaient d'un vol lourd et portaient jusqu'à la berge où ils le dévoraient paresseusement. Ohio en surprit un qui lui abandonna sa proie en criant furieusement. Il avait envie de poisson et l'occasion était trop belle. Des nuages de moustiques l'entouraient, mais les démangeaisons lui semblaient presque agréables au regard de la souffrance morale qu'il endurait.

Enfin, un soir où l'orage menaçait, il arriva à l'endroit où la rivière Cochrane se jetait dans le lac. Il n'était plus si sûr de vouloir retourner à son ancien campement. Cependant, mû par une force mystérieuse, il reprit sa marche. Il était en loques et il n'y avait plus un morceau de peau de son visage, de ses bras ou de ses jambes qui ne fût piqué, lacéré, en sang. Il était devenu une sorte de monstre décharné, à l'odeur nauséabonde car il ne se lavait même plus et le pus de ses plaies moisissait sur ce qui lui restait de vêtements.

Deux jours plus tard, il parvint en vue de l'épaulement de terrain où trônait autrefois un village. Il ralentit, le cœur battant et les yeux déjà embués par les larmes. Il monta la pente et s'arrêta. Un porc-épic traversait nonchalamment les ruines des cabanes carbonisées.

— Laisse-le !

Voulk se rangea près d'Ohio qui marcha jusqu'à l'emplacement de son tipi. Il n'y avait plus rien. Ni tipi. Ni chiens. Ni même le canoë qu'il avait commencé. Plus rien. Cela ne l'étonna pas. Il le savait. Il avait juste besoin d'une confirmation. Le jeune homme s'assit et resta un long moment immobile, prostré. Il regardait ses pieds en loques et ses jambes efflanquées. Le peu de vie qui lui restait l'avait abandonné.

Dans le ciel, quelques cumulus blancs flottaient et une bande de grands corbeaux volait nonchalamment en croassant. Ohio, étendu sur la terre battue, s'endormit, Voulk contre lui.

Le soleil était bas sur l'horizon lorsque Voulk grogna et se dressa sur ses pattes, tous les sens en alerte. Ohio ouvrit un œil. Voulk pointait son regard vers la forêt. Ils virent ensemble le husky qui déboula au grand galop, s'élança de toute sa masse sur Ohio et le renversa pour ne plus le lâcher.

— Torok ! Mon Torok !

Ohio, qui se protégeait avec les bras de cette furie, sanglotait, incapable de maîtriser son émotion. Il répétait indéfiniment le nom de son chef de meute, le visage enfoui dans ses poils. Torok lui labourait le ventre avec ses pattes et Voulk s'était joint aux retrouvailles, gémissant lui aussi de joie. Les deux chiens ennemis semblaient tellement heureux de se retrouver ! Ohio fut un long moment avant de reprendre ses esprits.

— Tu es donc là, mon Torok ! Tu es là !

Le husky se mit à aboyer avec insistance, tant et si bien que Ohio se leva et le suivit. Torok courait en avant, revenait, repartait en aboyant. Mais Ohio, épuisé, ne pouvait aller plus vite. Ils marchèrent pendant un long moment, jusqu'à ce que la forêt s'ouvre sur un petit lac où Ohio les entendit. Ses chiens ! Toute la meute était là ! Ils arrivaient au galop, l'entouraient et lui faisaient fête, et il ne les voyait même plus tant il pleurait de joie en répétant :

— Mes chiens ! Mes chiens !

Oumiak avait accouru, elle aussi, avec ses petits qui gambadaient joyeusement autour d'elle et montaient sur Ohio en larmes.

Il ne l'avait pas vue arriver. Lorsqu'il releva les yeux, elle était là. Le visage inondé de pleurs et horrifié. Ils se regardèrent, incapables l'un et l'autre du moindre mouvement. Alors il l'appela faiblement parce qu'il avait peur, comme si le simple fait d'évoquer son nom pouvait briser le fil magique de l'instant.

— Mayoké ...

Bouleversée, elle s'élança et tomba dans ses bras.

— Oh ! Ohio ! Ohio !

Tout son corps était secoué par les sanglots.

— Mais qu'est-ce qu'ils t'ont fait, mon amour ? Qu'est-ce qu'ils t'ont fait ?

Elle contemplait son visage et embrassait ses blessures. Elle examinait ses bras et ses jambes, et elle pleurait, et Ohio ne pouvait parler. Il la serrait de toutes ses forces contre lui. Tout s'était mis à tourner. Elle l'aida à se relever.

— Viens ! Viens, mon amour. C'est fini, maintenant !

Le tipi n'était pas loin. Elle l'allongea sur les

peaux et le déshabilla puis, avec des peaux de lièvre et de l'eau chaude à laquelle elle ajouta un peu de graisse, nettoya ses plaies. Ohio avait pris sa main et ne voulait pas la lâcher. Alors elle faisait tout avec l'autre, même si c'était difficile. Il la buvait de ses yeux faibles et malades, et elle lui souriait avec une tendresse infinie. Quand elle eut terminé et qu'elle l'eut enduit d'un onguent parfumé à base de résine, de ronces et d'orties, elle se déshabilla elle aussi et se coucha sur lui. Ils mêlèrent leurs larmes de joie avant que leurs corps ne se retrouvent, et restèrent l'un dans l'autre, jamais rassasiés, jusqu'au crépuscule. Mayoké demeura toute la nuit éveillée à le regarder dormir à la lueur d'une petite bougie, à le soigner et à le rassurer dès qu'il se réveillait en sursaut.

— Je suis là, Ohio. Tout va bien. Dors.

Elle lui prépara un bouillon avec du jus de viande et des légumes sauvages qu'elle avait ramassés, et l'aida à boire plusieurs fois au cours de la nuit. Elle changeait les pansements et l'embrassait, faisant courir ses lèvres humides sur ce corps décharné auquel elle allait redonner de la force.

Au petit matin, Ohio lui refit l'amour avec une tendresse infinie. C'est tout ce qu'elle lui autorisa pendant les cinq jours qui suivirent. Boire, manger et lui faire l'amour. Ils se racontèrent leur histoire.

Le jour où Mayoké avait été enlevée, les Crees avaient avancé jusqu'à la nuit pour arriver là où plusieurs bandes s'étaient donné rendez-vous afin de voyager ensemble jusqu'au lieu du Potlatch. Le soir, les hommes avaient commencé à boire et on était venu la chercher pour qu'elle participe à la saoulerie. Alors, elle avait dit qu'elle attendait un enfant et qu'elle ne pouvait pas boire d'alcool. C'est ce qui l'avait sauvée, car un peu plus tard, elle avait entendu les cris de trois jeunes Ojibways que les

Crees avaient capturées. Ligotée au fond d'un des tipis, elle avait passé toute la nuit à trembler, mais personne n'était venu la chercher. Les Crees avaient trop peur de *Tuisdakji*, le grand esprit qui veille sur les futures mères.

Ils étaient restés à cet endroit une journée entière, le temps de dessaouler et d'attendre une autre bande. Puis ils étaient repartis vers les chutes Jiogk où se trouvaient déjà de nombreux Crees. On lui avait donné un morceau de poisson séché puis on l'avait attachée et laissée dans un tipi alors que les Crees parlaient et buvaient autour d'un feu. Elle commençait à s'endormir quand un individu avait pratiqué une ouverture au couteau à l'arrière du tipi où elle se trouvait. Elle allait crier lorsqu'elle l'avait reconnu. C'était le vieux Keith ! Ce Blanc qu'ils avaient rencontré à la fin de l'hiver et qui connaissait Cooper.

— Le vieux Keith ! Mais c'est incroyable !

— Il revenait du Sud. Il connaissait certains des Crees invités au Potlatch de Toqueiyazi. Il s'est arrêté aux chutes pour la nuit et un des hommes a parlé de moi en disant qu'ils me confieraient à un chaman pour faire partir mon enfant. Ils voulaient me donner en cadeau au fils de Toqueiyazi.

Le vieux Keith l'avait alors emmenée dans la forêt où il l'avait cachée, puis il était retourné se coucher comme si de rien n'était pour ne pas éveiller les soupçons. Les Crees s'étaient aperçus de sa disparition tard dans la nuit, et ils avaient décidé de remettre la poursuite au petit matin. Ils n'avaient même pas soupçonné Keith et avaient à peine fouillé les alentours le lendemain. Ils étaient trop impatients de se rendre sur les lieux du Potlatch, et Mayoké, aussi belle soit-elle, les encombrait plutôt qu'autre chose avec cet enfant qu'elle portait en elle.

Le vieil homme, après avoir feint de reprendre sa

route vers le nord, était allé retrouver Mayoké. Ils avaient aussitôt décidé de revenir ici au plus vite.

— Lorsqu'on est arrivés, les chiens nous ont fait une fête incroyable. Je voulais me mettre tout de suite sur ta piste, mais Keith m'en a dissuadée. Il était certain que tôt ou tard, tu reviendrais ici.

— Mais lui, qu'a-t-il fait ?

— Il est parti pour te retrouver. Tu vois cette colline derrière nous ? On la repère de très loin et il y avait un pin carbonisé par la foudre qui se dressait seul sur l'arête, juste sous les rochers. Keith m'a demandé de le faire brûler le jour où tu reviendrais afin qu'il cesse ses recherches.

— Quand l'as-tu brûlé ?

— Le lendemain du jour où tu es rentré, je suis montée là-haut pendant que tu dormais.

— Ce bon vieux Keith ...

— Il m'a chargée de te dire de passer voir une certaine Claire Morin à Québec. Elle t'attend. Elle travaille dans la Compagnie maritime de la Rivière rouge.

— Mais... mais, nous n'allons pas à Québec !

— Il était sûr que tu te rendrais un jour là-bas.

— Comment peut-il en être sûr alors que je ne le suis pas moi-même ?

— Ohio, ne refuse pas l'évidence. Moi aussi, j'ai toujours su que tu irais au bout de ton voyage.

14

Étendue à l'ombre d'un grand pin, Oumiak laissait ses cinq chiots se chamailler autour d'elle en soupirant. Ils se bousculaient, grognaient, se mordaient et se poursuivaient. En les observant, Ohio s'était déjà fait une idée de ce qu'ils seraient plus tard. Lui, le blanc avec deux petites taches noires au-dessus des yeux, ne serait assurément pas un chien dominant, mais celui-là, tout blanc, un peu pataud et étourdi, serait puissant, à l'image de Gao. On le devinait à ses grosses pattes et à son front haut et large. Les deux noirs, avec leurs yeux soulignés de gris, ressembleraient à Huslik, des chiens élancés, de bons coureurs. Quant au dernier, c'était un futur Torok. Dans toutes les bagarres, il avait le dessus et c'était lui qui prenait toutes les initiatives et imposait sa loi.

— Il s'appellera Nanook, décida Ohio.

— Et celui-là, Tagush, proposa Mayoké qui aimait bien le blanc.

— Et les deux noirs ?

— Buck et Oukiok, et le dernier Wabuk.

Mayoké caressait Oumiak et les chiots montaient sur elle en se repoussant les uns les autres. Elle en attrapa deux par la peau du cou et les lança doucement dans la mousse où ils roulèrent, rattrapés par les autres qui leur mordillèrent les pattes en aboyant. Les autres chiens regardaient leurs jeux, l'air hautain, avec condescendance, sans jamais y participer.

Ohio reprenait quelques forces. L'endroit était calme. Le lac, enchâssé au pied de collines aux pentes douces, était entouré de forêts et il y avait très peu de risques qu'on les surprenne un jour ici. Ohio était monté sur la colline, l'une des plus hautes de cette région sans beaucoup de relief, et il s'était dit que Keith avait dû repérer le signal de loin. Le reverrait-il ? Il le souhaitait. Ce vieil homme au regard doux et pénétrant l'avait réconcilié avec les Blancs. Il aurait voulu le remercier. À son retour, il le chercherait.

Les jours s'écoulaient paisiblement. Le ventre de Mayoké s'arrondissait alors que dans la taïga, les animaux sauvages s'empressaient d'élever leur progéniture car l'été était court, presque sursitaire dans ces régions de froidure. Ni Ohio ni Mayoké n'avaient parlé de départ. Ils étaient bien et ils en profitaient. Quand il ne chassait pas, Ohio aménageait l'endroit comme s'il ne devait jamais en repartir. Les chiens partageaient leur temps entre de grandes balades en meute et le repos à l'ombre des sapins, au bord du lac. Pas une seule bagarre n'était survenue entre Torok et Voulk depuis son retour, comme si le chef de meute se sentait redevable envers son ancien ennemi de lui avoir ramené son maître sain et sauf. Ohio avait presque achevé la construction d'un petit traîneau qu'il destinait à Mayoké. Il envisageait d'y atteler Voulk avec les jeunes chiens dont l'apprentissage débuterait aux premières neiges.

Un matin, alors qu'Ohio montait sur la colline comme il aimait à le faire, il repéra une petite harde de caribous. Il les approcha et décocha une flèche sur un gros mâle qui broutait le lichen à flanc de colline. La flèche fendit l'air silencieusement et transperça le corps de l'animal sans rencontrer d'os. Le caribou avait tressailli, accusant à peine le coup et regardant dans la direction opposée à celle où se trouvait Ohio, là où la flèche s'était plantée après l'avoir traversé. L'animal était mort, mais il ne le savait pas encore. Ohio tira aussitôt deux autres flèches sur de jeunes caribous avant que la bréhaigne ne déclenche la fuite.

Deux caribous, le gros mâle et un jeune, étaient couchés sur le flanc, morts. Le troisième, moins bien touché, s'était enfui et Ohio attendit le milieu de la journée pour lancer les chiens sur ses traces. Ainsi, l'animal, non poursuivi, se coucherait quelque part plutôt que de fuir et mourrait doucement d'une hémorragie interne. La meute le retrouva rapidement. Il était à quelques portées de flèche, en bas de la colline, caché dans la forêt. Ohio et Mayoké débitèrent les trois bêtes et, s'aidant des chiens, rapportèrent toute la viande et les peaux près de leur tipi. Ils la fumèrent et la firent sécher puis tannèrent les peaux.

— Tu vois, Mayoké, avec l'arme des Blancs, je n'aurais pu en tuer qu'un. Ils se seraient tous enfuis au premier coup de feu.

— Et ils seraient morts avec dans leurs oreilles comme un coup de tonnerre, alors qu'avec une flèche les oiseaux n'arrêtent même pas de chanter. Leur mort est douce comme le soleil qui se couche à la fin du jour.

Ohio se releva et admira la jeune fille dont le corps devenait celui d'une belle femme aux seins pleins. Son visage s'était adouci et rayonnait de cette beauté primitive et parfaite que seuls peuvent prétendre atteindre ceux qui vivent en harmonie avec leur environnement. Une forme de sérénité emplissait son regard et sa peau halée par le soleil avait pris sur le dos et les épaules une teinte brune magnifique. Ohio l'enlaça et la coucha sur le tapis de lichen. Il sentait sous lui son ventre arrondi et aimait ce contact avec cet enfant qu'il attendait si impatiemment.

— Je l'ai senti bouger !

— Il bouge de plus en plus.

— Il a hâte de vivre au grand air !

— Comment peux-tu être si sûr que c'est un garçon ?

— Je le sais.

Ils firent l'amour tendrement, longuement. Elle aimait se mettre sur lui et Ohio suivait, de ses mains posées sur les hanches bronzées, le mouvement de houle de ce corps parfait. Il nageait dans le bonheur comme dans un rêve.

C'est le vent du nord-est qui amena la fin de l'été. Il souffla en rafales pendant deux jours et quand il se calma, le froid tomba. Ohio et Mayoké, pelotonnés l'un contre l'autre sous leur couverture en fourrure de lièvre, rallumèrent le feu au cours de la nuit. Au petit matin, une mince pellicule de glace recouvrait les zones protégées du lac.

En quelques jours à peine, la forêt et les collines se parèrent de couleurs de feu alors que les animaux sauvages redoublaient d'activité. Cette sorte de frénésie gagna aussi les chiens qui commencèrent à perdre leurs poils d'été et à hurler au crépuscule. Ohio n'était pas insensible à cette agitation qui se manifestait jusque dans le ciel parcouru de vols d'oies, de canards et de toutes sortes d'oiseaux migrateurs impatients de rejoindre des contrées plus clémentes. Le soir, des centaines d'oies et de canards faisaient halte sur le lac pour repartir à l'aube. Quelques jeunes restaient, incapables de suivre, et servaient de pitance aux nombreux oiseaux de proie qui eux aussi engraissaient avant l'hiver. La cruelle sélection naturelle s'opérait. Sur la colline, des ours noirs se disputaient les prairies de myrtilles et des hardes de caribous de plus en plus nombreuses passaient. Ohio en tua six autres dont ils firent sécher une partie de la viande, distribuant le reste aux chiens. Les chiots étaient devenus magnifiques, à l'exception de Buck qui, à la suite d'une maladie des oreilles, fut ralenti dans sa croissance sans jamais en rattraper le retard.

— Ton intelligence compensera, jugea Ohio, assez admiratif car Buck comprenait tout avec une rapidité stupéfiante.

Tout était prêt, les deux traîneaux, les lignes de trait, les harnais. Ohio et Mayoké avaient passé une partie de l'automne à réviser les équipements. Ohio se surprit à espérer que l'hiver soit précoce. Il avait hâte de reprendre la route.

— Quelle sorte d'homme migrateur suis-je donc pour ressembler tant à ces oies ou à ces hardes de caribous qui chaque automne repartent, inlassablement ?

— Mais les oies et les caribous savent où ils vont. Le sais-tu ? demanda Mayoké en caressant de la main son ventre proéminent.

— Nous irons au lac Brochet nous renseigner auprès de cet homme qui a rencontré Mudoï. Il nous indiquera sans doute où se trouve son village, et nous nous y rendrons.

— Puis nous irons jusqu'à ce grand village de Blancs.

— Oui, nous irons là-bas. Ensuite, nous rentrerons chez nous.

— Où est-ce, chez nous ?

— Nous irons dans mon village, car je dois revoir ma mère et lui dire.

— À propos de Cooper ?

— Oui, je lui dirai ce que j'ai appris. Ensuite nous irons vivre où tu voudras.

— Le lieu m'importe peu si je suis avec toi et notre enfant, dit Mayoké.

— Jusqu'à la mort, répondit Ohio.

15

— Ohio ! Ohio ! Réveille- toi !

Elle respirait fort.

— Qu'est-ce qui se passe ?

— Ça y est. Il est temps.

Il alluma une de leurs dernières bougies et raviva le feu.

— Qu'est-ce que je peux faire ?

Il la regarda. Elle était contractée, le visage crispé, ses cheveux plaqués contre son visage rouge inondé de sueur.

— Mets de l'eau à chauffer et laisse-moi... Je t'appellerai, dit-elle en grimaçant, les dents serrées.

Il s'exécuta et sortit du tipi à regret. Il aurait voulu l'aider, mais il ne pouvait rien. Habituellement, plusieurs femmes assistait la mère, or Mayoké était seule, sans expérience. Ohio marchait le long du lac. Son anxiété se lisait sur son visage fermé. Il allait, venait, et chaque fois s'approchait un peu plus près du tipi où il entendait les plaintes que Mayoké essayait d'étouffer en mordant dans un morceau de bois. Depuis combien de temps cela durait-il ? Il ignorait la durée normale d'un accouchement. C'était une affaire de femme et, chez les siens, les hommes ne se mêlaient pas de cela. Le bébé n'était présenté au père que lorsqu'il avait été lavé et que la mère, souriante, avait surmonté l'épreuve.

Mais Mayoké était seule et Ohio ne supportait plus l'idée de la savoir en train de souffrir, d'autant que les gémissements s'étaient transformés en cris. Il n'y tint plus et courut vers le tipi dont il souleva le pan. Ohio vit tout de suite le sang puis le visage tordu de douleur de Mayoké qui respirait avec difficulté.

— Mayoké !

Il lui prit la main qu'elle faillit écraser dans la sienne. Quelque chose n'allait pas ! Il fallait intervenir. Si seulement il avait pu prendre une part de sa souffrance, participer, partager. Mais la souffrance physique ne se partage pas. Elle appartient à celui qui la subit.

Comment la soulager ? Ohio ne pouvait endurer plus longtemps pareil supplice. Mayoké était en train de mourir dans ses bras ! Il n'y avait pas besoin d'être un homme médecine pour s'en apercevoir ! Elle ne criait même plus. Elle gardait le peu d'énergie qu'il lui restait pour respirer. Elle n'en avait plus pour expulser le bébé qui refusait de sortir. Mû par son instinct, Ohio se pencha vers son enfant dont on apercevait une partie du corps qu'il jugea être l'arrière-train. Avec une peau de lièvre imbibée d'eau tiède, il enleva tout le sang. La respiration de Mayoké s'affaiblissait. Ohio essaya de bouger l'enfant mais il n'avait aucune prise. Il allait rester là ! Mourir avec Mayoké !

Ohio n'hésita pas. Il passa la lame de son couteau dans les flammes, attendit qu'elle refroidisse et prolongea l'incision qui avait naturellement commencé à se faire. Le sang jaillit de nouveau. Le corps de Mayoké se souleva et elle étouffa un cri, mais Ohio ne l'entendit même pas. Il fallait sortir l'enfant coûte que coûte. Il ouvrit encore et put alors tourner le corps minuscule dont il sentit sous la peau fragile les os encore mous. Il déplia les jambes et tira doucement. L'enfant sortit. C'était un garçon et il vivait. Ohio sentit les palpitations de son petit cœur sous ses doigts et l'émotion le submergea lorsqu'il l'entendit crier. Mayoké avait perdu connaissance. Ohio vérifia son pouls, lava un peu le bébé et le posa sur elle, puis il recousit la plaie après l'avoir bien nettoyée à l'eau chaude.

Lorsque Mayoké se réveilla, elle sentit contre elle le petit corps fragile de son enfant dont la bouche cherchait son sein. Elle eut encore la force de sourire alors qu'Ohio aidait l'enfant, emmailloté dans une couverture en fourrure de lièvre, à trouver la poitrine de sa mère.

— Ohio ! Notre enfant…

— Oui, Mayoké ! Repose-toi. Tout va bien. C'est le plus beau petit garçon que j'aie jamais vu.

— Notre garçon, répéta plusieurs fois Mayoké comme dans un rêve, sans réussir à y croire..

Et, épuisée, elle se rendormit.

Ohio, attendri, resta longtemps immobile. Il regardait le sourire que son visage, marqué par l'épreuve, avait conservé. Un sourire d'une immense douceur. Il regardait aussi le visage de leur fils et s'émerveillait de le voir si parfaitement achevé avec sa toute petite bouche ourlée de lait, son nez transparent, ses oreilles où couraient de minuscules veines bleues, ses adorables mains aux doigts si tendres qu'ils semblaient pouvoir se briser sous une simple pression. Il était si fragile, tout abandonné dans les bras de sa mère. Un immense bonheur le submergea. Il était père. Il avait un fils. Il l'appellerait Mudoï.

L'automne était arrivé tout d'un coup, mais l'hiver rechignait. Il venait, repartait, hésitant et imprévisible. Il s'essayait tel un ours mimant des charges avant d'attaquer vraiment. Un soir, alors qu'il ramenait une grosse provision de bois, Ohio vit que la demi-saison touchait à sa fin. Une épaisse couche nuageuse blanchissait le ciel, le vent tombait et un impressionnant silence s'installait. On n'entendait plus que Mudoï qui gazouillait dans les bras de sa mère.

— L'hiver, dit simplement Ohio en entrant dans le tipi.

— Oui, demain tout sera blanc.

La voix de Mayoké était joyeuse. Comme Ohio, elle aimait l'hiver et son envoûtant silence. Elle aimait ce froid sec gelant lacs et rivières. Elle aimait ces aubes où le givre s'accroche à la fourrure des chiens, quand le sol gelé chante sous les patins du traîneau. Elle aimait ces longues marches en raquettes dans le grand blanc, ces nuits où les aurores boréales déroulent leurs écharpes de lumière et où chantent les loups auxquels les chiens ne répondent jamais. Et cet amour de l'hiver, ils le communiqueraient à leur fils.

Les chiens devenaient turbulents, irascibles. Le caractère des jeunes s'affirmait. Les adultes qui les ignoraient jusque-là se chargeaient, maintenant qu'ils étaient sevrés, de leur inculquer les règles de la meute en leur apprenant leur rang. Il n'y avait pas de bagarre, seulement quelques grondements et quelques bousculades. Voulk et Torok, au sommet de la hiérarchie, ne se mêlaient pas à ces exercices d'intimidation avilissants et réprimandaient les chiens comme Huslik et Narsuak qui profitaient de leur autorité.

Bien qu'ils soient en liberté depuis des mois, Voulk et Torok observaient une trêve dans leur relation conflictuelle et Ohio restait parfaitement équitable dans l'attention qu'il portait à l'un et l'autre.

Quant à Mayoké, sa préférence ouvertement montrée pour Voulk ne gênait nullement Torok qui n'avait d'yeux que pour Ohio. Au contraire, c'était comme s'il encourageait cette relation pour mieux préserver la sienne. Ohio, qui voulait que Voulk conduise l'attelage de Mayoké, y voyait un heureux présage.

Ohio avait commencé à éduquer Nanook, Buck, Oukiok, Wabuk et Tagush, issus de la dernière portée. Il les promenait en laisse en les encourageant à tirer et en leur apprenant les ordres : se tenir assis, partir et s'arrêter. Il consacra du temps à chacun, mais un peu plus à Wabuk qui avait quelques difficultés et surtout à Nanook à qui il apprit les commandements de direction car il le pressentait capable d'assurer un jour le rôle de chien de tête. Il ne fut pas déçu. Nanook possédait de réelles dispositions. Il avait des yeux brun clair intelligents et cette capacité rare d'analyser les événements. Il ne les subissait pas. Il voulait comprendre, toujours comprendre et sa curiosité était insatiable.

— Ce sera un grand chien, dit Ohio alors qu'il découpait de la viande sur une planche de pin équarri.

— Aussi grand que Torok ?

— Torok est unique et l'amour qu'il me porte le transcende.

— Tu l'aimes, n'est-ce pas ? Je veux dire, tu l'aimes plus qu'un chien.

Ohio ne s'était jamais posé la question de cette façon.

— Je l'aime comme… Torok mais l'amour, le vrai, je l'ai découvert grâce à toi et à notre enfant. Je ne soupçonnais pas qu'un tel sentiment existait au fond de moi. Ce petit être que tu portes dans tes bras et qui fait partie de toi, de nous, illumine ma vie. Il est un soleil permanent. Le fruit de notre amour. Grâce à lui, je comprends aujourd'hui tant de choses.

— Quoi par exemple ? demanda Mayoké, attentive.

— L'amour de Sacajawa pour moi, ses inquiétudes, ses espérances, comme cela a dû être difficile de me voir naître loin de celui qu'elle aimait et qui m'a donné son sang… De m'élever seule. Comment a-t-il pu ? Jamais je ne pourrais me séparer de Mudoï. Cet enfant m'a conforté dans mon choix d'aller au bout.

— De retrouver ton père.

— De lui faire savoir ce que son fils pense de sa trahison et de sa lâcheté.

— Il a peut-être une bonne raison, Ohio. Ne sois pas aussi entier.

— Quoi ! Comment peux-tu prendre sa défense ? s'emporta le jeune homme. Trouve-moi une raison, une seule, qui justifie à tes yeux d'abandonner ma mère et son fils ! Il y en avait une, que j'espérais presque, mais maintenant que je le sais vivant, il n'en reste aucune. Aucune.

— Tu as sans doute raison, concéda Mayoké en embrassant tendrement le petit crâne chevelu de son bébé en train de téter.

16

Ohio cligna des yeux. Un ineffable manteau blanc recouvrait tout ce qui les entourait. Il ne reconnaissait rien, ni les collines, ni la forêt aux cimes échevelées et aux branches ployant sous le poids de la neige qui ne cessa de tomber qu'au lever du jour. Ohio s'était levé plusieurs fois au cours de la nuit pour aller balayer les peaux du tipi alourdies par la neige. Mayoké en avait profité pour nourrir le bébé qui dormait au chaud, entre eux.

Soudain les chiens crevèrent la surface blanche, un chapeau de neige sur la tête. Ils s'ébrouèrent en chassant de leur fourrure les flocons qui les faisaient ressembler à des buissons blancs, puis ils bâillèrent bruyamment et s'étirèrent en remuant la queue et en creusant le dos, griffes écartées.

— Ça va, les chiens ?

Il alla de l'un à l'autre avec Mudoï dans les bras. Son fils, douillettement habillé des vêtements qu'ils avaient cousus pour lui dans des peaux de lièvre et de castor, regardait avec de grands yeux ébahis les chiens qui sautaient sur Ohio pour aller le renifler.

— Je vous présente Mudoï, dit Ohio en souriant alors que du tipi, Mayoké contemplait avec attendrissement le couple qu'il formait avec son fils.

Ohio regarda le ciel. Libéré du poids de toute cette neige, il promettait une superbe journée. Il chaussa ses raquettes et, suivi de toute la meute, s'élança à travers la forêt vers les grandes prairies s'étendant au nord de la colline. Les chiens galopaient dans la neige fraîche et les flocons qui volaient autour d'eux piégeaient la lumière rasante du petit matin. Ohio traça une piste droite dans la forêt clairsemée. Ils croisaient de nombreuses traces de lièvres que les chiens reniflaient joyeusement, mais il les rappelait à l'ordre pour qu'ils le suivent et l'aident à battre la neige en passant derrière lui. Arrivés aux prairies, ils firent une grande boucle et rentrèrent par la même piste. Le soleil commençait à redescendre, dans un ciel d'une limpidité éblouissante, vers l'horizon. Ohio enleva ses raquettes qu'il mit dans son dos et marcha dans la piste. Vêtu d'une simple chemise de cuir fin, il allait d'un bon pas. La journée était déjà bien entamée et il avait faim.

Tout à coup, il fut pris d'une curieuse impression et il accéléra le pas. Depuis que Mudoï était né, c'était la première fois qu'il s'éloignait si longtemps. Et soudain, il les vit. Des empreintes dans les siennes.

— Non !

Les poils des chiens se hérissèrent aussitôt sur leur dos. Torok renifla les empreintes. Elles étaient larges et profondes : un grand ours !

— Vite, Torok ! Va ! Va !

Voulk s'approcha.

— Vas-y aussi, Voulk ! cria-t-il. Vite !

Les deux chiens bondirent, Ohio derrière eux. Le grand ours suivait très exactement la piste qui allait droit au tipi. Tout en courant, le jeune homme revoyait le petit visage de son fils lorsqu'il l'avait embrassé avant de partir. Il ne voulait pas croire qu'il lui soit arrivé quelque chose. Il était trop précieux. Il prenait trop de place dans sa vie. Ohio crut que son cœur allait exploser et dut ralentir un peu. Il atteignit la clairière, non loin du campement, où il avait coupé de nombreux arbres morts. La plupart des chiens avaient suivi Torok et Voulk. Avec lui ne restaient que les jeunes. Ohio s'arrêta et écouta. Il n'entendit rien, pas le moindre grognement, pas le moindre cri. Il s'élança sans savoir si ce silence le rassurait ou l'angoissait encore plus. Lorsqu'il arriva enfin en vue du tipi, il était littéralement à bout de souffle.

— Mayoké !

Il aperçut les chiens et, au milieu d'eux, l'ours étendu dans la neige maculée de sang.

— Mayoké !

Le pan du tipi s'écarta.

— Chut ! Tu vas réveiller Mudoï.

Ohio ferma les yeux. C'était si bon d'entendre ces mots. Puis il s'avança jusqu'à elle et l'étreignit de toutes ses forces.

— Oh, Mayoké, j'ai eu si peur. Tellement peur.

Il était en nage, incapable encore de retrouver son souffle.

— Assieds-toi !

Elle lui versa un grand bol de thé qu'il but d'un coup.

— Il est arrivé au milieu de la journée. Heureusement, j'ai entendu un grognement pendant qu'il s'approchait. Je suis sortie et j'ai fait le tour du tipi. Il s'est présenté en plein travers et ma flèche l'a transpercé. Il s'est arrêté d'un coup et s'est dressé sur ses pattes arrière. Alors je lui ai décoché une seconde flèche, mais je n'aurais pas dû.

— Pourquoi ?

— Parce qu'il m'a repérée. La première flèche était parfaite. J'aurais dû attendre qu'elle fasse son effet, en restant cachée derrière le tipi.

— Il a chargé.

— Oui ! J'ai couru vers la forêt pour l'éloigner de Mudoï. De toute façon je n'ai pas eu le temps d'atteindre un arbre. Il m'a rattrapée en quelques bonds et m'a sauté dessus !

Ohio voyait la scène et regardait Mayoké avec des yeux horrifiés.

— J'ai roulé dans la neige.

Elle montra sa cuisse où un énorme hématome bleuissait la peau entaillée en quatre lignes parallèles.

— Le coup de patte qu'il m'a donné pour me faire tomber, expliqua-t-elle. Quand je me suis retournée, il rampait sur le sol, du sang plein la gueule. Il agonisait. Ma flèche lui avait sectionné une grosse artère juste au-dessus du cœur. Il est mort quelques secondes après.

Ohio regardait l'ours et Mayoké avec effroi. Il s'en était fallu de peu.

— C'est ma faute. Je n'aurais jamais dû vous laisser seuls.

Mayoké le fixa durement.

— J'espère que tu ne penses pas ce que tu dis.

Ohio ouvrit de grands yeux étonnés.

— Ohio, je ne suis pas une petite chose à protéger. J'ai tué cet ours que tu aurais peut-être manqué. Si la vie avec toi consiste à me placer sous ta protection, à élever notre enfant et d'autres à venir en te voyant prisonnier de cette situation…

— Je n'ai pas voulu dire cela, Mayoké. Je t'aime. Je vous aime tant, toi et Mudoï. Je ne supporterais pas que quelque chose vous arrive…

— Si cela doit arriver, tu le supporteras comme une épreuve de la vie. Notre amour ne doit pas être une chaîne, sinon il ne grandira pas. Tu dois continuer à vivre, Ohio.

— Pourquoi dis-tu cela ?

— Parce que tu as un destin, Ohio, et je ne veux pas ériger de barrages qui t'empêchent de le réaliser. Au contraire, je veux t'aider.

— Mais de quel destin parles-tu ?

— Tu m'as parlé de cette conversation que tu as eue avec ce vieux chaman, Keshad, juste avant ton départ pour ce grand voyage.

— Alors c'est pour ça !

— Non, moi aussi, à ma manière, je ressens la force de ce destin qui t'appelle.

17

— Les chiens ! Allez !

Ohio sentit un frisson délicieux lui parcourir le dos lorsque le traîneau s'arracha et qu'il dut plier les bras pour amortir la secousse du départ. Il avait attelé dix chiens, les huit adultes et deux jeunes, Nanook et Wabuk, un peu gauches et maladroits. Mais l'émulation joua et ils imitèrent la meute qui galopait dans l'axe de la piste.

— C'est bien, Nanook ! Bien, Wabuk !

L'exaltation d'Ohio était à la hauteur de l'excitation des chiens. Elle était perceptible jusque dans leur allure, un peu exagérée, et surtout à la manière qu'ils avaient de tirer en relançant sans cesse le rythme alors qu'habituellement ils couraient sans à-coup. Ohio retrouva tout de suite les sensations de la conduite, son corps était le prolongement du traîneau dont il connaissait la rigidité et la souplesse, dont il anticipait les réactions dans les virages et les accidents du terrain. Il dansait d'un patin sur l'autre, dosant le poids qu'il transférait plus ou moins en fonction de l'axe du virage, de la position des chiens et de la proue du traîneau.

— Doucement, les chiens ! Doucement !

Lui aussi avait envie de filer au grand galop mais

il ne pouvait imposer ce rythme aux deux jeunes chiens qui n'avaient pas d'entraînement. Ils allèrent d'une traite jusqu'aux plaines où ils s'arrêtèrent pour souffler. Ohio félicita Nanook et Wabuk d'une façon appuyée, même s'ils s'emmêlèrent un peu dans les traits. Ohio ne réprimandait jamais les jeunes chiens les premières fois qu'il les mettait à l'attelage. Il considérait qu'il fallait d'abord leur transmettre la passion du trait, de la course en attelage où l'émulation sublimait leur plaisir inné de courir. Il ne voulait surtout pas freiner leur ardeur en les gênant d'emblée avec des réprimandes qui pouvaient les dégoûter. Courir avec des traits était bien assez contraignant. Les autres chiens agissaient avec assez de sévérité. Il pouvait leur passer le reste. Ils apprendraient.

Ohio était satisfait de ses élèves.

Le lendemain, la piste avait gelé et il effectua deux aller et retour en interchangeant les chiens. Les autres restaient au campement, attachés à une ligne tendue entre deux arbres, qu'ils ne trancheraient pas, ou alors une seule fois, car, en la tressant, Ohio avait introduit des épines de porc-épic entre les lanières de cuir.

Peu à peu, il allongea les distances tandis que le froid tombait progressivement sur les pays d'en haut.

— Demain, nous pourrons partir à deux traîneaux, jugea un soir Ohio qui avait attelé ensemble les cinq jeunes chiens avec Voulk en tête.

Il avait achevé le petit traîneau destiné à Mayoké et préparé sur le sien une place chaude et confortable pour leur fils.

— Où veux-tu aller ? demanda Mayoké, heureuse à l'idée d'aller se promener.

— J'ai tracé une piste jusqu'à un grand lac partiellement gelé. Nous pourrions y déménager. Le lac paraît très poissonneux et les caribous passent nombreux à son extrémité nord. J'ai vu leurs traces.

— J'ai terminé le filet. Il n'est pas grand mais, bien placé, il prendra suffisamment de poissons.

Ohio admira le travail d'une grande finesse, réalisé avec du fil d'écorce de bouleau tressée.

— Je ne serais pas capable de fabriquer ça, dit-il, admiratif.

— Il faut du temps. C'est un bon travail pour une jeune maman.

— Du temps et du savoir-faire.

— Petite, j'aidais mon grand-père qui réparait tous les soirs deux grands filets longs comme le trait de ton attelage.

— Chez nous, nous pêchons avec des roues, de grands paniers qui tournent avec le courant et ramassent les saumons qui le remontent.

— Les saumons sont trop puissants pour ce type de filet. Les lanières en fil d'écorce ne résisteraient pas.

À côté d'eux, Mudoï se mit à babiller en regardant les petites figurines en bois que son père lui avait taillées et qui se balançaient au-dessus de ses yeux. Ohio releva le pan de la tente et observa le ciel où scintillaient des myriades d'étoiles. La forme évanescente d'une aurore boréale un peu timide apparaissait à l'ouest.

— La journée sera belle, dit Ohio en remettant du bois dans le feu.

Il régla avec une tige de saule l'ouverture du cône par où la fumée s'échappait en haut du tipi.

Effectivement, lorsqu'ils se mirent en route, un soleil généreux illuminait la taïga et la réchauffait doucement. Le lac au bord duquel était dressé leur tipi avait entièrement gelé, les rivières les plus calmes ne tarderaient plus à l'être. Ils avaient tout démonté, mais n'avaient emporté que l'essentiel, les ustensiles de cuisine et les peaux du tipi. Ohio reviendrait plus tard chercher le reste.

Parti en tête, il ralentissait son attelage qui, malgré le poids de son chargement, devançait celui de Mayoké composé des cinq jeunes et de Voulk. Il se retournait souvent et pouvait lire sur son visage auréolé de givre le bonheur immense qu'elle ressentait à conduire son propre attelage. Encourageant les chiens de la voix, elle patinait d'un pied puis de l'autre pour les aider. Ses longs cheveux bruns laissés libres flottaient dans le vent, accrochant les flocons soulevés par l'attelage. Bien installé, emmitouflé dans les fourrures, Mudoï dormait, bercé par les mouvements du traîneau.

Bientôt la course des deux attelages se synchronisa. Ils sortirent de la forêt et traversèrent les prairies d'alpage et de lichen s'étendant au nord de la colline jusqu'au grand lac. Ils dérangèrent une harde de caribous qui rendit fous les chiens, tant et si bien qu'ils durent les arrêter pour les laisser retrouver leur calme.

En milieu d'après-midi, ils arrivèrent en vue du grand lac au bord duquel ils s'arrêtèrent, là où une petite forêt d'épinettes surplombait une rivière. À l'endroit où elle se jetait dans le lac, un vaste espace d'eau libre subsistait et offrait un merveilleux emplacement pour la pose du filet. Ohio coupa les perches nécessaires pour dresser le tipi pendant que Mayoké s'occupait de déneiger et d'étaler des branches de sapin en un lit moelleux sur lequel elle disposa les peaux de bison et de grizzly. Elle alluma un feu et transféra Mudoï du traîneau où il dormait toujours jusqu'à l'intérieur du tipi. Ohio avait recouvert les côtés de peaux de caribou, et s'employait à installer sur le haut une grande toile de coton récupérée dans un comptoir.

Lorsqu'il eut fini, il alla vers les chiens qui attendaient, couchés dans la neige, en se léchant les pattes où de petits glaçons étaient accrochés aux poils. Il prit son temps pour les dételer. Il leur parlait, les câlinait, leur grattait le ventre et faisait rouler sous la peau de leur dos leurs muscles raidis par la course. Il se relevait souvent et admirait le lac. La glace neuve réfléchissait les lumières du ciel qui, au crépuscule, évoluaient du bleu vers le rouge en passant par toute la gamme des ors et des verts. Un calme indicible régnait. La nuit tombait doucement et on entendait au loin aboyer un loup auquel un autre, plus proche, répondait.

Jamais Ohio ne s'était senti aussi bien. À travers les peaux du tipi éclairées par la lampe à huile qu'il avait confectionnée, il voyait l'ombre de Mayoké penchée sur son fils qu'elle changeait en fredonnant, et son cœur s'emplissait de tendresse et de bonheur. Il regardait ses chiens, les lueurs de l'hiver qui prenaient possession du pays, des basses collines et des ondulations. Il écoutait les loups et il lui semblait que le pays l'enveloppait, qu'il faisait corps avec lui et qu'il s'était organisé pour lui composer ce soir un spectacle qui sublimait son bonheur. Il ressentait jusqu'au plus profond de lui la respiration de la terre et puisait dans cette harmonie jamais aussi forte qu'aux portes de l'hiver une force qui ressemble à celle du vent, réelle mais invisible, capable du meilleur comme du pire.

Il pensa aussi à Sacajawa, et son cœur se serra.

— Il va nous falloir bientôt reprendre la route, dit Ohio à Torok qui se laissait aller dans les mains massant ses flancs. Repartir ! Alors que le bonheur absolu est ici, loin du cauchemar des Indiens et des Blancs, dans la taïga, loin de tout mais avec tout ce qu'il nous faut.

Il distribua un morceau de viande de caribou

séché à chacun des chiens et rejoignit Mayoké et Mudoï qui dormait déjà dans le tipi où régnait une douce chaleur. Les branches de sapin exhalaient une odeur de résine délicieuse. Il s'allongea dans la fourrure d'une des deux peaux de grizzly, attira Mayoké contre lui et commença à la caresser en faisant glisser son vêtement de cuir.

— Je ne crois pas que nous puissions partager les plaisirs ce soir. Il est encore trop tôt, regretta-t-elle.

Ils se lovèrent l'un contre l'autre, fous de désir. Ils s'embrassèrent et se caressèrent longuement, faisant avec leurs bouches et leurs mains ce que le corps de Mayoké ne pouvait pas encore faire. Tout à leur plaisir, ils n'entendirent pas les chiens étouffer des aboiements craintifs. Soudain retentit un gémissement de douleur puis les cris furieux d'une bagarre. Ohio se rua dehors et remonta le long de la ligne détendue jusqu'au dernier chien, le plus éloigné du tipi. À la place d'Aklosik, il y avait une masse confuse et hurlante de poils, de crocs, de pattes et de griffes dans laquelle Ohio, armé d'un gourdin, tapa au hasard avant de comprendre qu'il s'agissait de loups. Ils étaient trois. Alors il leur assena ses coups avec force et précision. Torok, Gao et Voulk avaient pris part à la bagarre et, dans le noir, Ohio eut quelques difficultés à les différencier des loups, tous pleins de sang. Enfin, un loup s'échappa en hurlant. Il restait trois corps inanimés sur la neige ensanglantée. Deux loups et un chien. Ohio se pencha sur Aklosik alors que Mayoké arrivait, un couteau à la main.

— Il est mort ?

— Non, il respire !

Ohio, complètement nu, tremblait de froid et de peur rétrospective. Il donna un coup de pied dans un des loups qui ne bougea pas. Sa gorge ouverte vomissait du sang. Il était mort.

— Il faut rattacher la ligne et emmener Gao, Voulk et Torok dans le tipi.

— Je m'en occupe, dit Mayoké.

Ohio porta Aklosik jusqu'au tipi et le déposa sur la peau de bison où il ouvrit un œil. Il pensait l'avoir assommé par erreur, mais Aklosik avait une longue et profonde estafilade qui partait de la base de l'oreille jusqu'au haut de l'épaule et une seconde sur le poitrail. Des morsures. Mayoké entra avec les trois chiens. Elle poussa Gao qui boitait et les ausculta aussitôt à la lueur de la petite lampe à huile dont elle rehaussa la mèche. Ils avaient quelques coupures dont une assez délicate sur le coin de l'œil de Voulk.

— Il faut commencer par lui, jugea Ohio.

— Je m'occupe de celles de Gao et de Torok.

Ils se saisirent des aiguilles et recousirent les chairs avec du nerf de caribou.

— Ces loups étaient maigres et décharnés. Les chiens auraient eu le dessus de toute façon, dit Ohio. Mais que cela nous serve de leçon. Il faut les attacher plus près du tipi.

— Tu penses que Voulk retrouvera sa vue ? demanda Mayoké.

— Oui, les nerfs ne sont pas touchés.

Ohio repensa à cette belle journée qu'il avait passée, à cette magnifique soirée où il s'était laissé aller à la contemplation du ciel et aux souvenirs que ce paysage avait fait resurgir en lui, jusqu'à l'évocation de sa mère. La paix, dans les pays d'en haut, n'était qu'un animal de passage. Il fallait la prendre et ne pas se laisser emporter par elle sur des rivages difficiles. Il fallait toujours ressentir le *pellernevetek*, le « poids de la vie ». Cette vie qui donne et reprend.

18

Oujka était parti avec deux chasseurs dans les grands marais pour traquer trois élans dont il avait aperçu les traces en allant poser des pièges pour les castors. Sacajawa restait seule au village avec Banks, leur fils, qui était né le jour où les saumons géants avaient commencé à remonter la rivière Stikine. C'était un beau garçon au teint mat, vigoureux comme son père. Sacajawa avait espéré une fille, mais elle était fière de ce solide gaillard qui lui rappelait Ohio. Il ouvrait de grands yeux curieux sur le monde et souriait déjà lorsqu'on lui montrait un chien.

L'hiver s'annonçait difficile. Comme elle s'y attendait, la plupart des chasseurs n'avaient pas participé aux grandes chasses de caribous avec autant d'entrain et de volonté que de coutume. Ils voulaient tous en finir au plus vite pour aller rejoindre leur territoire de trappe et commencer à repérer les huttes de castor, achever leur cabane. Ils avaient à peine tué de quoi tenir jusqu'au milieu de l'hiver et, lorsque Sacajawa avait voulu organiser une seconde expédition vers les hauts plateaux de la Stikine où quelques hardes traînaient encore, les autres s'y étaient opposés, prétextant qu'ils allaient tuer de nombreux élans sur leurs zones.

— Ils ont raison, lui avait dit le chef Ouzbek. Et nous aurons moins besoin de viande au village. Ils seront tous sur leur zone de trappe et mangeront des lièvres et des perdrix.

C'était vrai. Dès les premiers jours de l'hiver, le village s'était vidé et les chasseurs n'avaient emmené avec eux que quelques morceaux de viande séchée, ne voulant pas se charger inutilement. Les femmes s'étaient retrouvées entre elles et cette promiscuité féminine commençait à peser sur Sacajawa qui s'était toujours sentie plus proche des chasseurs. Elle entra peu à peu dans une phase de dépression qui ne lui ressemblait pas. Elle étouffait dans ce village, coincée dans la cabane avec l'enfant, elle qui n'aimait rien tant que de courir dans les grands espaces blancs.

Un soir, n'y tenant plus, elle demanda à Koonays, la sœur d'Ouzbek, de surveiller Banks et elle partit pour une longue marche dans la nuit. Il faisait froid et l'exercice la revigora. Elle avança longtemps et ne revint pas vers le village avant d'être vraiment fatiguée. Le ciel chargé de nuages annonçait la neige. Elle allait atteindre les premières maisons lorsqu'elle leva machinalement la tête vers le ciel, et ce qu'elle vit lui coupa le souffle. Tout le ciel était empli de nuages, à l'exception d'une petite trouée à travers laquelle brillait une étoile. Une seule étoile ! Celle de Cooper ! Et elle se souvint. Ils étaient ici, au même endroit, sur ce talus, lorsqu'il l'avait prise dans ses bras et lui avait montré cette étoile.

— Regarde, Sacajawa, cette petite étoile qui se trouve entre le Grand Chien et la pointe de Jukilez que je t'ai montrée hier.

— Celle un peu bleue ?

— Oui, celle-là, c'est la nôtre. Je la regarderai chaque jour en pensant à toi et sa brillance te communiquera mon sourire et mon amour.

— Moi aussi, je la regarderai tous les jours, jusqu'à ce que tu reviennes.

Tous les soirs de sa vie où le ciel était suffisamment dégagé, elle avait cherché cette étoile et lui avait parlé. Elle avait tenu parole jusqu'à ce qu'elle décide d'épouser Oujka et d'oublier Cooper. Puis elle s'était imposé de ne plus la regarder. Et ce soir, elle clignotait dans le ciel, toute seule. On ne voyait qu'elle ! Sacajawa se laissa tomber dans la neige où elle s'assit, le corps agité de soubresauts, le souffle court, les yeux embués par les larmes.

— Qu'on me laisse tranquille, gémissait-elle. Qu'on me laisse en paix.

Mais elle savait qu'elle ne pourrait oublier ce clin d'œil du ciel, comme elle savait maintenant qu'elle ne pourrait jamais oublier le père d'Ohio, malgré les années, malgré les efforts, malgré tout ce qu'elle était prête à endurer pour cela. Jusqu'à la mort. Alors elle se mit à sangloter, en proie au plus grand des désespoirs. Sans Banks, elle se serait laissée mourir de froid.

Quand elle revint, après avoir versé toutes les larmes de son corps, elle trouva la sœur d'Ouzbek en train de bercer Banks. Elle leva les yeux et observa longuement Sacajawa sans poser la moindre question.

— Quel est ton secret, Sacajawa ? demanda-t-elle enfin. Tu peux avoir confiance en moi et le partager t'aidera.

— Je te remercie, dit Sacajawa en lui souriant tendrement, mais je n'ai rien en moi que je puisse partager.

— Comme tu voudras, Sacajawa. Le village a besoin de toi.

— Que veux-tu dire ?

— Mon frère est un bon chef, mais il est un peu dépassé par les événements liés à l'arrivée des Blancs sur nos territoires. Si tu n'avais pas fait preuve de lucidité, nous nous serions querellés avec le village d'Oujka. Il n'y aurait pas eu de chasse à l'automne et ils se seraient tous dépêchés de filer à la recherche de ces fourrures qui les rendent comme fous.

— Tu exagères un peu.

— Non, et tu le sais bien. J'ai parlé avec Klawask. Il y a eu des affrontements sanglants entre les Kwakiutls et les Tsiwashians pour s'approprier les zones de chasse aux loutres de mer. La famine menace dans d'autres villages où les hommes n'ont pas assez pêché ou chassé lorsque poissons et caribous passaient parce qu'ils étaient occupés à la préparation de leur saison de trappe.

Sacajawa soupira.

— Que de mal venant de ces maudits Blancs !

Koonays la regarda intensément.

— Ne serait-ce pas là ton secret ?

Sacajawa ne répondit rien. Elle se saisit de son enfant qui réclamait le sein et le lui donna.

— Tu as un fils robuste et en bonne santé ainsi qu'un mari fort et courageux, dit encore Koonays, et Ohio reviendra bientôt, j'en suis sûre. Tu dois regarder la partie du ciel qui s'éclaire de ces étoiles plutôt que celle obscurcie par les nuages.

Sacajawa tressaillit.

— Pourquoi parles-tu d'étoiles et de ciel chargé de nuages ? Pourquoi utilises-tu cette image plutôt qu'une autre ?

Koonays, surprise par la tension dans la voix de Sacajawa, chercha ses mots et balbutia.

— Je ne sais pas… Je n'en sais rien !

Tant de coïncidences troublaient Sacajawa. Elle ne trouva pas le sommeil de la nuit, hantée par le souvenir de celui qu'elle s'était juré d'oublier et qui revenait toujours, sans pitié ni remords.

De l'autre côté de l'océan, à des milliers et des milliers de kilomètres de là, au troisième étage d'une des plus belles demeures de Londres, Cooper fumait sa pipe au balcon, ignorant le froid et la pluie qui lui cinglaient le visage. Sa femme, Margaret, se tenait dans le salon et avait depuis longtemps cessé de l'importuner quand il allait ainsi braver les intempéries alors qu'on était si bien près de la cheminée où les flammes léchaient de grosses bûches de châtaignier. Il était ainsi, et on ne le changerait pas. Cooper, insensible au froid, contemplait le ciel traversé de lourds nuages noirs et épiait le moment où il apercevrait la petite étoile qu'il n'oubliait jamais de regarder, chaque fois que c'était possible. Il la vit et la fixa jusqu'à ce qu'un nuage la soustraie à sa vue, puis il rentra en soupirant. Il était tard, la journée avait été dure et il était fatigué. Il gagna son bureau où il dépouilla en hâte son courrier. L'avant-dernière lettre de la pile avait été portée par un coursier de la compagnie maritime concurrente de celle qu'il dirigeait et était arrivée du Canada par le dernier bateau. Il en recevait souvent. Des hommes qui se proposaient pour embarquer sur ses bateaux, des comptes expédiés directement par les hommes qui sous-traitaient certaines de ses commandes. Mais son cœur s'accéléra lorsqu'il vit le nom de l'un de ses anciens compagnons d'expédition dont il n'avait jamais plus eu de nouvelles.

— Ce bon vieux Keith !

Il lut la lettre, la relut et la laissa tomber sur la table. Il était devenu blanc et tremblait, incapable de maîtriser son émotion. Sa vision se brouillait, les fenêtres se mirent à tourner, à se balancer, comme un bateau à la surface d'un océan déchaîné. Une tempête venait de se lever dans sa vie. Une tempête colossale qui allait tout détruire sur son passage.

19

En quelques jours, Gao, Voulk et Torok cicatrisèrent et l'entraînement put reprendre. Aklosik, dont les blessures étaient plus profondes, guérissait lentement. Ohio le faisait monter dans son traîneau pour ne pas le laisser seul au campement. Le premier jour, il l'attacha court afin qu'il ne saute pas en marche et qu'il s'habitue. Couché près de Mudoï, il lui communiquait un peu de sa chaleur et Ohio imagina une sorte de sac en peau de caribou, percé de deux trous, l'un avec un capuchon pour Mudoï et l'autre pour la tête d'un chien qu'il placerait avec lui par grand froid.

— Un vrai poêle à bois, dit Ohio quand il eut cousu les peaux et ainsi installé Mudoï et Aklosik.

— Tu n'as pas peur que le chien le griffe ? Ou que Mudoï se coince une jambe sous lui ? s'inquiéta Mayoké.

— Non, j'ai fait une séparation. Il ne risque rien. Ohio l'embrassa.

— Ne t'inquiète pas, je veille sur lui. Il est avec toi mon plus grand trésor.

Dans les pistes qu'il traçait pour les entraînements, Ohio posa des pièges à castors, à martres et à lynx. Le territoire n'était pas très giboyeux, mais grâce à l'étendue d'action que lui donnait l'attelage, il accumula bientôt une belle quantité de peaux que Mayoké préparait et tannait. Il se servait des huit pièges d'acier qu'il avait échangés dans le comptoir du grand lac des Esclaves, de collets d'acier et, pour les martres, de pièges tombants en bois appâtés avec des viscères de lièvres, de perdrix ou de truites.

Les grands froids s'installèrent à la nouvelle lune et Ohio put emprunter la rivière gelée. Il découvrit une zone d'îles et de marais où lièvres et lynx pullulaient. Il en attrapa huit qui s'ajoutèrent aux cinq qu'il avait trappés autour du lac.

— Treize lynx, quinze castors et soixante-deux martres, compta Ohio. Nous avons largement ce qu'il nous faut.

Mayoké lui avait demandé contre quoi il voulait échanger ces peaux.

— Les territoires vers lesquels nous nous dirigeons sont envahis par les Blancs et je suppose qu'aux environs de Québec, ce n'est plus avec un arc et des flèches que l'on peut se nourrir.

Ohio admira le travail d'écorchage, d'écharnage et de tannage réalisé par Mayoké. Elle se servait du tanin contenu dans la cervelle des animaux qu'il tuait, le mélangeant avec celui extrait du bois de tremble. Les peaux étaient légères et souples, et sentaient bon la fumée et le tanin.

— Tu comptes les transporter jusqu'à Québec ?

— C'est trop lourd. Allons déjà jusqu'au comptoir de Hans et voyons ce qu'il nous propose. J'ai confiance en lui. Et puis j'ai promis de lui rapporter son uniforme.

Mayoké avait nettoyé et recousu le costume, mais il ne ressemblait plus vraiment à ce qu'il était.

— J'ai de quoi le dédommager.

Ohio lui montra leur itinéraire. Il fallait rejoindre

la rivière Cochrane et la descendre jusqu'au lac. Le village des Assiniboines se situait au sud du grand lac qu'ils traverseraient rapidement sur la glace neuve.

— Nous voyagerons de nuit sur la rivière jusqu'au lac.

— Tu crains de rencontrer des Crees ?

— Je ne veux pas prendre de risque.

La chance fut avec eux. Une petite tempête de neige recouvrit partiellement la piste qu'Ohio avait balisée vers la rivière Cochrane, mais ensuite le temps se maintint, froid et sec, idéal pour aller vite. Outre leur matériel, les deux traîneaux étaient lourdement chargés de peaux, de viande et de poisson séchés. Les chiens marchaient plus souvent qu'ils ne trottaient, mais ils atteignirent tout de même le village au matin du troisième jour sans avoir rencontré âme qui vive. Ils avaient seulement croisé et utilisé une vieille piste tracée par plusieurs attelages le long de la rive nord du lac.

Ohio avait hésité, mais il décida de rentrer dans le village sans prendre de précautions. Le jour se levait lorsqu'ils stoppèrent leurs attelages devant le comptoir. Ohio fit asseoir ses chiens et attachait les traîneaux quand la porte s'ouvrit sur Hans qui dévala les marches, un grand sourire illuminant son visage jovial.

— Ohio !

— Je te rapporte ton uniforme.

— Je n'en ai que faire. J'étais tellement inquiet pour toi. J'ai su ce qui s'était passé, mais je croyais qu'ils t'avaient rattrapé, et j'ai craint le pire. Je n'ai plus eu la moindre nouvelle de toi.

— Nous étions loin vers le nord. Nous attendions l'hiver.

— Tu es Mayoké, je suppose !

— Et dans le traîneau, Mudoï.

Hans s'avança vers l'arrière du traîneau et se pencha pour prendre le bébé.

— Rentrez vite ! Tu n'as qu'à mettre tes traîneaux à l'arrière dans le grand enclos. Tu peux y tendre ta ligne, les chiens seront bien.

Il ouvrit la porte et fit entrer Mayoké à qui il rendit le bébé en lui souriant.

— Il est magnifique.

Elle remercia.

— Réchauffe-toi près du poêle, lui dit-il. Sers-toi, le café est posé dessus, je vais aider Ohio à s'installer et nous arrivons !

Ils firent vite. Hans ne perdait pas son temps. Ohio était ému d'être accueilli comme un frère et il le lui dit.

— Tu n'as pas à me remercier, Ohio. Je suis très admiratif de tout ce que tu as fait. C'est moi qui ai de la chance car on ne rencontre pas souvent des êtres qui sortent de l'ordinaire.

— Tu ne me connais pas.

— Assez pour le dire.

Ils rentrèrent dans le comptoir.

— Ton père n'est pas là ?

— Non, il est parti pour le comptoir Sherridon, à environ huit jours au sud d'ici. Il reviendra avec tout le stock de cet hiver. Nous n'avons presque plus rien.

— Pourquoi est-ce lui et pas toi qui effectue ce voyage ?

Hans éclata de rire.

— Il y a là-bas une Indienne qu'il aime bien.

— Et comment va Shellburne ?

— Tu te souviens de son prénom ! Elle dort encore là-haut avec notre petite Moulkza.

— Félicitations !

Ohio avala une gorgée du breuvage que Hans lui avait servi et fit une grimace.

— Tu n'aimes pas le café ?
— Je n'en avais jamais bu… mais je crains de ne pas aimer, non.
— Je vais te préparer un thé.
— J'ai quelques peaux…, dit Ohio à brûle-pourpoint, et je ne sais pas quoi en faire.
— Comment cela ?
— Je veux dire… Je n'ai besoin de rien à part quelques allumettes et bougies et peut-être du thé, mais le reste, je voudrais le garder pour plus tard, au cas où… Et c'est un peu encombrant et lourd.
Hans sourit.
— Montre-moi donc tes peaux. Connais-tu l'or ? Les pièces d'or ?
Il lui en montra quelques-unes. Ohio admira la gravure représentant un homme coiffé d'un chapeau sur une face et une figure compliquée sur l'autre où s'entrelaçaient des épées et des branches d'un arbre inconnu.
— C'est très beau. À quoi servent ces… ces pièces ?
— Elles servent très exactement à résoudre le problème qui est le tien. En échangeant tes fourrures contre quelques-unes de ces pièces, tu obtiendras tout ce que tu voudras, n'importe où.
— Je ne comprends pas.
Hans lui expliqua le système de la monnaie. Soudain ils entendirent un bruit. Mayoké s'endormait, sa tête avait heurté la table. Ohio s'excusa.
— C'est la chaleur. Nous avons voyagé toute la nuit et n'avons pas dormi.
— Oh ! Je suis désolé. Viens, je vais te montrer où vous pouvez vous installer.
Il lui indiqua une pièce où trônait un grand lit en bois.
— Installez-vous ici et reposez-vous. J'ai à faire. Je viendrai vous réveiller pour le déjeuner.

Ohio remercia encore. Mayoké s'allongea sur les couvertures de laine rouge et s'endormit presque immédiatement, Mudoï dans les bras. Assommé par la chaleur, Ohio ne résista pas longtemps.

Hans les réveilla au milieu de l'après-midi.

— Ohio, lui dit-il dès qu'il le rejoignit dans la grande pièce, tes fourrures sont magnifiques et le tannage est d'une rare perfection.

— C'est grâce à Mayoké.

— Je peux t'en proposer treize pièces d'or.

— Treize de ces petites choses jaunes pour toutes ces peaux ?

— Je comprends ton étonnement, Ohio, mais tu peux me faire confiance. C'est plus que tu n'en obtiendras dans n'importe quel comptoir. C'est un bon prix, même si les peaux sont exceptionnelles.

— Je n'en veux ni plus ni moins que ce qu'elles valent.

— C'est le prix. Le bon.

Ohio regardait le tas de peaux et pensait à tout le travail qu'il représentait, les heures passées sur les pistes à poser et relever les pièges, l'écorchage, l'écharnage, le tannage. Tout cela contre treize pièces jaunes qui tenaient dans le creux de la main. Autant dire, rien.

— Avec ces pièces je peux me procurer de la nourriture, une arme ou une tente ?

— Et des centaines d'autres choses. À Québec, on trouve tout.

— Je n'ai pas de grands besoins.

— Alors pourquoi veux-tu échanger ces peaux ?

— Je suppose qu'il ne reste pas beaucoup de gibier aux alentours de Québec ? Comment ferons-nous pour manger ? Quelle nourriture donnerai-je aux chiens ?

— Tu es étonnant Ohio ! Les tiens, malgré tout le

respect et l'admiration que je leur voue, ont du mal à prévoir ou à anticiper. Ils vivent au jour le jour et…

— Je ne suis pas tout à fait indien, Hans.

— Que veux-tu dire ?

Ohio lui raconta tout ce qu'il savait. Hans l'écouta sans sourciller.

— Je me souviens très bien de cette expédition et du retour de ce Cooper. Cette aventure m'avait fasciné et j'ai lu et relu les relations de ce voyage.

— Tu te souviens avoir lu quelque chose sur ma mère ?

— Oui, Cooper lui attribuait une grande part de sa réussite.

— Rien d'autre ?

— De quel genre ?

— Je ne sais pas. Quelque chose qui pourrait expliquer qu'il se soit désintéressé d'elle sans même la prévenir.

— Tu sais, le pays de Cooper, l'Angleterre, c'est un autre monde. En retournant là-bas et en retrouvant les siens il a changé de peau.

— Oui, mais le cœur ?

— Le cœur est un animal libre et sauvage, Dieu seul sait où est allé le sien.

20

À son retour du comptoir Sherridon, le père de Hans fit à Ohio une offre séduisante. Il lui proposait de diriger une équipe de cinq Hurons chargés d'acheminer en traîneau un lot de fourrures jusqu'au comptoir de Thunder Bay, au nord du lac Supérieur.

— Arrivé là-bas, tu n'auras plus qu'à traverser les lacs Supérieur et Huron, puis le lac Ontario où tu trouveras un bateau pour aller jusqu'à Québec. Dans l'un de ces gros voiliers, le voyage se fait vite.

— Le lac et le fleuve ne sont donc pas gelés ?

— Le fleuve ne gèle pas avant les grands froids du mois de janvier et tu devrais arriver avant. Quant aux lacs, il y a suffisamment de bateaux qui effectuent la navette pour entretenir un chenal. Les coques renforcées à l'avant brisent la glace qui se reforme au fur et à mesure.

Ohio avait du mal à imaginer ces bateaux où une cinquantaine de personnes pouvaient prendre place. Il avait hâte de les voir.

— La route d'ici au lac Ontario est relativement sûre, à l'exception du secteur de la rivière Saskatchewan où des attaques ont eu lieu à la fin de l'hiver dernier. Mais les Hurons disent que la plupart des bandes ont été refoulées vers le nord. Si tu persistes dans ton idée de rejoindre la baie d'Hudson, tu vas suivre la ligne de front où ont lieu toutes les escarmouches pour le contrôle de l'intérieur du pays. Je ne te le recommande vraiment pas.

Ohio regardait la carte et réfléchissait.

— Si tu tiens absolument à te rendre au lac Brochet pour retrouver la trace de ton ami, tu n'as qu'à y aller seul, dit Hans. Mayoké et Mudoï resteront en sécurité ici et tu iras vite. Tu voyageras sous la protection que confère l'uniforme.

— Je risque de rencontrer des Crees qui me reconnaîtront.

— Ce serait étonnant. Ils seront sur leur territoire de trappe.

— En voyageant avec un traîneau léger, je peux y aller en deux nuits, surtout si la piste existe.

— Elle est régulièrement empruntée par les Crees du lac Black.

— Raison de plus pour voyager de nuit.

— La lune sera pleine dans trois jours, fit remarquer Hans.

Plus Ohio réfléchissait, plus la proposition lui semblait intéressante. Il irait vite, il bénéficierait de la protection de solides gaillards, il éviterait les zones à haut risque et il doublerait son nombre de pièces d'or, car le transport était rémunéré : douze pièces pour le chef du convoi, huit pour les autres.

— Nous allons parler de tout cela avec Mayoké et je te donnerai une réponse, proposa Ohio.

Il voulait s'accorder un délai de réflexion. Cette route l'éloignait du territoire présumé de Mudoï. Cependant, comme il imaginait revenir chez lui par le nord, il se gardait la possibilité de retrouver le village de Mudoï au retour. D'autre part, il était évident qu'en refusant cette proposition, il décevrait Hans et son père à qui il devait beaucoup.

— Si je n'y vais pas, demanda Ohio, qui prendra ma place ?

— C'est Kujjua, un Indien du village mais il s'est gelé un pied l'année dernière et comme il ne peut plus marcher, les autres râlent.

— Et parmi les Hurons, il n'y en a aucun qui puisse diriger le groupe ?

— Non, il n'aurait aucune autorité et ça n'avancerait pas. Tous les prétextes seraient bons pour traîner en route. L'année dernière, mon père avait proposé une prime s'ils effectuaient le voyage en moins de trois semaines. Ils en ont mis sept !

— Que représente une semaine, déjà ? On me l'a expliqué, mais il y a longtemps…

— Une semaine correspond à sept jours.

— C'est vraiment compliqué.

— Je te l'accorde. Se baser sur les cycles de la lune comme vous le faites est bien plus simple.

Depuis huit jours qu'il était là, Hans aidait Ohio à se familiariser avec le monde des Blancs. Il avait commencé par lui apprendre quelques rudiments de français, les mots essentiels dont il aurait besoin, et Ohio progressait vite. Puis il lui avait donné une montre et enfin il lui avait expliqué le fonctionnement de la monnaie.

— Je partirai vers six heures ce soir, dit Ohio avec un sourire.

— Tu vois que ce système a du bon.

— J'aurais pu te dire que je partais à la tombée du jour et c'était pareil.

— C'est plus précis. À quel moment exact correspond la tombée du jour ? Quand la lumière commence à décliner ? Quand on n'y voit plus ? Et ce moment-là variera d'un jour à l'autre selon que la couche nuageuse sera plus ou moins épaisse.

— Justement, tes paroles prouvent combien ton système est inadapté à notre vie dans la taïga. Ce soir, je ne veux pas partir à six heures, mais bien à la tombée de la nuit. Le Blanc ne sait pas regarder le ciel pour se repérer dans le temps, alors il a essayé de l'emprisonner dans une petite cage de verre. Pour mesurer la distance, il compte des kilomètres alors que l'Indien exprime la même chose en jours de marche. N'est-ce pas ce qui importe ? Sur une rivière gelée, les chiens avancent de plus de douze kilomètres par heure si bien qu'ils en auront parcouru plus de quatre-vingts dans une journée alors qu'il leur faudra quatre ou cinq jours pour franchir la même distance en montagne, et encore plus pour traverser une forêt. À quoi peut servir de savoir combien de kilomètres séparent un point d'un autre ? Ce qui est utile, c'est le nombre de jours qu'il nous faut pour parcourir cette distance.

Hans écoutait Ohio en souriant.

— Tu as raison, Ohio. Notre approche si différente de la notion du temps symbolise à elle seule le monde qui nous sépare.

— Un monde dans un sens alors que dans l'autre quelques explications suffisent.

— Que veux-tu dire ?

— Un Blanc ne pourra appréhender notre environnement en apprenant comme je l'ai fait quelques notions abstraites. Il lui faudra des années d'apprentissage, adopter une mentalité qui lui permettra de s'ouvrir à un territoire, de le percevoir avec ses sens.

— Certains ont pourtant le désir de comprendre cette approche qui est la vôtre ?

— Bien sûr, mais le désir entraîne l'imagination à mal interpréter ce qu'il trouve.

— Tu estimes donc que les Indiens sont les seuls à comprendre un paysage ?

— Non, j'ai rencontré un vieil homme blanc qui faisait partie du pays et vivait en harmonie avec lui.

— Keith ?

— Tu le connais ?

— Il est passé ici au début de l'hiver et a échangé quelques peaux contre du tabac, quelques pièges, une hache et du thé.

— J'ignorais que tu le connaissais.

Ohio lui raconta alors leur rencontre. Lorsqu'il lui avait relaté l'évasion de Mayoké, il avait expressément omis de dire que Keith l'avait aidé. Ohio se doutait que le vieil homme reviendrait un jour ou l'autre dans les parages, et il ne voulait pas que les Crees lui tombent dessus par sa faute.

— Garde cela pour toi, demanda Ohio. N'en parle même pas à ton père. Tout finit par se savoir. Les secrets s'échappent toujours.

— Merci de ta confiance. Je ne dirai rien.

Le père de Hans rentra dans le comptoir avec deux Indiens qui portaient des caisses de bois. Ils les mirent sur la table où se trouvaient Ohio et Hans et les ouvrirent. Elles contenaient des pots de thé, de café et de sucre qu'ils disposèrent sur les étagères.

— Alors Ohio, qu'as-tu décidé ?

— Je pars à la tombée de la nuit (il regarda Hans avec amusement) pour le lac Brochet où je dois rencontrer ce Blanc qui a sans doute des informations sur l'ami dont mon fils porte le nom. Je déciderai en fonction de ce qu'il me dira.

— Non ! ce sera trop tard. Je dois m'organiser.

Un silence gêné s'ensuivit. Le père de Hans vaquait à ses occupations et commença à réorganiser un coin de la pièce où s'entassaient des pièges de toutes sortes ainsi que des rouleaux de câble.

Hans regardait Ohio.

— Alors j'irai... J'ignorais que vous étiez si pressés.

— Tu me sembles bien hésitant, lui dit le père de

Hans. Il ne faudra pas l'être pour mener cette bande de guerriers.

— Ma décision est prise. Dès lors, je ferai tout pour remplir cette mission.

— C'est ce que pense Hans.

— Si vous pensez le contraire, il ne faut pas me confier la tête de l'expédition, dit durement Ohio.

— Tu es jeune, mais Hans est sûr de lui et te connaît mieux que moi. Il me faut l'habituer à prendre ses responsabilités.

Mayoké, qui était allée nourrir les chiens avec Mudoï, douillettement installé dans sa capuche, entra dans le comptoir en secouant sa veste pleine de givre.

— Ils ne demandent qu'à courir à nouveau, fit-elle remarquer.

— Je pars ce soir et si le temps se maintient, je serai de retour dans quatre jours.

— Si tu fais cela..., commença le père de Hans.

— S'il le fait, tu me dois une pièce d'or, sinon je t'en donne deux, intervint Hans.

Son père, piégé, acquiesça.

— Vous me condamnez à la réussite ! s'exclama Ohio.

— Ça te plaît, n'est-ce pas ?

Ohio fut bien obligé de convenir qu'il s'élancerait dans la nuit avec joie.

21

Ohio ne connaissait pas de sensation plus grisante que celle d'aller dans la nuit, avec ses chiens, sur une belle piste où ils pouvaient donner le meilleur d'eux-mêmes. Les étoiles s'allumèrent dans le firmament pendant qu'il traversait le lac au grand galop de sa meute avide de longues courses. La lune monta bientôt au-dessus de la ligne des arbres comme un soleil de nuit, blanc et laiteux, et le froid tomba, modifiant les bruits. Le chuintement des patins sur la couche de neige gelée devint un grincement, une stridulation d'oiseau, les bruissements du traîneau se muèrent en claquements aigus, le halètement des chiens traversait l'air immobile en ne perdant rien de sa netteté et devenait un chant dont le rythme soulevait la poitrine d'Ohio. Il faisait corps avec la meute, respirant et courant avec elle, animé du même enthousiasme, de la même passion dont les pulsions sauvages confinaient à la transe.

Il n'avait emporté que le strict nécessaire, chargeant sur le petit traîneau de Mayoké quelques provisions et un sac de couchage en fourrure de lièvre enroulé dans une grande peau de caribou. Arrivé de l'autre côté du lac, il pénétra dans la forêt où les arbres aux branches alourdies de neige semblaient pétrifiés. Les chiens s'y reposèrent deux heures et ils repartirent. Pas un souffle de vent. Tout était immobile. Le traîneau était le seul point vivant et mouvant de cette immensité solennelle qu'il retrouvait avec un curieux mélange d'effroi et d'extase. Il avait emporté la montre de Hans, mais il ne la regardait pas. Il sentait la fuite du temps.

La piste, après avoir évité la zone fragile où la rivière se jetait dans le lac, revenait sur elle et longeait la rive. Les chiens maintenaient leur rythme endiablé sans paraître se fatiguer ni s'essouffler, inlassables. Les étoiles brillaient avec netteté dans le ciel d'une limpidité totale où des aurores verdâtres palpitaient. Puis tout devint noir, subitement. C'étaient les ténèbres qui précédaient l'aube. Les rives qui se profilaient, indistinctes, disparurent et sous ses pas, Ohio ne distingua plus que le vague sillon des patins.

Il monta se mettre à l'abri dans la forêt. En chemin il avait arraché une écorce sèche de bouleau avec laquelle il alluma le feu. Les chiens s'étaient déjà mis en boule dans la neige, les pattes et le museau réunis, recouverts de leur épaisse queue de loup. Ohio déblaya un coin de neige sur la rivière et, avec la hache que Hans lui avait donnée, brisa une provision de glace pour faire de l'eau. En remontant la berge, il effaça ses traces de manière qu'on ne soupçonne pas sa présence depuis la rivière. Ensuite, il distribua aux chiens leur ration de poisson séché et mangea. Il n'était même pas fatigué. Il regarda la montre : sept heures. Ils avaient couru plus de dix heures.

Il ébrancha un petit sapin et s'en fit un lit où il étendit son sac de couchage. Il s'y enroula et bien vite, dès qu'il eut fermé les yeux, il s'endormit.

Quand il s'éveilla, le soleil émergeait de la ligne d'horizon. Il était midi mais il faisait toujours aussi froid. Quelques chiens se levèrent, s'ébrouèrent et, assis dans la neige, la queue enroulée autour des pattes, regardèrent Ohio, prêts à repartir. Le givre qui les recouvrait scintillait dans la lumière

— Vous êtes infatigables, leur dit Ohio en se levant.

Il constata alors combien le froid était intense et douta qu'un homme s'aventure sur la piste par un temps pareil.

Il attela dans la joie et la bonne humeur. Les chiens dévalèrent la berge et le traîneau dérapa, laissant derrière lui une gerbe de blancheur. Derrière le traîneau, à la barre, Ohio avait les jambes cachées jusqu'aux genoux par ce tourbillon gelé dans lequel il semblait flotter.

En ce début d'hiver, la rivière était dangereuse. Par endroits elle coulait librement, encadrée par une couche de glace d'épaisseur variable, mais la piste avait été bien tracée et évitait les zones perfides en les contournant parfois jusque dans la forêt.

Les chiens aimaient ce genre de piste variée. Rien ne les ennuyait plus qu'un chemin monotone qui allait droit au milieu d'un lac ou d'un fleuve. Il en était de même pour Ohio qui ici pouvait jouer avec le traîneau. Ni lui ni les chiens ne mesuraient le temps passé et, lorsqu'il déboucha sur le lac Brochet de l'autre côté duquel se trouvait le village du même nom, il laissa échapper un cri de surprise.

— Déjà !

Les chiens prirent le galop lorsqu'ils aperçurent un groupe de pêcheurs qui halaient un filet, mais Ohio ne les laissa pas se diriger sur eux et les orienta vers le village au-dessus duquel montaient, droit dans le ciel, d'étroites colonnes de fumée. Alors la meute ralentit un peu. Les chiens issus de la deuxième portée comme Narsuak et Kourvik déroulaient maintenant un trot aussi long que Torok, Gao ou Oumiak. L'attelage, constitué de chiens entre deux et cinq ans, était au sommet de sa forme et d'une belle homogénéité. Ils relevèrent la queue et gonflèrent leur poitrail en pénétrant dans le village où plusieurs chiens attachés à des piquets en bois les regardèrent passer avec un mélange de crainte et de haine jalouse.

Ohio avait relevé son capuchon de fourrure de carcajou. Une peau de lièvre recouvrait le bas de son visage, pris dans une gangue de glace. Au moins ne risquait-on pas de le reconnaître tant qu'il n'aurait pas dégelé. Le village, tout en longueur, s'étirait le long d'un écran de sapins entre lesquels se dressaient de petites cabanes et quelques rares tipis. Ohio stoppa son attelage, cherchant une cabane qui aurait pu être le comptoir. Un Indien qui traînait une provision de glace s'approcha de lui.

— D'où viens-tu par un froid pareil ?

— Du poste du lac Wollaston ; je veux voir le propriétaire du comptoir. Comment s'appelle-t-il déjà ?

— Il s'appelle Ron. Il n'est pas là.

— Où est-il ?

— Parti chercher de la marchandise à Nurukté.

Ohio, dépité, laissa échapper un long soupir désabusé.

— Sa femme est restée là, mais elle ne fait qu'enregistrer les peaux. Elle n'a même pas les clés de la réserve. Elle boit.

— Je peux la voir ?

L'homme haussa les épaules.

— Si tu veux, mais tu n'obtiendras rien d'elle.

— Je n'ai pas de peau à vendre, ni de marchandise à acheter. Je veux juste un renseignement.

Il lui indiqua la cabane, agrandie à l'arrière par une grande pièce. Il la contourna, attacha ses chiens dans le bois sans les dételer et leur distribua ses restes de poisson avant de se diriger vers la cabane.

Il frappa à la porte et, comme il n'obtenait pas de réponse, il la poussa. Il n'y avait personne. Entre-temps, un Indien s'était approché des chiens et les observait.

— C'est un magnifique attelage. Serais-tu prêt à échanger l'un de tes chiens ?

— Non. Je ne m'en sépare pas.

— J'ai une chienne en chaleur. Tu accepterais que l'un de tes chiens la couvre ?

— Il faut voir. Je cherche la femme de Ron.

— Elle est chez sa mère. Je t'y conduis si tu veux.

— Tu as du poisson ?

— De quoi nourrir sept chiens pendant l'hiver.

— Des truites ?

— Des truites et des brochets.

— Je te prends vingt belles truites et tu auras le sang.

— C'est d'accord.

Ils arrivèrent devant une cabane à moitié enfoncée dans le sol devant laquelle régnait un désordre indescriptible. Ils entrèrent.

— Offka ! Quelqu'un pour toi.

Ohio enleva sa capuche et écarquilla les yeux car on n'y voyait pas grand-chose.

— Qu'est-ce qu'il veut ?

— Je viens de la part de Nelson.

— Connais pas !

— Il tient un comptoir dans l'Ouest et connaît Ron. Il m'a dit que je pourrais obtenir des renseignements sur l'un de mes amis, un Montagnais qui est passé par ici il y a deux ou trois hivers. Il s'appelait Mudoï.

— Qui ça ?

— Mudoï, cet ami qui est passé par ici. Ron le connaît. Il a parlé de lui à ce Blanc que j'ai rencontré.

— Ça me dit rien. Rien du tout. Et qui es-tu, toi ?

— Je transporte le courrier. Mon nom n'a pas d'importance, je recherche le village de ce Montagnais, c'est tout.

— Je ne sais rien.

Ohio se rendait bien compte qu'il n'y avait rien à tirer de cette femme désagréable qui aboyait plus qu'elle ne parlait. Il la remercia et sortit en se recouvrant.

— Elle est encore à moitié saoule, lui dit l'Indien.

— Quand est-ce que ce Ron reviendra ?

— Dans quelques jours. Peut-être plus !

— C'est vague.

— Viens avec moi.

Ohio le suivit jusqu'à un tipi où ils trouvèrent une jeune Indienne et son frère en train de recoudre des sacs de bât déchirés.

— Où est votre père ?

— Sur le lac.

— Tu n'as qu'à l'attendre, lui proposa l'homme. C'est lui qui travaille avec Ron depuis qu'il est arrivé ici. Il pourra peut-être te renseigner.

Ohio alla chercher les poissons et conduisit Huslik auprès de la malamute de l'Indien, une chienne bien charpentée qu'Huslik renifla avec intérêt.

— Pourquoi as-tu choisi ce chien ? C'est le moins bon ?

— Pas du tout. Ils ont tous le même sang, mais celui-là ne connaît pas encore les plaisirs de la copulation. Ça va lui faire du bien. Laissons-les ensemble.

Ohio soigna ses chiens, les fit boire bien que le poisson contienne beaucoup d'eau et massa longuement leurs muscles, testant l'élasticité des tendons qui, au début de l'hiver, pouvaient s'échauffer et s'enflammer. C'était une journée froide mais magnifique, sans un souffle de vent. Il s'allongea sur son traîneau et commençait à s'endormir lorsqu'il entendit des voix et aperçut trois hommes, dont celui qu'il connaissait, venant vers lui.

— Kuzajuik se souvient de ton Mudoï.

Ohio leva la main amicalement. Kuzajuik lui rendit son salut.

— Oui, je me rappelle ce que Mudoï m'a dit, c'était amusant.

— Amusant ?

— Oui, il disait que la baie d'Hudson ressemble à un gros bonhomme armé d'un gros sexe et que lui habitait tout au bout de ce sexe.

Ohio chercha dans son traîneau la carte qu'il déroula.

— On ne peut pas se tromper, n'est-ce pas ?

— Non ! consentit Ohio avec le sourire.

Le troisième Indien le dévisageait bizarrement et Ohio eut la désagréable impression de l'avoir déjà vu quelque part. Maintenant qu'il avait le renseignement, il voulait quitter ce village au plus vite.

— Allons voir Huslik, proposa-t-il.

— Tu veux déjà repartir ?

— Je veux qu'il se repose. Le rythme de ces derniers jours a été soutenu.

Les Indiens le regardaient-ils maintenant d'un air soupçonneux ? Ohio ne savait plus s'il s'agissait d'une vue de son esprit ou d'un réel changement d'attitude. Il se dirigea autoritairement vers le petit enclos où étaient enfermés Huslik et sa fiancée. Son propriétaire marchait à sa hauteur et les deux autres chuchotaient derrière eux.

— Avait-elle déjà été couverte ? demanda Ohio en arrivant.

— Non.

— Eh bien maintenant elle l'est, constata-t-il en apercevant des gouttes de sang qui avaient rougi la neige.

— Tu en es sûr ?

— Certain.

Ohio pénétra dans l'enclos et saisit Huslik par son collier de cuir.

— Allez, viens !

Le husky tirait en arrière et grognait de mécontentement, mais Ohio l'emmena fermement.

— Tu étais au grand Potlatch de Toqueiyazi ?

C'était une affirmation plutôt qu'une question. Ohio tressaillit malgré lui.

— Non, j'étais dans le sud, près de la rivière Woods. Il paraît que c'était un très grand Potlatch.

— Tu ressembles pourtant à celui qui a troublé les festivités.

— Je ne suis pas celui-là.

Huslik gigotait et aboyait en direction de l'enclos, ce qui offrit à Ohio un moyen de s'échapper.

— Je vais rattacher Huslik et prendre les deux bouteilles que j'ai apportées. Un excellent brandy que nous partagerons.

Il leur tourna le dos sans attendre leur réponse. Il restait calme et se forçait à ne pas accélérer ni se retourner. « Celui qui m'a reconnu ne doit avoir qu'un confus souvenir de cette soirée-là, sinon il m'aurait déjà sauté dessus », pensa-t-il pour se rassurer.

À mi-chemin, il se retourna. Personne ne le suivait. Il accéléra le pas. Il arriva près de ses chiens et attelait Huslik lorsqu'il vit un groupe déboucher au coin d'une cabane.

— Il est allé chercher du renfort !

Ohio tira d'un coup sec sur la corde. Le nœud se défit. Les hommes, le voyant se préparer, se mirent à courir, mais c'était trop tard. Ohio lança ses chiens. Narsuak et Gao partirent à regret car il leur restait une part de poisson gelé qu'ils grignotaient avec délice.

Comme il ne pouvait emprunter la piste par

laquelle il était venu sans repasser près du groupe, il prit une piste damée qui longeait les maisons par l'arrière, en espérant qu'elle rejoindrait le lac. Mais elle s'enfonçait en sens inverse dans la forêt. Lorsque Ohio s'en aperçut, il était déjà trop tard, l'attelage s'y était engagé au grand galop et la piste était bien trop étroite pour envisager de faire demi-tour.

22

Ohio s'en voulait d'avoir agi avec un tel manque de discernement. Maintenant il se retrouvait piégé sur une piste qui l'éloignait de sa destination.

— Vraiment piégé, oui !

Il ignorait où cette piste menait. « Si ça se trouve elle s'arrête bientôt, et je suis cuit. Dans la neige fraîche, ils auront tôt fait de me rattraper, même avec de gros malamutes lents comme des porcs-épics ! ».

Si la meute sortait de la piste gelée où elle filait grand train, elle brasserait dans la neige profonde, créant derrière elle une belle piste sur laquelle le rattraper serait un jeu d'enfant.

Sa décision fut vite prise. Il pesa de tout son poids sur le frein et arrêta les chiens à la hauteur d'un gros sapin dont les branches basses, chargées de neige, ployaient jusqu'au sol. Il fallait agir avant de trop s'éloigner du lac et utiliser le temps qu'ils mettraient à atteler pour tenter de rejoindre la bonne piste. Il était aussi idiot qu'inutile de continuer sur celle-ci. Ohio nota la position du soleil et alla jusqu'à Torok qu'il prit par le collier et entraîna jusqu'au pied du sapin, le faisant passer dans le creux formé par le manque de neige sous les branches basses. Les autres suivirent et il les arrêta au premier mouvement du traîneau.

— Hooo les chiens ! Pas bouger ! Pas bouger !

Les chiens se retournaient sans comprendre. Qu'est-ce qu'il voulait, le chef ?

Ohio poussa le traîneau et le fit lui-même pivoter de manière qu'il passe exactement sous les branches basses, puis il dirigea Torok à la voix entre les sapins et stoppa de nouveau. Il attacha le traîneau à un arbre pour empêcher tout départ intempestif et revint dans sa trace jusqu'au sapin. Là, se servant de sa raquette comme d'une pelle, il maquilla de son mieux la sortie de piste, en partie dissimulée par le sapin. Puis il se hâta de rejoindre l'attelage.

— Allez Torok !

Le chien de tête brassait jusqu'au poitrail dans la neige fraîche dont l'épaisseur, heureusement, n'était pas trop importante. Derrière lui, Voulk et Narsuak élargissaient la trace où le reste de l'attelage passait mieux. Ohio s'éloigna de la piste à angle presque droit et quand il estima avoir couvert assez de distance pour qu'on ne puisse entendre ses ordres de celle-ci, il bifurqua vers le lac dont il avait repéré, grâce au soleil, la position approximative. Mais les chiens s'essoufflaient, et Ohio dut marcher devant eux, à pied puis en raquettes car il s'enfonçait trop. Les chiens avaient galopé à toute vitesse sur la piste dure, il lui faudrait au moins deux heures pour rejoindre le lac s'il ne rencontrait pas d'obstacle imprévu. Il marchait vite, le plus vite qu'il pouvait, mais la progression demeurait lente, très lente, et lui aussi s'essoufflait.

Soudain il s'arrêta net et, se retournant, immobilisa les chiens.

— On se tait. Tais-toi !

Les chiens étouffèrent dans leurs babines les aboiements qu'ils destinaient à ce qu'ils avaient eux aussi entendu. Un homme exhortait des chiens au loin. Ohio essayait de localiser la voix, mais il n'y parvenait pas. S'agissait-il de quelqu'un qui fuyait sur la piste qu'Ohio avait quittée ou le suivait-on ? Il semblait que les sons s'éloignaient. Il voulait s'en persuader.

— S'ils sont déjà sur ma trace, c'est fini !

Il n'avait même pas emporté d'arme à feu. Il n'avait qu'un arc et six flèches, or ils devaient être nombreux. Ohio avait compté au moins quatre attelages dans le village.

— Allez les chiens !

Ils avancèrent pendant encore une bonne demi-heure. Ohio commençait à se rassurer lorsqu'il entreprit de gravir une élévation de terrain recouverte d'une forêt de bouleaux et de trembles. Du sommet, il découvrit que le lac se situait un peu plus à l'est qu'il ne le pensait. Il n'était pas très loin et il reprit espoir, d'autant plus que la journée s'achevait. À la faveur de la nuit, ses chances d'échapper à d'éventuels poursuivants augmenteraient, surtout si les Crees ne s'apercevaient pas qu'il avait quitté la piste.

Ils s'en étaient aperçus.

Ohio les entendit alors qu'il arrivait en bas de la colline.

Dès lors, il hésita. Devait-il fuir pour essayer de rejoindre le lac ou au contraire leur tendre une embuscade ? Il les vit au loin. Ils étaient plusieurs, avec trois attelages. Jamais il n'en viendrait à bout tout seul. Il enrageait. Sur n'importe quelle surface dure il les aurait distancés facilement, mais dans la neige fraîche il était comme un élan que les loups épuisaient.

— Allez les chiens ! Allez !

Ils donnaient le meilleur d'eux-mêmes car ils percevaient l'inhabituelle tension dans la voix d'Ohio, mais ils fatiguaient. Leurs poursuivants se rapprochaient.

Ohio arrêta l'attelage, courut en tête et remplaça Torok par Voulk qui, ayant marché dans les traces du leader, n'était pas aussi fatigué que lui. Torok grogna de mécontentement, mais Ohio le réprimanda si durement qu'il se tut et plia l'échine.

— Allez Voulk ! Allez !

Voulk s'élança dans son harnais, prêt à tous les efforts pour prouver qu'il était digne de cette place qu'il convoitait. Ce regain d'énergie fit réagir le reste de la meute qui par émulation se rua derrière le jeune leader. Les Crees cessèrent de gagner du terrain, mais cela ne dura pas. Ils entrèrent dans la forêt assez épaisse qui occupait tout l'espace entre la colline et le grand lac, et retrouvèrent une neige plus profonde. Ohio enrageait de creuser une piste qui servait ses poursuivants. Ils arrivaient.

Ohio eut une idée. Si elle ne marchait pas, il n'avait plus qu'à faire face et combattre. C'est à Mayoké et Mudoï qu'il pensa. Ils avaient besoin de lui. Il n'avait pas le droit de les laisser seuls. Il ne devait pas mourir ! Il attrapa dans le traîneau les quelques poissons gelés qu'il avait embarqués et les jeta, puis il relança Voulk qui ahanait dans la neige. La forêt s'épaississait et Ohio ne voyait plus ses poursuivants mais il comprit aux cris qu'il entendit que son stratagème avait réussi. Leurs chiens devaient se disputer les poissons, lui accordant un bref répit.

— Allez Voulk ! Allez les chiens !

Ohio courait derrière le traîneau et le poussait dès qu'il ralentissait, obligeant les chiens qui se trouvaient devant lui à forcer l'allure.

— C'est bien, Voulk ! Bien, Torok ! Allez !

Ils pénétrèrent dans un entrelacs d'aulnes et de saules à travers lequel Ohio tailla un passage à la hache. Il était en nage, mais il savait que c'était le dernier effort. Le lac était forcément tout proche et la nuit arrivait. Déjà le crépuscule emplissait d'ombres la forêt. Il ne regardait plus derrière lui. Il avançait, coupait, cassait les branches. Les chiens suivaient.

— Le lac ! Enfin.

Il se retourna alors que les chiens débouchaient. Un homme se tenait à la barre de son traîneau, appuyant sur le frein de tout son poids.

Les chiens s'arrêtèrent. L'homme criait, appelant les autres à la rescousse. Ohio hurla plus fort que lui un ordre auquel la meute obéit en s'élançant en avant. Pour ne pas tomber, l'homme se tint fermement à la barre et il ne vit pas le couteau dans lequel il vint s'empaler lui-même. Il écarquilla les yeux et chercha de l'air en tombant en arrière, les bras en croix. Ohio sauta sur les patins. Les chiens, heureux de retrouver une surface homogène et relativement dure, donnèrent un coup de collier. Un des assaillants débouchait sur la rive, immédiatement suivi d'un premier puis d'un deuxième attelage. Il épaulait son arme.

— Djee !

Voulk bifurqua à droite.

— Yap !

Il revint à gauche.

La première balle siffla, largement à gauche.

— Djee ! Yap !

Ohio s'éloignait en louvoyant. Une seconde balle les rata, trop haut cette fois. Maintenant les rives s'effaçaient dans la nuit. Il avait gagné ! Il avança un peu, traversa le lac et s'arrêta. La lune s'était levée et dispensait une lumière douce que la neige réverbérait. Ohio ne risquait plus rien. Il alluma même un feu pour faire fondre de la glace et donner à boire aux chiens. Les Crees ne l'avaient pas suivi. Ils avaient compris que leurs chiens n'étaient pas assez rapides. Ohio laissa les siens se reposer pendant quelques heures puis repartit jusqu'à l'aube. La nuit était belle et l'attelage filait malgré cette course éprouvante dans la neige fraîche. Pour se reposer durant les heures de jour, Ohio s'écarta de la trace et dormit au milieu de ses chiens. Au crépuscule, frais et dispos, ils se levèrent et s'étirèrent, impatients de repartir. Ohio rejoignit la piste et ils filèrent bon train jusqu'au village où ils arrivèrent peu avant l'aube.

23

— Incroyable, répétait Hans.

En se levant, il avait aperçu le traîneau d'Ohio renversé, les patins en l'air et les chiens à la ligne. Le tout parfaitement en ordre. Il ne l'avait même pas entendu rentrer. Ohio dormait, Mayoké dans ses bras.

— Il n'a même pas mis quatre jours ! calcula Frank, le père de Hans.

— Ils *n'ont* pas mis quatre jours, rectifia Ohio qui entrait dans la pièce en bâillant. Et nous aurions pu arriver encore plus tôt si nous n'avions pas rallongé le parcours.

— Tu t'es perdu ?

Ohio raconta son aventure dans les moindres détails.

— Tu l'as échappé belle.

— Une fois de plus !

— La chance est avec toi.

— Je ne crois pas à la chance.

Hans se leva pour aller ouvrir la porte. Un Indien entra et avec lui des volutes de fumée blanche.

— Bienvenue, Kirtoyuk !

— Je t'apporte des peaux.

— Pose le sac ici. Je vais préparer du thé.

— Au sud, on dit que la Compagnie de la Baie propose trois pelus pour deux castors.

— Qui t'a dit cela ?

— Tout le monde.

— Et tu as rencontré quelqu'un qui a échangé des castors ?

— Non, mais c'est ce qui se dit.

Hans haussa les épaules.

— Balivernes !

— Je viens du nord-ouest, intervint Ohio, et me suis arrêté dans de multiples comptoirs de la Baie et de la Nord-Ouest, et je n'ai vu cela nulle part.

Kirtoyuk dont le regard perçant flamboyait se retourna pour considérer l'inconnu.

— Ta parole ne vaut rien. Tu travailles pour cette compagnie.

— Je ne travaille pour personne d'autre que pour moi-même, soupira Ohio en haussant les épaules.

— De toute façon, dit Hans, je vais regarder ces peaux et proposer un prix. Tu pourras l'accepter ou le refuser. C'est à toi de décider.

— Je connais vos manières de Blanc, les belles paroles et les entortillages. On se fait toujours avoir.

— On ne se fait pas avoir ici, lui répéta Hans en soupirant.

C'était chaque fois le même scénario et il était fatigué de ces discussions à n'en plus finir. Mais le processus, immuable, se répétait inlassablement. L'Indien ne concevait pas l'échange autrement. Pas question de régler une affaire de cette importance en quelques minutes. Il s'agissait de peaux qu'il avait récoltées au prix de longues journées de marche, qu'il avait raclées, séchées, rapportées jusqu'ici au terme d'un long voyage. Le marchandage était un rituel auquel on ne pouvait se soustraire, même si le prix finalement retenu correspondait toujours à celui du départ à quelques ajustements près, car pour emporter le marché le Blanc devait lâcher un peu et, le sachant, diminuait d'autant sa proposition initiale.

Hans examina les peaux et en fit deux tas. Il les compta. Elles valaient cinq pièces d'or ou trente pelus. Il en proposa vingt-cinq. L'Indien, ulcéré par le prix, remballa ses peaux. C'était la règle. Frank, qui était sorti pour négocier l'achat d'une douzaine de truites congelées, rentra, mais se garda bien d'intervenir et s'éclipsa. On commençait toujours les discussions de cette façon. Kirtoyuk allait partir lorsque Hans le rappela :

— Que ça ne nous empêche pas de boire un thé afin que tu me racontes cette trappe !

L'homme hésita ostensiblement. C'était aussi la règle. Il s'assit, comme à regret. On parla de tout et de rien. Il faisait mine d'être affecté mais n'abordait pas le sujet. C'était à Hans d'y revenir.

— Ces peaux tout de même, elles sont belles, à quelques exceptions près.

— N'en parlons plus.

— Parce qu'elles sont belles, je veux bien aller jusqu'à vingt-sept.

L'homme ne réagissait pas.

— Montre-les-moi de nouveau.

Kirtoyuk faisait mine de réfléchir. Cela en valait-il la peine ? C'était le moment que les Indiens choisissaient généralement pour se mettre en colère.

— Tu es bien un maudit Blanc dans ta maison chaude. Tu n'as pas idée des distances que j'ai dû parcourir pour aller chercher ces peaux ! Tu n'as pas idée, non, sinon tu ne te moquerais pas de moi en me proposant vingt-sept pelus alors qu'elles en valent bien plus. Non ! Tu n'as pas idée !

Il ne fallait jamais intervenir à ce moment-là. Il fallait écouter. Plus tard, quand ce serait au Blanc de se fâcher, car son tour viendrait, l'Indien écouterait pareillement.

— Montre-les-moi ! Je vais les regarder de près.

Kirtoyuk daigna enfin le laisser reprendre le sac en feignant de se désintéresser de cette nouvelle estimation.

Hans se pencha de nouveau sur les peaux. Cette observation était nécessaire, elle faisait partie du rituel et devait durer plus longtemps que la première.

Enfin, Hans reposa la dernière fourrure.

— Allez, parce que c'est toi et que tu me réserves tes plus belles peaux. Je t'en donne vingt-neuf.

Kirtoyuk demeura un long moment silencieux puis déclina l'offre d'un signe de la tête. Hans soupira. C'était son tour de se mettre en colère et il s'exécuta mollement. Ces simulacres l'épuisaient !

— Tu ne te rends donc pas compte de l'offre que je te fais ! Personne ne te proposera un prix pareil. Je fais un effort pour toi et tu t'en fiches ! Je croyais que tu étais un ami, mais je vois que tu avais décidé avant même d'entrer ici de ne pas me vendre tes peaux !

Kirtoyuk écoutait sans broncher mais regardait Hans d'un air insatisfait. Il aimait cette dernière joute où le Blanc, ulcéré, était censé sortir de ses gonds. Or aujourd'hui Hans récitait une litanie qui manquait de corps et de conviction.

— Trente pelus !

— D'accord, fit Hans en soupirant d'un air blasé.

Mais Kirtoyuk était déçu. La prestation de Hans n'avait vraiment pas été bonne.

— Et une bouteille de whisky !

Hans leva la tête, surpris par cette exigence de dernière minute qui n'était pas dans l'ordre des choses.

— D'accord.

Hans fouilla dans une armoire et donna une bouteille à Kirtoyuk qui le considérait d'un air soupçonneux. Il prit la bouteille et le reçu que Hans lui tendit, et quitta le comptoir avec des murmures dubitatifs. Hans avait cédé trop facilement. Peut-être était-il tout simplement fatigué ?

— Il ne prend aucune marchandise, s'étonna Ohio.

— Il va revenir tout à l'heure avec sa compagne.

— Ça se passe toujours comme ça ?

— Toujours ! dit Hans d'un air las.

— Mais le marché se conclut toujours ?

— Oui. Si un Indien n'est pas satisfait, il ira dans un autre comptoir la fois suivante, mais, à partir du moment où il a franchi la porte avec ses fourrures, le marché se conclura.

— Ils ne refusent jamais tes conditions ?

— Jamais jusqu'à renoncer à l'échange. Lorsqu'il arrive avec des fourrures c'est pour repartir avec autre chose. Il l'a décidé et rien ne peut le faire changer d'avis. Il le vivrait comme un échec personnel et serait la risée de ses compagnons. On dirait de lui : «Il n'a même pas réussi à fourguer ses peaux à un Blanc ! »

— Sachant cela il t'est facile d'exploiter leur faiblesse.

— Nos conditions sont plutôt bonnes, Ohio, meilleures qu'à la Baie. L'Indien que je roulerais ne remettrait pas les pieds chez moi. Il ne me préviendrait même pas et s'en irait échanger ailleurs.

— Heureusement qu'il y a un ailleurs.

— C'est la concurrence.

Kirtoyuk, tout sourire, revenait avec sa compagne, une femme d'âge mûr, assez forte, mais à qui son front haut et son nez saillant donnaient une certaine dignité. Elle enleva sa parka et commença à aller et venir des étagères au comptoir en empilant les marchandises. Kirtoyuk n'avait pris que deux pièges à loup, du câble de collet, de la poudre et des munitions pour son fusil, et il regardait maintenant avec fierté tout ce que sa compagne pouvait s'acheter grâce à lui.

— Il ne te reste plus que l'équivalent de trois pelus, avertit Hans.

Elle voulait encore du tissu et elle dut se séparer de quelques rouleaux de fil à coudre.

— Le compte y est.

Kirtoyuk ne recomptait pas. Il faisait confiance à Hans et de toute façon il n'entendait rien à ces calculs. Ne comptait que ce qu'il voyait, toute cette marchandise empilée.

Deux autres Indiens firent irruption dans le comptoir avec quelques peaux. Cette fois, Frank s'attela au marchandage, au grand soulagement de Hans qui adressa un clin d'œil complice à Ohio. Fatigué, celui-ci laissa les deux hommes à leur commerce et rejoignit Mayoké. Il s'étendit sur le lit où elle donnait le sein à Mudoï et s'endormit presque immédiatement. Que d'heures de sommeil à rattraper !

24

Les jours passaient et le blizzard soufflait toujours. C'était tout juste si on pouvait mettre le nez dehors. La neige arrachée au sol se mêlait à celle tombée du ciel et filait à l'horizontale, recouvrant au nord les parois des cabanes qui grinçaient sous les assauts terribles de la tempête. Par moments, le vent tourbillonnait, comme devenu fou, pour mieux perdre celui qui aurait eu l'imprudence de s'éloigner de quelques pas d'un repère.

— Comprends-tu maintenant pourquoi je voulais attendre pour partir ? demanda Ohio.

— Rien ne laissait présager un tel blizzard, s'étonna Hans. Le ciel était d'une limpidité totale le soir où tu m'as confié tes craintes au bord du lac.

C'était une question plus qu'une affirmation.

— Les signes que délivrent un paysage ne se lisent pas comme une empreinte dans la neige, mais plutôt comme la trace qu'un oiseau en vol laisse dans son sillage.

— Des signes invisibles aux profanes.

— Invisibles à celui qui ne sait pas écouter avec les yeux, regarder avec son nez, sentir avec ses oreilles. La perception est une vision globale, un acte par lequel l'esprit prend conscience d'un événement passé, présent ou à venir à travers les sensations qu'il reçoit, et celles-ci dépendent de l'ouverture de ses sens, de sa faculté à transcender sa propre perception d'un phénomène. Il ne faut pas écouter le vent, mais respirer son souffle, regarder sa tonalité, sa consistance. Il ne faut pas examiner une empreinte, mais tenter d'appréhender l'humeur de l'animal au moment où il l'a laissée derrière lui, percevoir l'espace qui l'entoure de la même façon que lui pour le comprendre. L'âme humaine n'est pas un mécanisme qui sert à ordonner le monde. La cohérence d'un paysage est inexplicable.

— Mais il te parle.

— Oui, quand je le regarde me dire quelque chose.

— Tes mots soufflent comme ceux d'un poète.

— Tu m'as appris avec beaucoup de patience le langage des Blancs. Il est normal que je t'apprenne le mien.

— Je viendrai plus souvent me recueillir sur le bord de ce lac et j'essaierai d'entendre ce qu'il me dit.

— Tu as compris l'essentiel : un paysage a le pouvoir d'exalter la vie.

Hans et Ohio restèrent un long moment silencieux, immobiles dans le vent qui leur cinglait le visage. À leurs pieds, les chiens qu'ils avaient nourris s'étaient recalés dans leur niche de neige et se laissaient de nouveau recouvrir par elle. Le blizzard miaulait et ils écoutèrent sa mélopée qui ressemblait à celle d'une meute de loups jusqu'à ce que le froid les oblige à rentrer.

Mayoké et Shellburne jouaient avec leurs bébés sur une couverture étendue sur le sol. Moulkza, la fille de Hans, babillait sans s'arrêter, et Mudoï l'écoutait en la regardant avec des yeux joyeux. Une délicieuse odeur de pain emplissait la pièce.

— Le pain de mon père est le meilleur que j'aie jamais mangé, dit Hans en se léchant les babines.

Une fois par mois, Frank cuisait une douzaine de grosses miches, l'été dans un four en pierre qu'il avait construit dehors et l'hiver dans une grosse poêle en fonte sur le feu.

— La farine est l'une de vos belles inventions, concéda Ohio.

Enfin, au terme d'une tempête ininterrompue de huit jours, le vent tourna au nord et se calma. L'anticyclone s'installa et le froid tomba, en même temps qu'un étrange silence succédait à ces huit jours de feulements, de grincements et de sifflements. Toute la neige avait été balayée à la surface du lac et la glace se mit à briller avec des reflets multicolores lorsque le soleil émergea au-dessus de l'horizon.

— Nous partirons demain, décida Ohio.

— Je vais prévenir Chukachida, proposa Hans.

— Je préfère le faire moi-même.

— Comme tu voudras.

Chukachida était un Indien d'une trentaine d'années, taciturne et grognon, mais qui possédait un bel attelage de huit malamutes auxquels il ajouterait quatre puissants chiens de son frère. Il transporterait le lot de fourrures jusqu'au comptoir du lac La Ronge où d'autres chiens prendraient le relais.

— Bonjour, Chukachida. Nous partirons demain à l'aube.

— Mon frère nous accompagnera.

— Je croyais que tu devais prendre ses chiens ?

— Il veut venir.

— Dans ce cas, dis-lui de ne pas prendre son traîneau. Il me relaiera devant en raquettes. Ça vaut mieux. Avec cette tempête, la neige risque d'être difficile à battre dans la forêt.

— Oui, mais sur le fleuve nous irons plus vite avec un traîneau de plus.

— Peut-être.

— Mon frère voudra prendre son traîneau.

— La proposition que t'a faite Hans était le transport d'ici à La Ronge avec douze chiens. Le lot de fourrures est trop important pour un attelage de huit chiens.

— Mon frère pourra en prendre une partie.

— Quatre chiens suffiront à peine à le tirer, lui et son chargement. Tu le sais bien.

Chukachida ne répondit pas.

— Il peut venir, mais sans son traîneau.

— Je ne pense pas qu'il accepte.

— Je te donne une heure pour me faire savoir si vous renoncez, dit Ohio en s'éloignant.

Il entendit l'homme bougonner.

Le lendemain matin, Ohio et Mayoké attendaient depuis un bon moment lorsque Chukachida apparut enfin, avec huit chiens.

— Je t'avais dit à l'aube et avec douze chiens, commença Ohio, agressif.

— C'est maintenant et avec huit. À prendre ou à laisser.

Ils se défièrent du regard. Ohio était exaspéré par ces enfantillages.

— Parce que tu as huit chiens au lieu de douze et que tu arrives en retard, tu as l'impression d'avoir gagné. C'est ça ? Eh bien je te concède cette victoire, mais j'espère que sur la piste tu feras preuve d'autant de fierté.

Ils chargèrent le lot de fourrures dont le volume était assez impressionnant. Ohio vérifia son chargement et embrassa Mudoï, bien au chaud, emmitouflé dans les fourrures de lynx. Le petit traîneau de Mayoké était accroché derrière celui d'Ohio qui avait préféré atteler ensemble les treize chiens. Cette disposition lui permettrait de se porter en avant pour battre la neige en raquettes lorsque les conditions l'exigeraient.

— Frank, merci.

Ils se serrèrent la main.

— Hans, merci de tout mon cœur, dit Ohio en l'étreignant. Je reviendrai par le nord. Il n'y a donc pas beaucoup de chances que nous nous revoyions, mais je n'oublierai jamais tout ce que tu as fait pour moi.

Hans, ému, ne dit rien.

Ohio se plaça sur l'un des patins et se retourna pour faire signe à Chukachida qu'il allait partir.

— Je vais aller d'une seule traite jusqu'à l'embouchure de la rivière Geikie. Sur ce bras du lac, les chiens vont filer. Je t'attendrai là-bas.

L'homme acquiesça.

— Allez les chiens !

Ils s'élancèrent et Ohio dut freiner de tout son poids pour contrôler le traîneau dans la descente qui menait au lac où il dérapa longuement sur la glace.

25

Lorsque Chukachida arriva enfin à l'embouchure de la rivière Geikie avec ses malamutes lents mais puissants, Ohio avait déjà effectué en raquettes un aller et retour dans la forêt, parallèlement à la rivière, en évitant la zone dangereuse de l'embouchure. La glace inégale y succédait à l'eau libre où quelques loutres s'ébattaient.

Ils rejoignirent donc vite la rivière où le blizzard avait compacté la neige, érigeant de loin en loin quelques congères qu'ils franchissaient sans difficulté. Ici, l'attelage d'Ohio distançait celui de Chukachida, mais plus loin, la rivière allait en se rétrécissant alors que s'élevaient les collines. Protégée du vent, la neige devenait de plus en plus épaisse et légère. Ohio repassa en tête de son attelage.

Le temps était froid et clair, l'atmosphère ni humide ni brumeuse, cependant le ciel restait d'un gris un peu lugubre. Un soleil terne, aux rayons sans chaleur, monta bientôt en biais au-dessus de la ligne d'horizon. Au milieu de l'après-midi, alors que la montre d'Ohio marquait trois heures, un long crépuscule s'éteignit dans la nuit. Dès quatre heures, les étoiles parurent et, à leur clarté, Ohio chemina encore sur la rivière qui devenait un ruisseau.

Ils s'arrêtèrent quand le ruisseau se perdit dans un marais piqueté de loin en loin par quelques rares buissons d'aulnes et quelques bouleaux chétifs, et repartirent, toujours dans le noir. À midi seulement, quand le soleil émergea, ils firent une pause et allumèrent un petit feu sur des branches de sapin. Stoïque et taciturne, Chukachida était stimulé par la vaillance d'Ohio et de Mayoké qui suivait sans plainte ni défaillance. Le soir du deuxième jour, bien qu'il ait lui-même battu la piste toute la matinée, Ohio lui proposa de le relayer, mais l'homme, quoique épuisé, grogna un refus bourru et s'obstina jusqu'au soir.

Les forces de Chukachida, qui n'avait ni la constitution ni l'entraînement d'Ohio, commencèrent à décliner. Le matin suivant, il se leva douloureusement et attela avec lenteur, mais Ohio continua sur le même rythme. Ils traversèrent un lac, puis durent franchir une passe particulièrement mauvaise où la neige s'était accumulée dans une sorte de combe. Ohio supprima la halte et le repas du midi pour arriver au village avant la nuit. Chukachida ne prit pas le relais. Il n'en pouvait plus et il se contenta de suivre en bougonnant derrière le traîneau.

Lorsqu'ils arrivèrent enfin au village du lac La Ronge, Chukachida épia sur le visage d'Ohio les signes de la fatigue et fut surpris de ne pas les voir. Il était heureux de l'abandonner là et sourit à l'idée de ce que les Hurons allaient endurer avec lui.

Craig, le propriétaire du comptoir du lac La Ronge, était un petit bonhomme sans âge, avec des lunettes et le front bas, dégarni, le visage rouge, le regard fuyant et toujours en mouvement. Le village était vide. Il n'y avait là que quelques vieillards, des femmes et des enfants, et le groupe de Hurons qui attendaient Ohio pour repartir vers le lac Supérieur.

Ohio remit au Blanc la lettre que Frank lui avait confiée pour lui. Il la lut et, s'adressant à l'un des Hurons, lui expliqua la situation.

— Voici le chef du convoi, dit-il en présentant Ohio. Il a pour mission de vous conduire là-bas en moins de trois semaines. Vous serez payés au comptoir du lac Supérieur avec une prime de deux pièces si le délai est respecté.

Puis il s'adressa à Ohio.

— Voilà ton interlocuteur, dit-il en lui présentant le Huron. Il s'appelle Oshawa et te servira d'interprète aussi bien avec les Hurons qu'avec les Blancs.

— Parfait, dit Ohio. Combien avez-vous de chiens ?

— Assez pour ce que nous avons à faire.

Ohio regarda les quatre hommes autour d'eux qui l'observaient sans complaisance.

— Écoute Oshawa, je n'ai pas l'intention d'user de l'autorité que me confère ce titre de chef de convoi et je partagerai avec vous le surplus de salaire que je perçois si nous respectons le délai car je m'y suis engagé. Voilà la seule chose qui m'intéresse. Organisez-vous comme vous l'entendez, mais soyez à l'heure demain.

Ohio consulta sa montre.

— Retrouvons-nous ici, devant le comptoir, à six heures.

Chukachida intervint.

— Tu repars demain ! Sans reposer les chiens ?

— Les chiens auront bien le temps de se reposer quand la lune sera noire ou que la tempête soufflera. Tant que nous pourrons avancer avec la lumière de la lune, tant que le temps le permettra, nous ne nous reposerons pas.

Chukachida regardait maintenant Ohio avec un mélange de crainte et d'admiration. Son opiniâtreté le fascinait autant qu'elle le gênait. Qui était donc ce jeune Indien au regard de braise ? Il haussa les épaules en s'éloignant après avoir bougonné un vague au revoir. Cet Ohio était sans doute fou.

On montra à Ohio et Mayoké une cabane vide où ils s'installèrent. Un homme envoyé par Craig leur apporta du bois. Ohio s'occupa de ses chiens pendant que Mayoké préparait un solide repas. Ils s'apprêtaient à se coucher lorsque la porte s'ouvrit. Un courant d'air glacial, que la chaleur de la salle transforma en vapeur, tourbillonna, courut le long du parquet en volutes de plus en plus fines qui moururent autour du poêle. C'était Chukachida.

— Je viens te dire de te méfier d'Oshawa.

Ohio était stupéfait.

— Mais pourquoi… pourquoi me dis-tu ça ?

— J'ai du respect pour toi et je n'aime pas cet homme.

— Pourtant Hans a déjà eu affaire à lui. Les voyages de marchandises se sont bien déroulés.

— Quelque chose a changé.

— Quoi ?

— Je ne peux pas te dire. Il m'a posé des tas de questions et ses yeux brillent d'un éclat bizarre. Il complote avec sa bande de Hurons, j'en suis sûr.

— Merci. Je resterai sur mes gardes.

— Tu as intérêt !

Et il s'en alla aussi vite qu'il était venu en refermant la porte derrière lui. Ohio le regarda s'éloigner à travers la vitre pleine de givre.

— Drôle de bonhomme !

— Je n'aime pas cette histoire, avoua Mayoké en serrant Mudoï contre elle.

— Il n'y a peut-être pas d'histoire. Ne t'inquiète pas, tout ira bien.

Mais Ohio dormit mal. Il consultait sans arrêt sa montre, impatient de repartir. Il se leva vers quatre heures, prépara des galettes et du thé pour eux et fit dégeler de l'eau qu'il distribua aux chiens. Il réveilla Mayoké vers cinq heures. Une heure plus tard, leurs deux attelages piaffaient d'impatience devant le comptoir où ils devaient retrouver l'autre équipe. N'y tenant plus, Ohio partit à la recherche des chiens. Ils étaient encore à la ligne près d'une cabane dans laquelle il entra. Il fit craquer une allumette et trouva une bougie qu'il alluma. La pièce empestait l'alcool. Ohio aperçut une paillasse où dormaient trois ou quatre personnes. Il y avait là deux Hurons et deux femmes à demi nues. Il vit les autres, un peu plus loin, sur une seconde paillasse.

— Debout ! Debout ! Il est tard.

Il les secoua et des grognements lui répondirent.

— Vous allez dessaouler dehors ! Allez !

Oshawa finit par ouvrir les yeux. Il essaya de s'asseoir mais retomba sur le dos en se tenant la tête.

— Demain, on partira demain... demain oui !

Ohio était hors de lui. La journée s'annonçait magnifique pour voyager, froide et sans vent, et il ne la gaspillerait pas. Il empoigna Oshawa et le traîna dehors où il le lâcha dans une congère de neige fraîche dont il lui barbouilla le visage. Oshawa se débattit en hurlant puis, vaincu, se mit à rire. Il rentra dans la cabane en grelottant de froid.

— Je pourrais te tuer, lui dit-il.

— Pour t'avoir réveillé ? demanda Ohio. Mayoké et notre bébé attendent dehors et toi tu dors comme une femme.

— On a bu hier et partagé les plaisirs. On est fatigués et malades.

— La piste vous réveillera.

Le Huron semblait sceptique. Ohio s'apprêtait à en empoigner un autre pour lui faire subir le même sort lorsque Oshawa l'arrêta en lui prenant le bras.

— Laisse-moi faire ou ça va mal finir.

Ohio hésitait sur la conduite à tenir. Maintenant

qu'il était prêt, il n'avait plus qu'une envie : filer vers le lac Supérieur. Attendre lui était insupportable.

— Écoute, je vous donne une heure pour me rejoindre avec vos trois traîneaux paquetés et les chiens attelés. Passé ce délai, je prends un lot de fourrures et je file.

— Partons demain, tout se passera bien.

— Une heure.

Et il s'en alla en claquant la porte. Lorsqu'il revint, les chiens couchés attendaient. Mayoké avait attaché les deux traîneaux. Ohio vit de la lumière dans le comptoir et entra. Mayoké se réchauffait près du poêle, une tasse fumante à la main. Il se détendit un peu.

— Craig m'a proposé d'entrer, dit simplement Mayoké. Tu les as trouvés ?

— Oui. Ils ont bu hier soir avec les femmes. Je les ai réveillés.

Une porte qui donnait dans l'arrière-boutique grinça et Craig apparut. Les petites rides au coin de ses yeux égayaient un peu sa physionomie renfermée.

— Des problèmes ?

— Ils ont bu hier soir, dit simplement Ohio.

— Sers-toi de thé, lui proposa Craig.

Et ce fut tout. Craig allait et venait dans le magasin, une liste à la main sans s'occuper d'eux. Mudoï, après avoir tété, s'était endormi et Mayoké le berçait en chantonnant. L'aube apparut. Ohio se levait sans arrêt et regardait à la fenêtre, tout en sachant pertinemment que c'était inutile car les chiens le préviendraient aussitôt qu'un attelage approcherait.

Ils arrivèrent deux heures plus tard. Oshawa souriait.

— Ça n'a pas été facile de les lever.

— Tu t'attends à ce que je te félicite ?

— Tout est prêt, fit observer Oshawa, feignant de ne pas avoir entendu.

— Nous allons rattraper le retard ! promit Ohio. Je ne compte pas en prendre dès le premier jour.

— Le retard sur quoi ?

— Sur le programme fixé. Je te rappelle que nous serons au lac Supérieur dans trois semaines.

— On verra.

Ohio le prit comme une menace et se rappela la mise en garde de Chukachida.

26

Depuis le lac La Ronge jusqu'à la rivière Saskatchewan s'étendait une vaste zone de marais et de forêt à travers laquelle les Indiens avaient taillé une piste que l'on suivait facilement, la plupart des arbres étant marqués d'une encoche en forme de croix sur l'écorce. Mais personne ne l'avait empruntée depuis le début de l'hiver et il fallut battre la neige en raquettes. Or, dès le début, ils durent monter sur la crête de plusieurs collines pour éviter les zones envahies d'aulnes du marais. Monter en raquettes est un exercice épuisant car le pied glisse et oblige à marcher de côté. Le bout de la raquette enfoncée se heurte en remontant au mur de neige et il faut lever le pied haut avant d'avancer.

Ohio marchait devant, un Huron derrière, mais il ne le relayait pas et se contentait d'élargir la trace. Mayoké suivait avec son petit attelage et confirmait la piste sur laquelle glissaient les trois traîneaux lourdement chargés, dont celui d'Ohio conduit par l'un des Hurons. En fait de conduire, il s'agissait seulement de retenir l'attelage quand il voulait doubler. Le reste du temps, il suffisait de marcher à la hauteur de la barre et de pousser dans quelques passages difficiles. Ils allèrent ainsi durant quatre heures, jusqu'au moment où Oshawa réclama une pause.

— Demain, la pause ! Aujourd'hui vous l'avez déjà prise.

— On ne va quand même pas marcher jusqu'à ce soir, sans boire ni manger !

— Tu veux te reposer en tête ?

Oshawa haussa les épaules et s'arrêta pour allumer un feu sur lequel il se prépara un thé et réchauffa une galette de banique. L'homme qui ouvrait la piste avec Ohio n'osa pas le laisser seul et le suivit en soufflant. En bas d'une colline, ils trouvèrent un petit ruisseau et cassèrent la glace pour boire.

— Meilleur que l'alcool, fit Ohio à l'homme qui ne comprenait pas.

Ils repartirent après que Mayoké eut donné le sein. Mudoï se rendormit aussitôt, bien à l'abri dans les fourrures. Oshawa et ses trois amis les rejoignirent au milieu de l'après-midi alors que la lumière commençait à décliner. C'était Mayoké qui ouvrait la piste en raquettes. Piqué de voir une femme faire tout le travail, Oshawa se proposa pour la relayer. La neige profonde était légère et se tassait mal, si bien que les chiens peinaient. Ils marchaient dans du sable et forçaient pour arracher la lourde charge qu'ils traînaient derrière eux. Dans cet exercice qui requérait de la puissance, les malamutes étaient assurément supérieurs aux chiens d'Ohio, mais ceux-ci compensaient par leur formidable ténacité qui ressemblait à de l'opiniâtreté.

Voulk, en tête de l'attelage de Mayoké, menait les cinq chiens issus de la dernière portée avec un grand sens des responsabilités, rassurant Ohio qui avait hésité à mettre Mudoï dans ce traîneau plutôt que dans le sien. Torok menait l'autre attelage avec rigueur, ne tolérant pas la moindre fantaisie dans le travail et veillant à ce que personne ne conteste son autorité. Il n'y avait guère qu'avec Oumiak qu'il conservait une certaine déférence, à condition qu'elle ne s'immisce pas dans ses affaires, qu'elle ne confonde pas son rôle de chienne dominante avec celui de chef de meute, ce qu'elle était parfois tentée de faire car son autorité ne pouvait s'exercer, faute de chiennes à soumettre !

Ces derniers temps, Ohio observait Huslik avec une attention particulière. Depuis qu'il l'avait placé en tête, juste derrière Torok, ce chien, d'un tempérament taciturne et râleur, s'était tout à coup émancipé. Il s'était relevé et son attention s'était focalisée sur Ohio alors qu'elle l'était jusque-là sur Torok. Il avait découvert les relations de cause à effet entre les ordres et les ralentissements, les arrêts, les départs, les changements de direction bien qu'il y en eût peu ici, où la piste était tracée. Le chien, à n'en pas douter, avait trouvé là un exutoire. De jour en jour, il s'épanouissait et les compliments qu'Ohio lui adressait l'encourageaient dans cette voie. Torok laissait faire, se contentant de le remettre à sa place quand il faisait preuve de précipitation dans l'exécution d'un ordre qui nécessitait un peu de retenue. Freiner ne voulait pas dire ralentir brusquement en quelques mètres. Il fallait procéder progressivement pour que la ligne de trait ne se détende pas et ne forme pas ces boucles qui constituent de terribles pièges pour les pattes. Huslik, dans sa furieuse envie de bien faire, avait cette tendance à réagir trop promptement, trop instinctivement. Tourner à droite ne consistait pas à virer dans cette direction n'importe comment, mais à adapter le virage en fonction de la vitesse de l'attelage, de la configuration du terrain, des obstacles potentiels, autant d'éléments à prendre en compte et dont l'analyse plus ou moins « intelligente » faisait toute la différence entre un chien de tête exceptionnel comme Torok et un simple exécutant. Ce qu'était Huslik pour l'instant. Mais l'apprentissage était long et Ohio avait confiance en ce chien doué d'une certaine forme de discernement.

Quant au jeune attelage, Ohio était comblé. Il travaillait bien et dans la bonne humeur. Ils aimaient le trait et Mayoké les dirigeait avec beaucoup de doigté, dosant avec parcimonie les remontrances, laissant leur fougue s'exprimer à condition qu'ils ne mettent pas en danger le traîneau où dormait son plus précieux trésor, le petit Mudoï qui, par moments, s'éveillait et regardait le paysage défiler, bercé par les mouvements de houle de ce bateau des neiges devenu son berceau.

Les ombres s'étirèrent, puis disparurent lorsque le crépuscule effaça les bleus. Ohio se porta en avant et relaya Oshawa qui n'avançait plus que très lentement, arrachant avec peine de la neige sa raquette en cuir de caribou.

— Il est temps de s'arrêter, non ?

— Dès que je trouve un bel emplacement pour le campement.

Oshawa, qui soupçonnait un piège, murmura un vague commentaire dans sa langue. Ohio n'y fit pas attention et se remit en marche d'un bon pas. Il progressait maintenant dans une zone relativement ouverte, constellée de petits lacs. La neige, moins profonde, se tassait mieux.

Les étoiles s'allumèrent. Ohio avisa une berge où des pins calcinés offraient une belle provision de bois mort et se dirigea vers elle.

— Répartissons-nous le travail, proposa-t-il aussitôt.

Ils attendaient.

— Je vais monter notre tipi avec Mayoké et nous préparerons le repas. Que deux d'entre vous s'occupent de votre tipi.

— C'est une tente que nous avons et je suis étonné qu'un Blanc comme toi n'en utilise pas une en voyage. Tout est à l'envers !

— Qui t'a dit que j'étais un Blanc ?

— On raconte que tu es le fils d'un Blanc qui a traversé le pays.

— Je vois, fit Ohio. Mais je suis aussi le fils de Sacajawa, de cette Nahanni grâce à qui ce Blanc a pu traverser les Montagnes.

— Un sang-mêlé en quelque sorte ?

— C'est en mêlant le sang que l'on obtient les meilleurs chiens de traîneau, n'est-ce pas ?

— Tu es bien présomptueux, fit remarquer Oshawa, après avoir succinctement traduit leur conversation aux autres.

— Je me défends toujours quand on m'attaque.

Ils en restèrent là. Ils étaient fatigués et avaient hâte de manger.

Ohio continua de distribuer les rôles.

Il avait remarqué que le plus jeune de la bande, dénommé Montani, aimait particulièrement les chiens et lui proposa de s'en occuper, allumant une flamme de bonheur dans ses yeux fatigués.

— Tu les dételleras et les attacheras à la ligne, puis je te montrerai comment les nourrir. Les deux derniers iront chercher du bois et allumeront les feux.

Les cinq Hurons commencèrent à discuter pour savoir qui monterait le tipi et qui s'occuperait du bois, puis chacun vaqua à ses occupations. Il y eut une altercation entre Oshawa et un de ses hommes qui s'accusaient mutuellement d'avoir oublié les ustensiles de cuisine.

— Vu l'état dans lequel ils étaient, il n'est pas étonnant qu'ils aient oublié quelque chose, fit remarquer Mayoké.

— Nous avons une gamelle de trop, débrouillez-vous avec celle-ci, décida Ohio qui la tendit à Oshawa.

Le Huron ne remercia même pas et s'en alla.

— Je ne l'aime pas, fit remarquer Mayoké.

— Ça se voit.

— Tant que ça ?

— Autant qu'une trace d'élan.

— De quoi faut-il nous méfier, à ton avis ? demanda Mayoké.

— Je ne sais pas. Je ne vois pas. Ces peaux représentent une grande valeur mais elles sont estampillées par la compagnie et ils ne peuvent les revendre ou alors en les mutilant tellement qu'elles ne vaudront plus rien. C'est en les transportant, et le plus vite possible, qu'ils ont le plus à gagner.

— Mais ils pourraient les revendre à une compagnie concurrente.

— Au nord peut-être, mais pas au sud.

— Puisses-tu dire vrai.

Le lendemain, ils repartirent avant l'aube. Les Hurons traînaient la patte, mais Ohio avait réussi à leur faire lever le camp et ils purent s'arrêter pendant près de deux heures en milieu de journée. Oshawa qui connaissait bien la route annonça qu'on approchait de la rivière Saskatchewan où il espérait trouver une piste balisée par des Ojibways ou des Gros Ventres. Mais le soir, la température monta, et une épaisse couche de neige tomba durant la nuit si bien qu'ils n'atteignirent la rivière que deux jours plus tard. Les Hurons commençaient à prendre plus régulièrement les relais en tête et adaptèrent leur chargement sur les traîneaux pour que la vitesse des différents attelages se coordonne. On chargea au maximum les deux derniers traîneaux qui voyageaient sur une piste plus facile car tassée par le passage des autres. La température monta encore et il se mit à neiger alors que se levait un vent d'ouest de mauvais augure.

— Profitons du mauvais temps pour reposer les chiens, décida Ohio. Nous repartirons dès que la tempête sera passée.

Ils campèrent à l'abri d'une forêt qui cintrait un lac. Le lendemain, à l'aube, Ohio leur proposa de profiter de la journée pour pêcher, afin d'économiser le pemmican. Il creusa un trou et tendit sa ligne avec un appât crocheté dans l'un des hameçons échangés au comptoir du lac Wollaston. La finesse et la résistance du fil l'émerveillèrent. Les Indiens paressèrent toute la journée et ne vinrent pêcher que durant les quelques heures de jour de l'après-midi. Le vent soufflait en rafales et la neige tombait par intermittence. Ohio utilisait comme appât la tripe des poissons qu'il attrapait en grande quantité, des petites truites grises ou rouges, ces dernières étant un peu plus grosses. Il en fallait une grande quantité pour nourrir les cinq meutes et Ohio ne s'accorda que quelques instants pour manger et se réchauffer.

Au crépuscule, les poissons cessèrent de mordre et Ohio se releva, tout courbaturé.

— Heureusement que tu es venu m'aider, dit-il à celui qui l'avait rejoint à peine une heure plus tôt et n'avait pris qu'une dizaine de poissons.

Vexé, l'autre s'en alla en maugréant.

Le lendemain, la tempête sévissait toujours et Ohio choisit un autre emplacement pour pêcher. Oshawa vint l'aider à creuser le trou. Ils sondèrent et trouvèrent une bonne profondeur, au moins trois fois supérieure à celle où Ohio avait pêché la veille.

— Ici, nous n'attraperons pas de petits poissons, prédit Ohio. Les gros occuperont ce trou.

Ils ne prirent rien pendant plus d'une heure et brusquement la ligne plongea alors que le jeune Montani arrivait. La ligne sciait la peau et Ohio l'enroula autour de sa veste en se penchant en arrière pour résister à la traction.

— Lâche du fil ! conseilla Oshawa, soudain très excité.

Ohio obéit, mais ce qu'il craignait arriva. La grosse truite se cala au fond d'où il ne put la déloger malgré tous ses efforts.

— Va me tailler une perche dans un saule, demanda Ohio en montrant la rive.

Montani s'exécuta après qu'Oshawa lui eut traduit ce qu'Ohio voulait. Il revint en courant avec la perche, les yeux brillants d'excitation.

— Attrape le fil et garde-le tendu !

Ohio noua le fil au bout de la perche.

— Lâche doucement, lui demanda Ohio en s'arc-boutant pour créer un arc avec la perche.

Le fil se tendit et miaula dans le vent. Alors Ohio coinça la perche sous son aisselle et avec sa main libre donna de petits coups secs dessus.

— Qu'est-ce que tu fais ?

— Les vibrations vont le déloger.

Effectivement le poisson bougea et commença à nager en rond. Ohio s'arc-bouta de nouveau au risque de casser le fil, mais il lui fallait absolument l'éloigner du fond. Maintenant qu'il nageait, c'était plus facile. Ohio reprit enfin un peu de fil. La truite décrivait des cercles et Ohio la remontait doucement. Il avait maintenant abandonné la perche et négociait à la main. Oshawa et Montani l'encourageaient. Mayoké, Mudoï dans le dos, arriva à ce moment-là.

Elle se doutait que la prise était belle car elle avait assisté au combat, de loin.

— Il faut agrandir le trou !

Ça n'était pas facile car on risquait de couper le fil. Pourtant Montani s'y employa avec beaucoup de délicatesse et parvint à l'élargir suffisamment.

— Je le vois ! Je le vois ! dit-il tout à coup alors que l'énorme poisson approchait à la surface.

C'était une truite grise de lac qui devait peser presque quinze livres. Elle résista encore un peu, mais Ohio la harponna avec sa lance et ils la hissèrent sur la glace. Les deux hommes sifflèrent d'admiration et félicitèrent Ohio en contemplant sa prise.

— À vous de jouer. Je suis certain qu'il y en a encore deux ou trois à prendre dans ce trou.

Ils en pêchèrent deux autres, un peu moins grosses mais qui comblaient les deux Hurons qui n'avaient jamais pêché qu'au filet. Le soir, ils partagèrent leur repas au lieu de le prendre dans leur tentes respectives et la conversation fut joyeuse. Cette pêche avait semble-t-il modifié leurs rapports. Ils regardaient Ohio différemment. Les craintes du jeune homme s'éloignèrent et les doutes de Mayoké se dissipèrent.

27

Après le vent et la neige, le froid toujours. Un froid qui s'accentua au point que deux Hurons attrapèrent des engelures sur le nez et les pommettes. Ohio se servit de son sac à deux places, l'une pour un chien et l'autre pour Mudoï, afin de réchauffer son fils. Ils testèrent plusieurs chiens mais finirent par choisir Oumiak. Alors que les autres commençaient par se débattre et ne restaient sur le traîneau que par résignation, la chienne se prêta à l'exercice avec un plaisir évident, comme si son instinct de mère y trouvait une façon de s'exprimer. Elle se colla au petit corps qui se lova naturellement contre elle, et n'en bougea plus, prenant soin de ne pas réveiller l'enfant.

Ohio, malgré le froid, imposait un rythme soutenu que Mayoké suivait sans défaillir. Dès lors, les hommes n'osaient pas se plaindre et avançaient, dix heures par jour, sans qu'il leur vînt à l'idée de briser la routine. Lever à cinq heures, pause à midi, arrêt au crépuscule. Eux qui voyageaient à l'instinct, les jours succédant aux jours sans jamais se ressembler, avaient adopté le rythme. Ils ne ronchonnaient même plus le matin. Ils savaient qu'Ohio irait jusqu'au bout. Rien ne pouvait arrêter un type pareil.

Sur la rivière Saskatchewan, ils trouvèrent une vieille piste à moitié ensevelie sous la neige que Torok suivit sans problème. Maintenant qu'ils n'avaient plus à damer en raquettes, ils allaient beaucoup plus vite. Même si la piste était recouverte par une couche plus ou moins épaisse, le fond était solide et les chiens peinaient moins. Les attelages d'Ohio et de Mayoké commencèrent à distancer les malamutes qui ignoraient le trot. À midi, quand ils arrivèrent, Ohio était prêt à repartir. Mais il fit preuve de patience. Il allumait un grand feu, préparait de l'eau et faisait boire les chiens. Mayoké laissait Mudoï se prélasser sur la peau de bison à la chaleur des flammes qu'un auvent de toile, hâtivement monté avec deux perches de bois, réfléchissait. Les Hurons appréciaient. Quand ils dételaient, ils trouvaient du thé brûlant et des galettes de banique tenues au chaud près des braises.

Alors qu'ils approchaient du lac Cedar, Ohio et Mayoké croisèrent trois attelages qui se dirigeaient vers le poste de Swan River, à l'ouest. Les Indiens qui accompagnaient les trois Blancs appartenaient à une tribu inconnue et Ohio ne put converser avec eux en l'absence d'Oshawa. Alors il échangea quelques mots avec l'un des Blancs. Celui-ci lui expliqua que le reste de la piste était bien balisée et qu'à moins d'une tempête, il pouvait espérer atteindre le lac Supérieur en une huitaine de jours. Et ce fut tout, car ils avaient l'air pressé. Leurs chiens, à l'arrêt, piaffaient d'impatience et en profitaient pour se battre.

— Tu t'es bien débrouillé, fit remarquer Mayoké, admirative.

— Hans a été un bon professeur et Oshawa m'apprend chaque jour quelques mots.

Ils firent la pause sur place. Plus loin, la piste traversait le lac en son milieu et il n'y aurait aucun endroit ni pour faire du feu ni pour s'abriter. Le lendemain, ils rencontrèrent encore deux attelages, celui d'un Ojibway et celui d'un coureur des bois français qui revenait du comptoir de Winnipeg et se rendait à Montréal. Il avait une magnifique meute de huit huskies et Ohio regretta de ne pouvoir le suivre, mais il devait attendre les Hurons. Une tempête de vent sans neige les bloqua deux jours dans le minuscule village fantôme de Northome qui avait été ravagé et brûlé par les Iroquois deux ans auparavant, lors des violents affrontements qui les avaient opposés aux Anglais.

Trois jours plus tard, ils arrivèrent au poste de Wakish où Oshawa retrouva un Indien qu'il connaissait bien. Le propriétaire du comptoir était absent.

— Il faut prendre par le sud, par la piste du lac Walker, expliqua Oshawa. Celle qui passe par Rainy Lake est inutilisable.

— Pourquoi ? demanda Ohio.

— Un feu de forêt a couché tous les arbres en travers de la piste, à deux jours d'ici.

— Pourquoi la piste n'a-t-elle pas été déblayée ? L'autre est bien plus longue.

— Pas tant que ça. Cette piste est excellente.

Ohio se méfiait. Le regard d'Oshawa était fuyant. Il voulut interroger l'homme qui avait prétendument donné l'information, mais ses propos étant traduits par Oshawa, ça n'avançait pas à grand-chose.

D'après les cartes, le détour, qui rallongeait le voyage d'au moins deux jours, était disproportionné et Ohio aurait voulu obtenir de plus amples informations, auprès de quelqu'un d'autre. Il existait probablement un moyen de contourner la zone de brûlis. Oshawa le niait trop énergiquement pour être uniquement motivé par le souci d'éviter de perdre du temps sur une piste difficile.

Pourtant Ohio ne pouvait que céder. Il le fit à

contre-cœur. Il lui semblait que l'attitude d'Oshawa à son égard changeait sensiblement au fur et à mesure que le terme du voyage approchait. Il devenait distant, plus sûr de lui. Ohio redoubla de vigilance.

La piste qui filait vers le sud était effectivement excellente, large et bien damée, d'autant plus que la dernière chute de neige remontait à plus de dix jours. La seule difficulté consistait à négocier les nombreuses congères érigées par le vent. Plusieurs pistes rejoignaient celle qu'ils suivaient, étonnamment fréquentée. Un soir, ils s'arrêtèrent au bord d'un lac où pas moins de huit tentes avaient été dressées. Ohio était surpris de ne rencontrer que des Hurons et regretta d'ignorer tout de leur langue. Il était dépendant d'Oshawa qui abusait de cette situation. Ohio voulait se renseigner sur les possibilités de rejoindre le lac Supérieur en coupant par l'est plutôt que de continuer à filer vers le sud. Il avait aperçu de nombreuses pistes qui se dirigeaient dans cette direction.

— Elles ne mènent nulle part. Ce sont des lignes de trappe ou des culs-de-sac qui aboutissent à des cabanes ou à des campements, lui expliquait Oshawa.

— Le lac est maintenant à moins d'un jour de marche à l'est. C'est ridicule de continuer vers le sud. Il existe forcément une piste pour le rejoindre plus vite. Renseigne-toi.

Oshawa partait et ne revenait pas. Le lendemain, il était en retard et se fichait des remarques d'Ohio.

— Tu t'es renseigné ?

— À quel propos ?

— Tu le sais bien : une piste pour le lac.

— Ah oui. Ce soir, on rejoindra la piste principale qui y mène tout droit.

— Où ça exactement ?

Ohio fulminait. Oshawa restait vague, se jouant de lui avec désinvolture.

— On ne pourra pas la rater. Il y aura un grand campement.

Comme la piste était tracée dans une forêt épaisse de pins et d'épicéas, Ohio n'avait pas de repère, mais le soir, il fut certain qu'on se jouait de lui. Ils avaient dépassé le lac.

— Ça suffit maintenant, Oshawa ! Ce n'est pas parce que je ne comprends pas le langage des tiens que je ne sais pas me repérer. Le lac est derrière nous et nous continuons à nous en éloigner. Quant à cette maudite piste, ça fait longtemps qu'on aurait dû la trouver !

Ohio avait élevé la voix et plusieurs Hurons qui voyageaient maintenant avec eux s'approchèrent. Oshawa s'adressa à l'un d'eux qui répondit en faisant de nombreux signes à Ohio qui n'y comprenait rien.

— Il connaît parfaitement la région. Le comptoir de Duluth, à la pointe du lac, est à un jour d'ici et nous rejoindrons aujourd'hui la piste qui y mène tout droit.

— Ce n'est pas possible.

Ohio en venait à douter. Ils avaient tous l'air si sûrs d'eux.

Ils repartirent le lendemain matin, en retard de nouveau. Ohio bouillait, mais Mayoké le calma.

— Nous sommes encore dans les temps, Ohio. Une fois sur le lac, en deux ou trois jours nous y serons.

— Je n'aime pas la tournure que prend ce voyage !

— Ils sont avec les leurs.

— Que font-ils, tous ces Hurons. Où vont-ils ?

Ces questions taraudaient Ohio. Il eut bientôt la réponse. Il s'attendait à tout sauf à ça.

Ohio désespérait et fulminait lorsque, en milieu d'après-midi, ils arrivèrent dans une zone où des douzaines de Hurons sciaient et transportaient des arbres sur des pistes devenues aussi larges que celles laissées par des troupeaux de caribous. Et plus ils avançaient, plus les pistes et les hommes étaient nombreux. Le plus étonnant, ou du moins ce qui retint le plus l'attention d'Ohio, était l'animal apprivoisé dont ils se servaient pour débarder le bois et se déplacer : le cheval. Ohio eut d'abord toutes les peines du monde à retenir ses chiens qui voulaient leur donner la chasse, mais il régnait partout une telle activité, il y avait tant d'hommes et de bêtes que les chiens eux-mêmes furent impressionnés et se calmèrent. En tête du convoi, Oshawa interpellait des Indiens qui lui indiquaient la route — Ohio ignorait laquelle — à suivre dans ce dédale de pistes. Et tout à coup, ils débouchèrent dans une immense clairière, près d'un lac. La forêt avait été défrichée pour laisser la place à un camp fortifié autour duquel Ohio dénombra plusieurs milliers de tentes et de tipis. Partout grouillaient des hommes dont beaucoup portaient un uniforme bleu et noir !

— Qu'est-ce...

Mayoké ouvrait des yeux aussi grands qu'Ohio. La découverte de ce lieu générait plus d'émerveillement que de peur. Ce qu'ils voyaient était tout simplement inconcevable !

Ils avancèrent le long de la palissade qui cernait une immense bâtisse en pierre et s'arrêtèrent enfin tout au bout d'une des pistes desservant des tentes alignées les unes à côté des autres. Ohio attacha son traîneau et se dirigea vers Oshawa. Deux hommes à cheval approchaient. Oshawa regarda durement Ohio qui commençait à l'interroger.

— Écoute ! Tu me laisses faire ou vous êtes

morts, toi, Mayoké et ton fils ! Tu me laisses tout faire sans bouger ou tu es… mort.

— C'est une menace !

Oshawa l'empoigna par le col de sa veste. Il tremblait.

— Vas-tu comprendre ? C'est pour toi que je fais ça !

Mayoké l'arracha des mains d'Oshawa lorsque les deux hommes en uniforme descendirent de cheval et s'adressèrent au Huron dans une langue qu'ils ne connaissaient pas.

— Laisse, Ohio ! Laisse ! Il dit vrai !

— Qu'en sais-tu ?

— Je le sens, Ohio ! Laisse, je t'en prie.

Les deux hommes, avec l'aide des Hurons, commencèrent à décharger les lots de fourrures soigneusement emballés dans des sacs de toile. Oshawa observait Ohio à la dérobée.

— Ils volent les fourrures !

— Ne bouge pas, Ohio ! Que sont ces fourrures par rapport à nos vies ?

— J'en suis responsable.

Mayoké le regarda durement, le visage grave.

— Tu es aussi responsable de nous. N'est-ce pas plus important ?

Ohio ne savait plus que faire. Il était complètement dépassé par les événements. Son intuition lui commandait, à lui aussi, de ne pas intervenir.

Les fourrures furent embarquées sur une charrette tirée par un énorme cheval aux longs poils qui fascina Ohio, malgré sa colère.

— Je vais l'étrangler, cet Oshawa qui nous a entraînés ici !

Les deux Blancs notèrent sur des feuilles de papier les réponses d'Oshawa à toutes les questions qu'ils lui posaient, puis ils s'en allèrent. Ohio, rouge de colère, se rua sur le Huron.

— Vas-tu parler, putois !

— Tu devrais déjà être mort, alors calme-toi ! Tous les hommes que tu vois ici, Blancs ou Indiens, sont tes ennemis. Un mot et tu es mort. Comprends-tu ?

— Non, je ne comprends pas !

— Dans ce cas écoute et tais-toi.

Oshawa lui raconta. Le grand chef Saveak, Brillant Rayon du soleil, qui dirigeait certes les Hurons mais aussi d'autres peuplades du Sud et qui avait remporté de nombreuses batailles contre les Anglais, avait décidé de s'associer aux Américains pour déloger les Anglais du sud du pays. Le général Bendoc Lendt avait promis aux Hurons la restitution de vastes territoires en échange d'un libre accès à la région des Grands Lacs. Les Hurons avaient l'impression d'avoir été floués par les Européens, Anglais et Français, qui ne cessaient d'étendre leurs colonies au détriment des Indiens qui les aidaient, et ils avaient sauté sur cette occasion leur permettant à la fois de se venger et de récupérer des terres giboyeuses.

Saveak avait alors rappelé tous ses guerriers dont beaucoup servaient de transporteurs pour des compagnies européennes en leur demandant de dérober les fourrures qu'ils transportaient. Certains Hurons s'étaient associés et avaient même réussi à voler des comptoirs entiers après avoir assassiné ceux qui les tenaient.

Ohio, horrifié, écoutait en écarquillant les yeux.

— On voulait te faire subir le même sort, confia Oshawa, mais… comment te dire ? Je n'ai pas pu et aucun des autres ne le voulait. On a du respect pour toi, ta manière de voyager avec ta femme et ton fils, ta façon de pêcher…

— Mais… mais qu'est-ce que je vais faire ?

Ohio était désemparé. Il ne pouvait en vouloir à Oshawa qui avait seulement obéi à son chef.

— Va-t-en cette nuit. Personne ne s'en apercevra. Au petit matin, je serai obligé de déclencher l'alerte, car je suis responsable de toi. Ils savent combien nous sommes et le nombre de chiens que nous avons amenés. Personne ne pourra te rattraper. Tes chiens sont les plus rapides que j'aie jamais vus.

— Et ces chevaux ?

— Sur une courte distance, ils pourraient te rattraper, mais tu seras loin. Tu ne risques rien !

— Mais… les fourrures. Je ne peux pas partir comme ça.

— Oublie cela !

— Hans me les a confiées. Je ne repartirai pas sans et…

— Ohio !

Tout le visage de Mayoké exprimait la colère qu'elle contenait avec peine. Elle regardait autour d'elle, effrayée, comme une bête traquée, serrant contre elle son bébé comme pour mieux le protéger.

— Ohio ! Tu laisses ces fourrures et tu nous sauves, ou je pars seule avec Mudoï.

Ohio resta un instant sans voix. Il ne reconnaissait pas Mayoké.

— Tu as le choix entre ce paquet de fourrures et ton fils.

— Mais si je n'emporte rien d'autre que ce qui est à moi, dit Ohio, pourquoi me poursuivrait-on ?

— D'une part, tes chiens, ton traîneau, tout a été enregistré en arrivant ici et appartient maintenant à la communauté. D'autre part, les Américains ne veulent pas que les Européens connaissent nos effectifs. Ils ne soupçonnent pas que nous sommes si nombreux. Ils n'accepteront pas qu'un espion potentiel s'enfuie d'ici.

Désemparé, Ohio regardait Montani qui acquiesçait en silence. Un groupe de Hurons approchait. Oshawa alla au-devant d'eux. Ils se congratulèrent.

— Le pays est devenu fou, Mayoké.

— Le deviendrais-tu aussi ?

— Non, Mayoké, mais Hans a été bon avec nous et je n'ai pas le droit… enfin, j'ai honte d'abandonner comme ça ce qu'il m'a confié.

— Ne crois-tu pas qu'il agirait de la même façon ?

— Je trouverai un moyen.

— De récupérer les fourrures ?

— Non, plus tard. Je ne pourrais pas rentrer chez moi l'esprit en paix.

— En attendant, préparons-nous à quitter cet endroit.

Il regarda autour de lui ces milliers d'hommes en armes qui allaient et venaient. Des centaines de colonnes de fumée montaient dans le ciel froid.

— Tu as vu le fort, Mayoké ?

— Tes yeux s'émerveillent, mais je reste insensible.

— Je ne suis pas émerveillé, je suis impressionné.

28

Il était deux heures du matin lorsque Ohio et Mayoké attelèrent silencieusement leurs traîneaux. Il n'était pas facile de contenir les jeunes chiens qui, excités, étouffaient des aboiements de bonne humeur.

— On se tait, répétait Ohio en leur fouettant la gueule avec une petite baguette de saule dès qu'ils se mettaient à grogner.

Ohio n'avait pas revu Oshawa. Il alla dans la tente, mais elle était vide.

— Il fête son arrivée ici, pensa Ohio qui aurait aimé le remercier. Finalement ce n'était pas un mauvais bougre.

Il remonta le long de la ligne de trait jusqu'à Torok.

— Mon Torok. Il va falloir que tu sois attentif parce que ça ne va pas être facile de sortir d'ici et qu'il s'agit de ne pas se faire remarquer.

Le chef de meute, la gueule dans le creux de sa main, les yeux tournés vers lui, écoutait. Lorsque Ohio lui parlait comme ça, il savait qu'il allait devoir faire preuve de concentration et il était prêt. Ohio alla vérifier le chargement de son traîneau. Celui de Mayoké était vide. C'était lui qui transportait Mudoï aujourd'hui, car il n'avait qu'une confiance toute relative en cet attelage de jeunes chiens, surtout quand il s'agissait de slalomer pour sortir de ce labyrinthe de pistes et de tentes. Ohio prit bien soin de protéger la tête de son fils en réajustant la capuche du sac au-dessus de lui.

— On y va ?

Ohio attendait une éclaircie car les nuages obscurcissaient le ciel et empêchaient la lune de dispenser sa lumière. Mais il ne pouvait trop attendre. De peur de ne pouvoir freiner la meute sur la surface gelée des chemins qui desservaient les différentes zones de campement, il avait décroché les harnais de cinq chiens. Retenus au trait par leur collier, ils suivraient sans tirer. Ainsi, il pourrait sans doute freiner assez pour contrôler la vitesse des autres.

— Doucement, Torok ! Doucement !

Le cœur d'Ohio battait la chamade. Les chiens se ruèrent en avant dès qu'ils sentirent que le traîneau était détaché, mais Torok, qui avait perçu l'inhabituelle tension de son maître, se retourna et fit claquer sa mâchoire, les babines retroussées sur ses crocs étincelants, en laissant échapper un grognement dissuasif. Huslik qui avait compris donna quelques coups de dents. Aklosik et Kourvik en furent pour leurs frais et continrent leur furieuse envie de se lancer dans les traits. Derrière, Mayoké, debout sur le frein, contrôlait son petit attelage. Ils tournèrent à droite pour emprunter une première piste assez étroite qui desservait un lot d'une cinquantaine de tentes puis en rejoignirent une deuxième, plus large, et encore une autre qui menait à une scierie d'où elle repartait vers le lac. Ohio commençait à respirer et laissa les chiens accélérer sans toutefois leur permettre de prendre le galop. Ils dépassèrent les dernières tentes où quelques attelages aboyèrent.

— Devant, hurla Ohio alors que Narsuak et Kourvik infléchissaient leur course.

Mais Torok filait droit, attentif.

Ils arrivaient en vue des bâtisses de la scierie lorsque Ohio vit surgir de l'ombre un cavalier qui se rangea pour les laisser passer. Celui-ci, un Blanc en uniforme coiffé d'une imposante chapka en fourrure de loup-cervier, fit faire demi-tour à son cheval et rejoignit Ohio, trottant à sa hauteur.

— *Stop your team! Stop them!* en lui faisant signe de s'arrêter.

Ohio stoppa son attelage.

— Connais un peu français.

— Ça tombe bien, moi aussi. Où vas-tu comme ça ?

— Comptoir de Thunder Bay.

— Qui t'envoie ? Q'est-ce que tu vas faire là-bas ?

— Oshawa. Aller chercher Indiens.

— Je ne connais pas Oshawa. Il n'y a plus personne là-bas et je n'ai pas connaissance d'un tel ordre de mission. Et pourquoi un départ en pleine nuit ? Qu'est-ce que tu transportes ?

— Moi obéir. Aller là-bas.

— C'est qui, cet Oshawa ?

Ohio hésitait alors que l'officier sortait un sabre de son fourreau et que le cheval s'agitait.

— Chef indien !

— Il n'y a pas de chef indien qui tienne. Je suis chargé de la sécurité de ce camp et on m'aurait informé de ce départ. Tu traverses la zone que je suis censé surveiller. Tu vas me montrer ce que tu transportes et me suivre.

Ohio mit l'ancre qu'il planta dans la neige. Se relevant brusquement, il se détendit comme un fauve et attrapa le bras de l'officier qu'il tira vers lui en le désarmant. L'homme tomba sur le côté et Ohio lui assena un violent coup de poing sur la nuque.

Le cheval rua de peur et Ohio brandit l'épée pour le faire fuir.

— Vite !

Mais Torok était revenu vers lui pour intervenir en voyant la bagarre se déclencher et les traits étaient emmêlés. Ohio mit quelques instants à rétablir l'ordre. Mayoké, affolée, le pressait. Ils repartaient, au galop cette fois, lorsque l'officier, revenant à lui plus vite que prévu, commença à crier pour demander de l'aide.

Ils passèrent entre les bâtiments et dévalèrent en trombe la pente qui menait à une piste longeant la forêt. Ohio espérait ne pas s'être trompé de route. Ses chiens filaient, mais ceux de Mayoké avaient du mal à suivre et commençaient à perdre du terrain. Ohio ralentit un peu en pesant sur le frein. D'impressionnants tas de bois, sciés à la même longueur, étaient empilés de part et d'autre de la piste à l'entrée de la forêt. Sous le couvert des arbres, il faisait sombre. Ohio hésitait. Devaient-ils en profiter pour se cacher ou continuer à fuir ? Ohio ignorait ce dont étaient capables des chevaux. Oshawa lui avait dit qu'ils étaient plus rapides mais que ses chiens les distanceraient facilement sur une grande distance.

« C'est quoi une grande distance ? Ça ne sert à rien de se cacher ici, pensa Ohio. Dès l'aube, ils vont se mettre à battre la forêt. Notre seule chance est de filer. »

Les patins crissaient sur la surface dure de la piste damée. Ohio se retournait sans cesse pour vérifier que Mayoké arrivait à le suivre et qu'aucun cheval n'approchait. Il s'attendait chaque seconde à voir débouler l'un de ces animaux géants dont la puissance l'avait tant impressionné.

Le ciel se déchira une heure plus tard, alors qu'ils arrivaient au lac Supérieur. Un village se présentait à eux, niché au bord du lac. Ohio laissa le traîneau de Mayoké revenir à sa hauteur.

— Oshawa ne m'a pas parlé de ce village.

— Contournons-le et prenons vers l'est, proposa Mayoké.

— Je m'étonne que la poursuite ne se soit pas organisée, remarqua Ohio.

— Peut-être ont-ils essayé ? Nous sommes allés vite.

Ohio était sceptique.

— Comment va Mudoï ?

— Il dort. Allez, en avant !

Il était temps. Des chiens aboyaient dans le village et Ohio ne tenait pas à ce qu'on les aperçoive. Ils dévalèrent la rive. Sur la plage, de grands bateaux étaient échoués, maintenus en biais par d'énormes billes de bois calées contre leur coque en partie recouverte de neige. Ohio aurait voulu avoir le temps de les admirer, mais il passa sans ralentir. Devant eux s'étendait l'immense lac blanc. Les chiens s'engagèrent sur la piste qui longeait la rive vers le nord alors qu'il fallait aller au sud et suivre l'autre berge. Ohio arrêta son attelage, mit l'ancre et revint sur ses pas. Mayoké en profita pour vérifier que Mudoï dormait bien au chaud, emmitouflé avec Oumiak dans son sac de fourrure.

Ohio ne vit aucune piste et s'en étonna. Il était pourtant évident qu'il en existait une. Il revint vers les deux traîneaux.

— Ne traînons pas !

— Ils ne nous ont pas suivis. Ils seraient déjà là, tu ne penses pas ?

— Peu importe, filons. Il faut faire demi-tour et prendre par le sud.

— Tu as trouvé une piste ?

— Non. Mais la surface est dure et de toute façon, toutes les marchandises qui rentrent ou sortent du pays transitent par là. On va forcément retomber sur une piste.

Ohio replaça les fourrures après avoir embrassé Mudoï et félicité Oumiak de sa tranquillité. Puis il effectua un demi-tour. L'attelage de Mayoké suivit sans s'emmêler.

Les chiens trottaient allégrement sur la surface tassée par le vent en restant à l'écart des congères et des zones de neige profonde accumulées le long de la berge. Le vent soufflait dans leur dos et Ohio ressentit le froid qui traversait sa veste en cuir d'élan. La lune, au-dessus d'eux, dispensait une lumière généreuse qui se réverbérait sur la neige et la glace. On y voyait presque comme en plein jour. Les chiens filaient et Ohio se grisait de cette vitesse qui l'éloignait du danger. Il n'imaginait pas s'en tirer à si bon compte.

En fait, l'officier avait jugé que le froid était trop grand pour se lancer dans une poursuite aléatoire avec des chevaux qui risquaient de se geler les poumons. Il avait hésité à envoyer un ou deux attelages de chiens mais le temps d'atteler, les fuyards auraient eu trop d'avance. Il signala l'incident à son commandant et l'affaire en resta là. Ils avaient plus important à faire. Les troupes devaient se préparer à attaquer les villages situés au sud des Grands Lacs.

29

Ils voyageaient depuis plus d'une heure sur le lac et n'avaient toujours pas rejoint de piste. Pourtant ils avançaient bien, malgré les passages où la neige avait été soufflée par le vent, et où les chiens dérapaient sur la glace. Ohio se rapprochait de la rive lorsque Torok fit un brusque écart. Tous les chiens le suivirent dans le désordre que créa la baisse de tension dans la ligne de trait. Le traîneau, emporté par son élan, dérapa un peu avant qu'Ohio ne réagisse et percuta Gao et Aklosik qui grognèrent de mécontentement. Mayoké avait arrêté son attelage. Ohio regarda autour de lui, mais le bruit de la glace en train de se briser le renseigna mieux que toute autre chose. Il hurla.

— Les chiens, allez ! Mayoké va-t'en ! La glace…

Elle céda sous lui avant même qu'il puisse terminer sa phrase. Les chiens terrorisés avaient creusé les reins et rampaient les griffes écartées, les yeux exorbités et le poil hérissé. Sous le poids du traîneau, une partie de la glace s'était brisée. Seuls deux chiens, Gao et Aklosik, pataugeaient dans un mélange d'eau et de glace, les autres tiraient. Le traîneau flotta un moment, indécis, puis le chargement commença à se gorger d'eau. Gao et Aklosik tentaient de remonter sur la glace, mais elle se cassait au fur et à mesure.

— Mudoï !

Il essayait déjà de le dégager, mais Oumiak, terrorisée, secouait le sac dans lequel elle était emprisonnée avec lui. Le traîneau penchait sur le côté où Ohio pesait et commençait à couler. Ohio se saisit de son couteau et au risque de blesser Oumiak en donna des coups pour déchirer le sac. L'eau montait maintenant jusqu'en haut du traîneau qui menaçait de se retourner. Ohio suffoquait dans l'eau glaciale qui lui écrasait la poitrine et l'empêchait de respirer, mais il voulait au moins sauver Mudoï. Il entendait Mayoké hurler, comme si elle était très loin, mais le cauchemar était bien réel. Enfin Oumiak fut libérée. Ohio tentait de dégager Mudoï qui pleurait lorsque le traîneau sombra, entraînant avec lui le sac attaché par des lanières au chargement. Ohio attrapa Mudoï par la taille et tira violemment pour l'arracher de là, mais sa jambe était entortillée dans le sac lacéré et le poids du traîneau l'entraîna vers le fond. Ohio ne le lâcha pas et plongea avec lui. Ce fut comme un étau qui lui comprima les tempes, prêtes à éclater. Avec son coutelas, il fourragea entre les jambes du bébé pour les dégager. Tant pis s'il le blessait. De toute façon, dans quelques secondes, ils seraient morts tous les deux. Le traîneau s'immobilisa sur le fond lorsque Ohio réussit enfin à libérer son fils. Il remonta à la surface qui se trouvait à quelques mètres.

— Ohiooooo !

Elle hurlait pour qu'il la regarde. Allongée sur la glace, elle était à quelques mètres du trou et lança une corde vers lui. Mudoï dans les bras, il nagea jusqu'au bord et s'en saisit. La glace sur laquelle il s'appuyait se brisa, alors il attacha le corps inerte du bébé à la corde et le poussa vers Mayoké qui avait reculé et qui le hala en pleurant. Les gestes d'Ohio devenaient désordonnés, sa pensée incohérente. Il trancha au hasard les traits retenant les chiens qui pataugeaient encore en gémissant autour de lui.

— Ohiooo ! Ohioooo, la corde !

Elle l'avait relancée. Il la vit au travers d'une brume irréelle, assise, le bébé dans les bras, tenant la corde dans l'autre main. Ohio l'attrapa et, alors que Mayoké tirait, il tenta de se hisser sur la glace plus épaisse à cet endroit. En vain.

— Va-t'en... Occupe-toi... Mu... oï !

Il ne pouvait plus articuler. Il hurla encore.

— Va-t'en !

Mais elle restait là. Un chien essayait de remonter sur la glace avec lui. D'autres y étaient déjà. La glace cassait toujours au fur et à mesure qu'il s'y appuyait, malgré l'épaisseur qui augmentait. Ohio tenait la corde d'une main et il s'accrocha de l'autre à la fourrure du chien qui se hissait. Mais les poils mouillés étaient glissants et ses doigts devenaient gourds. Il lâcha alors que son corps était en partie émergé. La glace tenait enfin. Il se saisit de la corde à deux mains et Mayoké qui avait posé le petit corps inanimé sur la glace le tira. Il rampa sur quelques mètres.

— Vite ! Vite ! Mudoï ! Un feu... Vite !

Elle prit Mudoï dans ses bras et se hâta vers la rive en marchant en biais de manière à s'éloigner de l'endroit où la glace avait cédé. Elle se retournait pour voir si Ohio suivait. À quatre pattes, incapable de se remettre debout, il suivait au ralenti. Il n'arrivait même plus à penser.

Un grand feu dansait devant lui et il séchait le petit corps rougi par le froid de son bébé avec des peaux de lièvre. Il était dans un tipi qu'éclairaient les flammes, hautes et brillantes. Mayoké faisait sauter sur ses genoux le petit Mudoï qui riait aux éclats. Soudain, il chercha de l'air et suffoqua. Il fit un effort surhumain pour ouvrir les yeux. Il était tombé. La neige profonde de la berge lui obstruait le nez. Il écarquilla les yeux. Il ne vit rien. Mayoké devait être montée sur la berge et allumer un feu. Oui, c'est sûrement ce qu'elle faisait. Elle allait s'occuper de Mudoï, elle reviendrait le chercher. Il n'avait qu'à attendre. De toute façon, il ne pouvait plus rien faire. Ses mains refusaient même de s'ouvrir. Il ne sentait plus ses pieds. Il fermait les yeux lorsqu'un chien vint se blottir contre lui en gémissant et tenta de le relever en lui donnant des coups de truffe dans les reins. Il balbutia :

— Torok ! Arrête... Toro... !

Il voulut bouger, mais son corps s'était détaché de son esprit. Entre les deux, tout échange se trouvait étouffé. Son désir de bouger était trop loin.

Tout à coup il fut bien. Il avait chaud. De grosses bûches de pin brûlaient dans un âtre de pierre installé dans le tipi dont le sol était jonché de fourrures. Il reconnut celles des deux grizzlys et celle du bison que Mayoké et lui avaient tué dans les marais à l'est du grand lac des Esclaves. Mudoï dormait, lové dans l'épaisseur du poil, contre Mayoké. Une de ses mains était enrubannée avec des bandes en cuir de lièvre. Il se rappela qu'elle avait été gelée superficiellement dans l'accident et une bouffée d'émotion le submergea. Il la prit dans la sienne, caressa la peau tendre et duveteuse du bras du bébé qu'il embrassa. Il allait guérir. Tout allait bien. Maintenant, il ferait plus attention à lui. Mayoké souriait dans son sommeil. Il s'allongea près d'eux et s'endormit lui aussi, un bras protecteur autour de son fils.

Lorsqu'il se réveilla, Mayoké remettait du bois dans le feu qui brûlait non pas dans un âtre, mais sur le sol. Il vit comme dans un brouillard une toile tendue au-dessus de lui qui n'était pas le tipi. Les forces lui manquaient pour ouvrir la bouche. Il essaya, mais il ne réussit qu'à grogner. Mayoké se retourna et le regarda. Son visage était méconnaissable. Ohio s'efforça de nouveau d'ouvrir la bouche, mais aucun mot ne franchit ses lèvres entrouvertes. Ses yeux restaient fixés sur ceux de Mayoké qui le regardait sans complaisance, gravement. Il voulut tendre le bras vers elle et ce seul effort lui arracha une plainte. Mayoké l'aida à avaler un liquide chaud qui lui fit beaucoup de bien. Il réussit à tout boire et retomba sur le dos, épuisé par l'effort. Il chercha Mudoï, mais ne le vit pas. Il voulut encore parler mais aucun son ne sortait de sa bouche, comme si une force invisible retenait les mots à l'intérieur de lui-même. Tout se mit à tourner et il ferma les yeux.

Si Ohio n'avait pas été là, Mayoké se serait laissée mourir, le petit corps de son bébé contre elle. Lorsqu'elle l'avait ramené en le halant sur la glace, elle avait tout de suite vu que la vie l'avait quitté et elle n'avait rien pu faire pour le réanimer. Alors, elle était montée sur la rive et elle avait allumé un feu, en pleurant silencieusement, le corps agité de tremblements qui n'avaient rien à voir avec le froid. Elle agissait mécaniquement, Mudoï serré contre elle. Elle lui avait enlevé ses vêtements mouillés et l'avait mis dans la poche ventrale prévue pour lui dans sa veste en cuir de caribou et en fourrure de lièvre, bien au chaud. Elle était retournée à son traîneau, avait libéré les chiens qui ne l'avaient pas déjà fait eux-mêmes en cisaillant les traits avec leurs crocs. Elle avait récupéré sa hache et la toile avec laquelle elle recouvrait son chargement. Puis elle avait installé un auvent et coupé un lit de branchages en sapin sur lequel elle avait couché Ohio après l'avoir traîné jusque-là.

Ses vêtements commençaient à se rigidifier, mais ne l'étaient heureusement pas totalement car Torok, en se collant contre son maître, avait empêché tout le côté droit de son corps de geler. Mayoké l'avait déshabillé puis recouvert de sa veste et avait mis ses vêtements à sécher auprès du grand feu qu'elle alimentait avec du bois échoué.

Pendant plus de deux heures, elle avait frictionné Ohio qui délirait. Enfin, il avait retrouvé un pouls régulier et s'était endormi dans ses vêtements secs, allongé sous l'auvent qui piégeait la chaleur du feu. Alors seulement elle s'était occupée du corps de son bébé. Elle n'avait plus pleuré. Ni crié. Sa détresse était au-delà. Elle s'était assise et avait déposé le petit corps sur ses cuisses comme elle le faisait souvent pour jouer avec lui et le chatouiller, ce qu'il adorait. Puis elle l'avait rhabillé avec ses affaires sèches et elle était restée ainsi, alors qu'une douleur insoutenable l'empêchait de faire le moindre geste et de détourner son regard de ce petit être qu'elle aimait plus qu'elle n'en croyait son cœur capable. Que n'aurait-elle donné pour mourir avec lui, pour ne plus ressentir ce poids qui lui comprimait la poitrine au point de l'étouffer ?

Combien de temps resta-t-elle ainsi ? Ohio était un instant sorti de sa léthargie et elle avait déposé Mudoï sur le lit de branchages pour faire boire à Ohio l'eau tiède qu'elle avait réussi à faire chauffer dans la bourse de cuir qu'elle portait sur elle. Peu à peu, à la souffrance de la mort de son enfant s'en ajouta une autre. Elle avait deux amours et la perte de l'un d'eux avait entraîné l'altération de l'autre. Elle voulait rentrer chez elle. C'était fini. Elle voulait tout oublier et faire le deuil de Mudoï, seule.

30

Mayoké était partie chercher du bois lorsque Ohio reprit conscience et trouva Mudoï enveloppé dans ses petits vêtements, froid et sans vie, les yeux cousus comme c'est l'usage pour les enfants qui n'ont pas encore l'âge de marcher. Ainsi, les grands esprits les prennent par la main et les guident vers le royaume de l'au-delà où ils leur rouvrent les yeux.

— Mudoï ! Mon petit Mudoï !

Il le prit dans ses bras et le berça alors qu'une sourde colère grandissait en lui, qui l'étonna. À qui en voulait-il, sinon à lui-même ? C'était lui qui conduisait le traîneau et qui aurait dû voir la modification de la glace. C'était lui qui aurait dû s'interroger sur l'absence de piste. Lui encore qui au premier signe de fragmentation de la glace aurait dû se saisir de Mudoï. Oui, c'était lui le fautif.

Quand Mayoké revint, deux heures plus tard, avec un chargement de bois, Ohio tenait toujours Mudoï dans ses bras. Elle ne prononça pas un mot et son visage n'exprimait rien. Que pouvaient-ils se dire ? Ohio baissa les yeux. Sa tête lui faisait mal et tout s'était de nouveau mis à tourner. Il déposa délicatement Mudoï et se recoucha. Il aurait voulu se lever pour aider Mayoké, mais il en était encore incapable.

Il fit un effort violent pour se souvenir de ce qui était arrivé exactement, mais l'accident n'apparaissait dans son esprit que par bribes. Les chiens ? Il en revoyait quelques-uns sur la glace, d'autres dans l'eau avec lui. Il se rappela que Torok s'était couché contre lui. Était-ce bien lui ? Tout cela restait flou et il devait par moments ouvrir les yeux pour se rendre compte que ses souvenirs étaient réels et non pas nés de ses cauchemars. Non, c'était bien pire que cela et Ohio se sentait pour la première fois de sa vie totalement anéanti. Le pire était arrivé. Il aurait préféré mourir avec son petit Mudoï. Au moins auraient-ils fait ensemble le voyage vers l'au-delà. Il l'aurait guidé et Mayoké n'aurait pas été obligée de lui coudre les paupières. Pourquoi n'avait-elle pas attendu qu'il se réveille ? Rien ne pressait.

En fin d'après-midi, il se leva. Mayoké n'était pas là. Il tenait à peine sur ses jambes. Quelques chiens étaient attachés à la ligne de trait. D'autres, libres, couchés, bâillaient paresseusement.

— Torok !

Le chef de meute qui dormait au pied d'un sapin se rua hors de sa cache dans un éclaboussement de neige et courut vers son maître. Ohio l'enlaça et se mit à pleurer.

— Mon Torok ! Mon Torok !

Voulk s'approcha et Torok se mit à grogner, le tenant à distance.

— Viens, Voulk !

Il le caressa mais Torok continuait de grogner, menaçant.

— Arrête, Torok !

Il se calma. Ohio resta longtemps ainsi, cherchant dans la chaleur de cette étreinte sauvage une raison de vivre. La pâle lueur du jour était sur le point de disparaître lorsque Mayoké revint avec deux perdrix qu'elle lança sous l'auvent. Leurs regards se croisèrent, mais ils ne dirent rien. Ohio pluma les oiseaux qu'ils se forcèrent à manger sans proférer la moindre parole. Mayoké, épuisée, s'endormit et Ohio veilla sur le feu. On entendait au loin la plainte d'un loup qui ressemblait à celle d'une âme errante et se mêlait aux murmures des cauchemars de Mayoké. Elle se dressait en sursaut sur le lit de sapin, et Ohio ne savait que faire car, aussitôt réveillée, elle le repoussait doucement. Elle ne pouvait ni ne voulait partager sa détresse. C'était ainsi qu'elle se vengeait sur elle-même de l'injustice de cet accident qui lui avait pris son fils.

Durant la nuit, le ciel se chargea de nuages puis le vent se leva. Les premiers flocons dansaient au-dessus des flammes. Ohio attendait l'aube. Il dormait par intermittence. Le loup s'était tu, un grand silence régnait dans les solitudes blanches. Chaque fois qu'Ohio s'endormait, ne serait-ce que quelques minutes, il se réveillait dans l'espoir de sortir d'un mauvais rêve, et chaque fois la réalité s'imposait à lui. Il jetait un regard implorant vers la forme dont il ne savait trop ce qu'elle représentait, dans l'espoir d'entendre un murmure, un souffle, mais c'est la mort qu'il entendait. Celle de son enfant mais aussi celle de ses deux chiens, le brave Gao et Aklosik, dont il se souvenait maintenant qu'il n'avait pu les libérer.

Le matin était gris et venteux. Ohio quitta l'auvent et marcha jusqu'au bord du trou avec un grand bâton. La glace s'était légèrement reformée. Il comprit ce qui s'était passé. Une rivière d'un débit important se déversait dans le lac, fragilisant la glace dont l'épaisseur variait en fonction des remous et des courants qui la rongeaient par en dessous. Il cassa la glace et aperçut la masse sombre de son traîneau qui gisait par trois mètres de fond ainsi que les silhouettes de ses deux chiens morts dans leurs harnais, flottant entre deux eaux. Cette vision l'écœura. Il allait quitter cet endroit maudit lorsque, en regardant de nouveau le traîneau au fond de l'eau, il eut soudain une idée.

— Je vais le récupérer.

Il avait besoin de faire quelque chose. Un vague plan naissait dans sa tête. Sur la rive, il coupa une trentaine de tiges de saule avec lesquelles il balisa jusqu'au trou une piste qui empruntait le maximum de glace solide. Puis Ohio ébrancha deux sapins et commença à les traîner. Mais il dut s'arrêter par trois fois tant il toussait, et il se fatiguait vite. Il décida de remettre au lendemain le renflouage du traîneau et occupa tout son après-midi à chasser les perdrix. Il devait reprendre des forces. Comme il neigeait, il n'en trouva que cinq et en tua trois avec sa fronde. Mayoké restait allongée contre son bébé. Ohio libéra les chiens qui partirent immédiatement en quête de nourriture, et fit cuire les perdrix sur les braises.

— Il faut manger, Mayoké.

C'était le premier mot qu'il lui adressait depuis l'accident.

Elle ne répondit pas et mangea. La présence de cette femme qu'il aimait était devenue un poids. Pourtant, il aurait cru avoir besoin d'elle en toutes circonstances, même les pires. Mais Ohio avait beau chercher les mots qui les réuniraient dans leur souffrance, il n'en trouvait pas et il se mura lui aussi dans le silence.

Lorsque Ohio se réveilla, en pleine nuit, Mayoké sanglotait. Il resta longtemps les yeux fixés sur l'étoile de sa mère à écouter les pleurs qui lui déchiraient le cœur. Plusieurs fois, sa vue se troubla. Les étoiles devenaient de petits cailloux qu'il contemplait depuis son canoë fendant les eaux lisses et transparentes d'un lac infini. Il faisait chaud et il ramait vers une presqu'île où des dizaines de truites moucheronnaient à la surface de l'eau. Au loin, un castor dessinait un sillon argenté et au-dessus de lui l'ombre d'un aigle décrivait dans le ciel bleu des orbes menaçants. Penché sur la pagaie qu'il plongeait à la verticale, Ohio regardait le fond. Des cailloux blancs sur un sol de tourbe noir, comme des étoiles dans un ciel de nuit. Il ne savait plus bien si sa vue se brouillait ou si c'était la surface de l'eau, mais le fond apparaissait et disparaissait. Peu importe, il ramait. Soudain, il vit son traîneau, couché sur le fond. Tout près de lui ses deux chiens noyés flottaient entre deux eaux, et auprès d'eux la forme indistincte de deux corps. Ohio écarquilla les yeux et voulut freiner mais emporté par son élan le canoë s'arrêta trop loin. Il fit demi-tour et se mit à ramer comme un forcené pour revenir vers le lieu présumé de l'accident, et décrivit des cercles de plus en plus grands, mais il ne retrouva pas l'endroit. Il allait, venait, repartait, tournait, en vain. Puis le vent se leva. Il ne voyait plus le fond. Il regarda le ciel qui se chargeait de lourds nuages noirs et il décida de regagner au plus vite la terre ferme, car la tempête menaçait.

Il se réveilla. Le vent chassait de la neige à l'intérieur de l'auvent. Ohio érigea un mur de neige pour les protéger et refit du feu. Pelotonnée sous sa veste, Mayoké tremblait. Il veilla tout le reste de la nuit pour réalimenter le feu. Au petit matin, il était plus que jamais décidé à récupérer son traîneau et le précieux chargement. Les chiens étaient revenus bredouilles de leur chasse. Seuls quelques-uns avaient réussi à attraper des lièvres au hasard de leurs pérégrinations. Ohio le vit au sang qui maculait leur poil. Mayoké toussait et avait de la fièvre. Ohio la fit boire et s'en alla en laissant près du feu une belle provision de bois mort récupéré sur la rive. Il harnacha les chiens, s'empara de la ligne de trait et de la corde qui se trouvaient sur le traîneau de Mayoké et se dirigea vers le trou en empruntant le chemin tracé sur la glace solide.

C'était de la folie d'entreprendre ce sauvetage seul. Il le savait, mais il s'en fichait. Il s'infligeait cela comme une punition. La journée était grise et froide, venteuse avec par intermittence de petites averses de neige qui tombaient en rafales, presque du grésil. Une fine couche de glace avait recouvert le trou, il la cassa avec les perches. Les chiens, la queue basse, se tenaient à l'écart et Ohio dut les rappeler plusieurs fois avant qu'ils consentent à s'approcher. Le souvenir de l'accident restait gravé en eux. Cet endroit sentait la mort.

Ohio testa la glace au bord du trou et, à l'endroit où elle était le plus solide, fit glisser parallèlement les deux longues perches de bois jusqu'au traîneau, puis planta leurs extrémités dans la vase. Empoignant la hache de Mayoké, il cassa la glace sur deux mètres afin d'atteindre la zone où elle était encore plus solide et cala les deux autres extrémités des perches de part et d'autre du couloir ainsi formé. Il attela les onze chiens aux cordes en faisant de nombreux nœuds sur la ligne de trait de Mayoké, prévue pour cinq seulement. Il leur ordonna de s'asseoir puis tailla dans la glace des cales afin qu'ils puissent tirer sans glisser.

Il ne restait plus qu'à nouer l'extrémité de la corde à l'avant du traîneau, à le remettre à l'endroit et à faire tirer les chiens en espérant qu'ils auraient assez de force pour le sortir de l'eau. Ohio n'hésita qu'un instant et s'en voulut de son manque de courage passager. Il se déshabilla, ne gardant qu'une chemise de cuir fin qu'il portait sous sa veste. Il frissonna dans le vent et se roula dans la neige jusqu'à ce que sa peau contractée devienne presque insensible au froid.

— Sage, les chiens !

Il répéta.

— Sage ! Assis !

Puis il se laissa glisser dans l'eau avec le bout de la corde enroulé autour du poignet. Il suffoqua. Le froid était horrible. Il dut faire un effort insensé pour mettre la tête sous l'eau alors que ses tempes explosaient, ou du moins en éprouvait-il la sensation. Dès lors, il savait que le temps lui était compté. Plongé dans une eau glaciale, le corps ne dispose que de quelques minutes, cinq ou six au grand maximum avant que la température du sang ne dégringole en deçà d'un seuil irréversible. Alors il plongea. Il voyait mal, mais à tâtons il réussit à fixer la corde à l'avant du traîneau puis à le faire pivoter sur les deux perches. Il remonta chercher de l'air. Déjà ses mains ne répondaient plus, sa tête lui semblait avoir doublé de volume, ses oreilles lui faisaient tellement mal qu'il aurait voulu les arracher, en profondeur. À travers un nuage, il vit que Torok avait entraîné toute la meute au bord du trou.

— Non ! réussit-il à prononcer, les mâchoires raidies par le froid. Devant ! Devant !

Torok s'élança.

— Doucement !

Heureusement l'élasticité de la corde l'empêcha de se rompre lorsqu'elle se tendit. Au fond de l'eau, le traîneau bougea un peu, mais se bloqua.

— Allez ! Alleeeeez !

Les chiens creusèrent les reins et réussirent à le haler jusqu'au niveau de la glace. Ils ne purent aller plus loin, arrêtés par le poids du chargement gorgé d'eau. Le traîneau resta bloqué à mi-corps, l'avant hors de l'eau, le reste baignant dans un mélange de neige, d'eau et de glace. Ohio s'accrocha au trait et essaya de se hisser lui-même sur la glace, mais ses mains ne se refermaient pas sur la corde. Elles étaient devenues deux masses inertes. Il sentit ses forces l'abandonner. Il tenta de monter avec ses coudes, mais il glissait. Un voile passait devant ses yeux, il eut l'impression d'être attiré vers les profondeurs. Pourtant il se maintint encore sur le bord du trou, les coudes sur la glace, claquant des dents. En un éclair, Torok fut sur lui et, saisissant sa chemise de cuir entre ses dents, il le tira, mais le milieu de son corps restait bloqué. En un effort désespéré, Ohio parvint à battre l'eau avec ses jambes et à se dégager alors que Voulk, venant à la rescousse, avait attrapé un autre pan de chemise.

Ohio fut bientôt sur la glace. Il commença à avancer à quatre pattes, puis il se mit péniblement debout. Il ne savait plus s'il rêvait. Continuer vers la berge. Mettre un pied devant l'autre. Suivre Torok. Aller vers le feu.

— J'ai oublié mes affaires sur la glace. Et le traîneau ? Voilà Mayoké. Est-ce bien elle ? Où est Mudoï ? Il ne s'est pas noyé alors ? Avancer encore. Mayoké parle, mais je ne comprends pas. Ma tête ! Que j'ai mal. Mes oreilles.

Elle le soutint jusqu'à l'auvent. Elle le déshabilla devant le feu et retourna sur la glace chercher sa veste. Elle s'occuperait des chiens plus tard. Certains commençaient à ronger leurs liens comme l'avaient fait Torok et Voulk. Puis elle le rhabilla et raviva le feu. Elle commença à s'inquiéter lorsqu'il cessa de trembler, mais bientôt les couleurs revinrent sur ses membres livides. Elle lui en voulait d'avoir tenté cette manœuvre désespérée tout seul. Ne comptait-elle donc pas pour lui ?

Dévoré par la fièvre, Ohio délira toute la nuit, veillé par Mayoké. Le sang ne revenait toujours pas dans deux de ses phalanges qui commençaient à noircir, et elle en déduisit qu'il allait les perdre. Le lendemain, elle retourna sur la glace. Le ciel s'était éclairci, le grand froid revenait. Les chiens avaient disparu. Sans doute étaient-ils partis en chasse. Ils devaient commencer à drôlement ressentir la faim.

Le traîneau gisait, pris dans les glaces. Mayoké se saisit de la hache et entreprit de dégager le chargement, par bloc, en essayant de ne pas trop abîmer les pièces essentielles. À l'avant, il y avait surtout le matériel le plus léger, les sacs de couchage et les peaux de caribou. Elle ramena les blocs de glace près du feu et les fit décongeler. Bientôt toute la partie émergée du traîneau fut vide. Elle ne pouvait aller plus loin, car l'eau remontait dans les trous qu'elle creusait et gelait aussitôt. Pour continuer, il fallait atteler de nouveau les chiens au traîneau et le dégager, au moins en partie. Mais les chiens ne revenaient pas.

Au soir, Ohio commença à émerger de l'état léthargique dans lequel il était plongé et posa quelques questions. Mayoké comprit qu'il confondait l'accident et ce qui s'était passé la veille. Elle avait récupéré une gamelle dans le traîneau et lui prépara des tisanes d'épinette qu'il but directement dans l'écuelle. Les chiens rentrèrent enfin, tous ensemble. Mayoké alla vers eux et dans la lumière que dispensait le feu, elle vit leur poil maculé de sang. Ils avaient tué un jeune élan. Leur fourrure, où se mêlaient le sang et les poils, en gardait la preuve.

— C'est bien, les chiens ! C'est bien !

Ohio ne put se lever que le surlendemain. Mayoké était retournée avec les chiens attelés à son petit traîneau jusqu'à la carcasse de l'élan, que deux loups avaient malheureusement en partie nettoyée. Elle put cependant prélever sur une épaule encore coincée sous la neige un peu de viande qui leur redonna quelques forces.

Mayoké restait froide et distante avec Ohio, et

l'avait vertement réprimandé pour avoir tenté seul ce sauvetage absurde. Ohio n'avait rien trouvé à répondre. Peu lui importait. Il s'était fâché lorsqu'elle avait voulu accrocher le corps gelé de leur bébé en haut d'un pin pour éviter qu'une martre ou un renard ne vienne le dévorer au cours de la nuit. Puis il l'avait laissée faire. C'est à ce moment-là qu'elle lui dit son intention de retourner dans son village pour aller placer Mudoï dans la demeure éternelle de ses parents.

— Je ne l'abandonnerai pas ici au milieu de tous ces fous. Les grands esprits ont depuis longtemps quitté cette partie du pays.

Ohio n'avait pas protesté ni posé de question. Il n'en avait pas envie. Il lui dit simplement qu'elle pouvait prendre les cinq jeunes chiens et le petit traîneau. Lui continuerait vers Québec. Puis il se mura dans un silence que rien ne semblait pouvoir briser. Pendant deux jours, il batailla seul pour remonter l'arrière du traîneau. De son côté Mayoké attrapa au collet un grand nombre de lièvres sur les berges de la rivière, et sécha les affaires ou plutôt les blocs de glace qu'Ohio rapportait peu à peu. Toutes les peaux et les sacs étaient lacérés par les coups de hache et elle les recousit patiemment. Enfin, au milieu du troisième jour, où Ohio tomba par deux fois dans l'eau glaciale car il dut élargir le trou, les chiens parvinrent à extraire le traîneau de sa prison de glace. Il fit un énorme feu et le dégela jusqu'au milieu de la nuit.

Le lendemain, ils purent remonter le tipi avec ce qui restait des peaux. Ohio alluma un feu et pour la première fois depuis l'accident, il sentit un peu de bien-être lui réchauffer le cœur. « Notre vie ressemblera-t-elle à ce tipi ? Peut-être avons-nous une chance de rapiécer nos existences ? Ce tipi ne ressemblera plus jamais à ce qu'il a été, mais, à force de volonté, nous avons pu le remonter et ce soir, il fait bon et chaud sous ces peaux qui nous protègent si bien du vent et de la neige. » Mais il ne parvint pas à rompre son silence pour exprimer ce frêle espoir à Mayoké.

Comme ses phalanges noircies s'infectaient, il décida de les couper à la jointure. Mayoké aurait pu s'en occuper mieux que lui, mais il voulut le faire seul. C'était sa punition. Alors elle le laissa et alla distribuer aux chiens les lièvres qu'elle avait attrapés le matin. Pour s'insensibiliser, Ohio plongea un long moment sa main dans l'eau glaciale, puis, avec un couteau rougi à la flamme, il coupa les chairs autour des deux os et d'un coup sec fit sauter les phalanges à la jointure. La souffrance était horrible, intolérable, mais il la préférait encore à sa torture intérieure. Enfin il cautérisa et, épuisé, à moitié évanoui par la douleur, il s'allongea. Il trouva encore la force de se saisir de l'unique bouteille d'alcool qu'il transportait et la vida à moitié. Un certain bien-être finit par l'envahir mais la douleur ne s'éloigna pas beaucoup.

31

Sacajawa l'avait prévu : la famine.

Klawask n'était pas revenu avec les sacs de farine sur lesquels les Nahannis comptaient. Sur les territoires de trappe, les animaux, chassés en début de saison pour servir d'appât, s'étaient mis à manquer. Alors les Nahannis avaient puisé dans les réserves de caribous, insuffisantes pour l'hiver, et commençaient à manger les saumons, en principe destinés aux chiens. Il en était de même dans le village d'Oujka, si bien que les Nahannis ne pouvaient compter sur leur aide.

— Cette famine servira de leçon, assena Sacajawa alors qu'elle tenait conseil avec Ouzbek.

— Comment peux-tu dire cela ? Des vieillards et des enfants risquent de mourir, lui répondit le chef.

— Personne n'a voulu m'écouter quand j'ai prédit ce qui nous arrive aujourd'hui. Il est trop tard pour se lamenter. Le grand troupeau était là à l'automne et nous l'avons laissé repartir sans prélever notre part, impatients que vous étiez tous de rejoindre vos territoires de trappe pour vous procurer ces merveilles des Blancs !

Ouzbek baissa les yeux, pris en faute. Il avait été parmi les premiers à quitter les grands plateaux après une première chasse qui aurait dû être suivie d'autres sur l'arrière du troupeau pour compléter leurs réserves. Mais il avait pensé que les quarante caribous tués ce jour-là suffiraient.

— Que faire ?

— Rankhan propose que nous partions vers l'est dans les montagnes Spatzizi pour chasser chèvres et mouflons.

— La neige gênera l'approche, il vaut mieux aller vers le sud à la recherche de petites hardes d'orignaux, proposa Ouzbek.

— Deux ou trois orignaux ne suffiront pas.

— Quelques mouflons non plus. Certes, les hardes sont plus nombreuses, mais tu sais bien qu'en hiver l'approche est presque systématiquement vouée à l'échec.

— Avec des arcs, oui, mais Rankhan possède une de ces armes des Blancs qui permet de tirer à plusieurs portées de flèches.

— Il fut un temps où tu critiquais ces armes, dit Ouzbek sans dissimuler une pointe de malice.

— Nous vivons depuis toujours sans elles, lui fit remarquer Sacajawa, et je ne suis pas sûre que les grands esprits éclairent notre chemin vers ces animaux de montagne alors que nous avons laissé passer avec un certain dédain le grand troupeau qu'ils nous ont envoyé. Je serais étonnée que la saison prochaine soit aussi propice.

Ouzbek, mal à l'aise, se retourna vers le chaman. Sacajawa ne venait-elle pas d'outrepasser ses fonctions en interprétant ainsi les faits ? Elle pénétrait là dans le domaine réservé de Ckorbaz, qui pourtant resta silencieux, feignant une profonde réflexion. Sa marge de manœuvre était étroite. C'est lui qui avait chassé Ohio du clan. Bien sûr, le jeune homme serait parti de toute façon, mais Sacajawa s'était bien gardée de le lui dire. Au contraire, elle le tenait pour responsable et l'avait menacé de dévoiler à tous les artifices qu'il utilisait dans ses prétendus pouvoirs magiques, car elle connaissait une grande partie de ses secrets. Elle avait exigé de Ckorbaz la promesse qu'Ohio serait le bienvenu lorsqu'il reviendrait, sans quoi elle veillerait à ce que la flamme de son pouvoir s'éteigne. Ckorbaz, qui était fourbe mais intelligent, savait où se trouvait son intérêt. Il avait habilement manœuvré les Nahannis, laissant peu à peu entendre que le destin d'Ohio le ramènerait un jour au village pour le bien de tous. Et il restait vis-à-vis de Sacajawa d'une prudence extrême.

— Les grands esprits n'abandonneront pas les Nahannis, déclara-t-il avec conviction.

— Pourquoi Rankhan se joindrait-il à notre chasse, lui qui ne supporte que la solitude ? demanda Ouzbek.

— Ce ne sera pas une chasse de groupe. Nous ne partirons qu'à cinq : Rankhan, Oujka et moi, plus Ulah et Nutak avec leurs chiens, pour transporter la viande depuis là-bas jusqu'ici. Rankhan ne veut personne d'autre.

Ouzbek, vexé de ne pas avoir été choisi, cherchait un moyen de sauver la face quand Sacajawa reprit.

— Il pense que tu dois demeurer ici. Nous vivons une période trouble et le village ne doit pas rester sans la protection d'un chef.

C'était habile et Ouzbek apprécia.

Rankhan, le voyageur solitaire, était un chasseur kutchin qui avait passé l'essentiel de sa vie à arpenter les montagnes en tous sens. Il était une sorte de légende vivante et de nombreuses histoires circulaient sur ce voyageur en éternel mouvement que l'on rencontrait dans des circonstances insolites. On disait qu'il parlait aux grizzlys et qu'à l'affût, il était capable de dormir en équilibre sur la branche d'un arbre. On racontait qu'il chantait avec les blizzards et qu'il avait descendu une rivière en pleine débâcle sur un morceau de glace avec une perche. Mais tout cela n'était rien à côté des exploits de chasse qu'on lui attribuait, lui capable de trouver un élan là où tout un clan n'avait pas vu une seule trace, lui capable de suivre pendant des lunes une harde de caribous par des températures glaciales ou d'attirer toutes sortes d'oiseaux en imitant leur cri. Rankhan le Grand. Celui dont on parlait avec un mélange de respect et d'admiration, le héros dont la vie trépidante flambait dans ses yeux d'aigle et vibrait dans sa voix.

— N'a-t-il pas d'autres projets que celui de chasser pour nous ?

— Tu sais que Rankhan est en train de se constituer un attelage ?

— Je sais qu'il a échangé une chienne contre deux peaux de chèvre. Ulah me les a montrées, dit Ouzbek.

— Zeilza attend des chiots et Rankhan restera jusqu'à leur sevrage. Il prévoyait d'aller trapper à l'ouest d'ici.

Ouzbek ne comprenait toujours pas.

— Il a besoin de viande pour son attelage.

— Mais n'a-t-il pas rapporté un élan entier des marais d'Isotia ? s'étonna Ouzbek.

— Il a distribué la viande. Le crois-tu capable de nourrir ses chiens alors que nos enfants risquent de manquer ?

— Rankhan est un grand chasseur et un grand homme, mais cette expédition ne doit pas être la seule. Je constituerai un autre groupe pour aller chasser l'élan vers le sud. Nous partirons dans deux lunes, lorsque les jours commencent à rallonger et que les élans remontent.

— Comme il te plaira, Ouzbek.

Quelques jours plus tard, Rankhan revint du village des Chipewyans avec de mauvaises nouvelles. Là-bas aussi, la famine menaçait les habitants, victimes par ailleurs d'une étrange maladie qui touchait plus particulièrement les jeunes enfants. Sept étaient déjà morts. Eux aussi attendaient le retour de Klawask avec ses sacs de farine, ses armes, ses pièges, le thé, les vitres et les rouleaux de toile...

Le groupe de Nahannis réunis dans la cabane de Sacajawa autour d'Ouzbek et de Rankhan ne parvenait pas à dissimuler son angoisse.

— Ils disent qu'il est mort en voyage, attaqué par des Tahltans qui lui ont dérobé toute sa marchandise, leur apprit Rankhan.

— Mais alors, s'inquiéta Ouzbek, toutes ces fourrures, nous les avons récoltées pour rien ?

— Gardez-les précieusement. Un comptoir est en train de s'installer sur la rivière Liard. Là-bas, vous obtiendrez tout ce que vous voulez.

— C'est loin ?

— Ça le sera de moins en moins.

— Pourquoi ?

Rankhan était réservé et il fallait toujours l'encourager à s'expliquer, car il se parlait plus à lui-même qu'aux autres. Il était absent, déjà ailleurs, dans les Montagnes où il allait poursuivre les chèvres et les mouflons.

— Les Castors et les Sekanis trappent tout autour du comptoir et s'enfoncent toujours plus loin. D'autres, des Sekanis et des Esclaves, se rendront à ce comptoir par le sud. La piste sera faite. Les arbres seront coupés, les glaciers taillés, des ponts vont être construits au-dessus des zones ouvertes et dans les rapides de la Truite grise. Le voyage se fera vite.

— Et qui va s'attribuer cette zone ? demanda Sacajawa qui ne partageait en rien l'enthousiasme des autres.

— Je suppose que c'est déjà fait.

— De toute façon, les zones qui se trouvent à proximité de ces maudits comptoirs ne vaudront bientôt plus rien !

Elle était brusquement devenue rouge de colère, et le silence se fit.

— Que veux-tu dire ? demanda Ouzbek.

— N'as-tu pas vu comment a procédé Hurtik sur la zone de chasse qu'on lui a attribuée dans la vallée de l'Ours ?

— Qu'a-t-il fait ? C'est un très habile chasseur !

— Trop ! Il a tué la totalité des lynx qui se trouvaient là-bas : les femelles, les mâles, les jeunes. L'année prochaine, il n'y aura plus rien ! Au printemps, la vallée n'entendra pas le miaulement des chatons. Il n'en reste pas un !

Les hommes étaient stupéfaits de la violence des propos de Sacajawa qui tremblait de rage.

— D'autres reviendront, Sacajawa, dit Nutak d'une voix douce et conciliante.

— Quels autres ? Ceux de la vallée des Castors ou ceux de la vallée de la Rivière qui chante ? Ceux tués par Yufrak ou ceux tués par son frère ?

— Ils en ont laissé.

— Ah oui ! Ils ont laissé le gros mâle qu'ils n'ont pas pu attraper ! En voilà un bon père qui n'aura pas d'enfants !

Ils avaient tous entendu l'histoire de ce gros lynx qui s'était échappé du piège qu'on lui avait tendu et qui depuis déjouait toutes les ruses.

— Cesse de t'inquiéter, Sacajawa. Les territoires se reposeront l'année prochaine et les lynx reviendront, assura Ouzbek.

— Et pourquoi se reposeraient-ils ? Parce que tu interdiras à tes chasseurs de s'y rendre ?

— Nous aurons les armes. Pourquoi irions-nous de nouveau chercher des fourrures ?

— Des armes ! Et toutes ces marchandises, le thé, le sucre, la farine, la toile, les ustensiles de cuisine, les bougies, les allumettes ? Connais-tu un Nahanni qui ne rêve pas d'une de ces belles vitres transparentes pour sa cabane ? Et les armes, ne faut-il pas les nourrir ? Comment te procureras-tu la poudre et les billes d'acier ? Dans les rivières ? Dans la forêt ?

Le dialogue tournait à l'affrontement entre Sacajawa et son chef, et tous les Nahannis s'étaient tus. Rankhan observait Sacajawa. Dans ses yeux dansait une lueur un peu malicieuse qui lui dessinait une sorte de sourire contraint.

— Sacajawa ! Calme-toi ! Une fois que nous aurons ces armes et ces vitres, il suffira de quelques peaux pour nous procurer le reste. Tout rentrera dans l'ordre.

Sacajawa qui avait conscience d'avoir été trop loin retrouva un timbre plus doux.

— Non, Ouzbek, car les Blancs ont bien d'autres choses que les vitres et les armes à nous proposer. Tant qu'il y aura des fourrures, il se trouvera des Indiens pour céder à la tentation de posséder ces biens que la lumière de notre convoitise éclaire sans que nous regardions l'ombre de sa menace.

Ouzbek se tut.

— Sacajawa n'a pas tort, dit doucement Rankhan. Le caribou manque et les fourrures accumulées dans vos cabanes ne nourriront pas vos enfants.

— Oui, mais si Klawask était venu comme il l'a promis...

— Voilà la seconde leçon, le coupa sèchement Sacajawa. Ne jamais dépendre des Blancs, jamais ! Et ne pas leur faire confiance, ajouta-t-elle gravement, comme pour elle-même.

Et elle s'en alla, suivie de Rankhan qui étouffait dans cette cabane surchauffée où l'on discutaient depuis des heures. Elle se dirigea vers le chenil d'Ohio, construit à l'écart du village, près de la rivière, et qu'elle avait prêté à Rankhan pour y mettre ses trois chiens. Celui-ci la rejoignit alors qu'elle longeait la palissade derrière laquelle les chiens reniflaient.

— Tu as tort de t'énerver, Sacajawa !

— Tu avais pourtant l'air d'accord avec moi ?

— Justement. Les hommes de ce village et d'autres doivent t'écouter et on comprend mal celui qui aboie !

— Qui te dit que les autres villages m'écouteront ?

— Le vieux chaman des Chipewyans le croit. Il m'a raconté la chasse.

— C'est lui qui m'a indiqué où se trouveraient les caribous. Je n'ai aucun mérite.

— Tu en as aux yeux de ceux qui ne le savent pas.

— Pourquoi, certains le savent ?

— Personne d'autre que toi et moi.

— Tu es un bien étrange chasseur, Rankhan.

— Dois-je le prendre comme un compliment ?

Elle ne répondit pas.

— Dis-moi, Rankhan, n'as-tu jamais eu envie de t'arrêter, de prendre une femme ?

— Si, une fois.

Elle lâcha les blocs de glace qu'elle dégageait de la neige et se retourna vers lui, surprise.

— Ça t'étonne ?

— Oui, enfin, je ne sais pas ! Quand était-ce ?

— Lors d'une pêche aux saumons dans les rapides de Schwans.

Elle se mit à rougir.

— Mais... mais pourquoi ne m'as-tu rien dit ? Tu as toujours été si distant avec moi.

— Le fait que je l'aie toujours été aurait dû t'éclairer.

— Tu es si solitaire, toujours parti.

— En voilà peut-être la cause et c'est mieux ainsi.

— Pourquoi ?

— Parce que je t'aime, Sacajawa.

Elle ouvrit la bouche pour répondre, mais Rankhan l'en empêcha d'un mouvement de la main. Il la regardait et elle sut qu'il lisait en elle comme dans un livre ouvert. Rankhan était bien plus qu'un grand voyageur et un audacieux chasseur. Il était aussi doté d'un pouvoir d'observation hors du commun qui lui permettait de voir au fond des cœurs. Avec lui, Sacajawa ne pouvait ni ne voulait tricher.

— Mais… Pourquoi avoir attendu toutes ces années ? Je suis avec Oujka maintenant…, dit-elle avec une certaine amertume.

— Parce que je ne t'aurais pas partagée comme Oujka le fait.

32

Ohio se doutait que le petit élan tué par les chiens n'était pas seul, et il ne s'était pas trompé. La femelle était restée dans la forêt jouxtant le marais et il put l'approcher suffisamment près pour lui décocher une flèche mortelle. Il rentra à la nuit, bien qu'il soit parti avant l'aube. Au retour, il avança vite car le froid avait gelé sa piste et il pouvait marcher sans raquettes. Mais il avait perdu beaucoup de temps à découper la bête puis à placer les différents morceaux à l'abri des loups sur un treillis de branchages en hauteur entre deux pins.

Il arriva au bord du lac. La masse claire du tipi se découpait contre le sombre de la forêt et il sut tout de suite qu'elle était partie. Plus que le feu et l'absence de lumière, c'est en levant les yeux vers le bouleau où Mayoké avait placé Mudoï qu'il eut la confirmation de ce qu'il pressentait.

Elle était partie.

Pour toujours.

En un instant, il prit conscience du vide que l'absence de Mudoï et de Mayoké créait en lui. C'était un précipice sans fond. Le néant dans lequel sa vie allait maintenant glisser à cause de son insouciance. Il n'alluma pas de feu et se coucha. Une seule image l'occupait tout entier. Il revoyait la clairière où Mayoké et lui avaient attendu Mudoï alors que le printemps allumait le ciel et toute la taïga de lueurs joyeuses. Cette lumière resplendissante qui se mariait si bien à leurs rires et leurs sourires. Il revoyait les chiens et les chiots qui gambadaient autour d'eux, et Mudoï ouvrant ses petits yeux étonnés sur le monde. Il revoyait sa petite bouche sur le sein rond et plein de Mayoké gonflé de lait, son regard attendri quand elle caressait la peau duveteuse et tendre de son bébé. Oui, il revoyait tout cela et il ne comprenait pas comment il avait pu tout détruire. Comment la vie pouvait-elle être aussi cruelle, aussi irréversible ? Pourquoi le bonheur lui était-il refusé ? Aurait-il dû s'arrêter quand il l'avait saisi, comme on le fait à la chasse après avoir tué un animal ? Avait-il insulté le destin en voulant repartir en quête de réponses générées par des questions égoïstes ?

Il sombra et, tout au fond de son désespoir éclairé par les sourires de Mudoï dont il ne pouvait se défaire, il revit le vieux visage du chaman Keshad et se souvint de ses paroles. Il devait aller au bout de sa quête. Il devait s'accrocher à cette certitude et ne pas renoncer à la vie. Il serait pourtant si facile de laisser le froid l'emporter. Alors il se leva et alluma un feu, puis alla nourrir ses chiens. Il remarqua que Mayoké lui avait laissé Nanook.

— Mais comment va-t-elle faire pour rentrer jusqu'à chez elle ?

Elle le lui avait dit.

— Maintenant le pire est arrivé. Que veux-tu donc qu'il se passe ?

Il n'avait su que répondre. C'était une accusation plus qu'une question.

Elle était partie et rien n'aurait pu la retenir. Bizarrement, sans réussir à en connaître les motifs, il éprouva une sorte de satisfaction, de soulagement, sans doute parce qu'il avait la conviction de mériter ce châtiment et qu'il ne supportait pas de voir en elle le reflet de son propre chagrin.

— J'ai mérité tout cela, répétait-il, convaincu.

Le lendemain, Ohio partit à son tour avec les sept chiens qu'il lui restait, Torok, Voulk, Oumiak, Kourvik, Huslik, Narsuak et Nanook. Avec la nouvelle lune, le grand froid était revenu mais il ne le sentait pas, ravagé par un feu intérieur.

Il continua par le sud pour éviter de faire des rencontres indésirables. Peu lui importaient maintenant les risques que comportait cette partie du lac. Deux jours plus tard, il atteignit la pointe de Reweenaw qu'il coupa puis il rejoignit un petit village où il vit des sortes de traîneaux tirés par des chevaux. Il faisait presque nuit et personne ne lui prêta attention. Il régnait là une grande activité et de multiples attelages de chiens et de chevaux allaient et venaient. On chargeait et déchargeait des marchandises auprès d'une grande cabane aux magnifiques murs de pierre qui tenait lieu de comptoir. Bien qu'il soit fatigué, Ohio poursuivit et campa dans le bois. Il ne s'arrêta ni dans ce village, ni dans le suivant, et surtout ne parla à quiconque.

Ensuite, il ne rencontra plus personne jusqu'à Wodona. Pourtant les conditions étaient idéales : un temps froid et sec, très clair, si bien qu'il vit le village de loin. Il s'étonna de sa taille et surtout de l'importance de plusieurs constructions en pierre, mais le plus surprenant était ailleurs. Une impression désagréable, angoissante, se dégageait de l'ensemble. Ohio mit un moment à se rendre compte de ce qui n'allait pas.

— La fumée. Il n'y a pas de fumée !

Et pour cause. Le village était désert !

Des dizaines de corbeaux s'échappèrent en croassant alors que des renards s'enfuyaient. Ohio stoppa son attelage et écouta. Le silence. Pourtant il n'y avait aucune trace de bataille, pas de maison brûlée, rien qui eût pu lui donner un commencement d'explication sur ce qui était arrivé. Il pénétra dans la première maison. Personne. Pas de cadavre. Aucun désordre. Il alla ainsi à travers tout le village, une terrible angoisse au ventre. Rien ne le rassurait autant que la solitude lorsqu'il se trouvait dans la taïga, mais pas ici !

Enfin, il aperçut une lueur à travers une fenêtre, dans un cabanon jouxtant un imposant édifice en pierre que surmontait un toit en flèche. Fichée au sommet, la masse noire d'une croix se découpait dans le ciel d'une blancheur de neige. Ohio s'approcha de la vitre givrée et vit un homme aux longs cheveux blancs, assis près d'un petit poêle, qui se balançait doucement d'avant en arrière. Il frappa au carreau, plusieurs fois, et de plus en plus fort avant qu'il se retourne enfin. Le vieil homme le regarda sans étonnement. Il paraissait serein. Ohio entra.

— Ainsi vous voilà !

— Qui attends-tu ? demanda Ohio. Je suis seul.

— Tu n'es donc pas un de ces Iroquois ?

— Non, je suis un Nahanni. Je viens de l'ouest. Qu'est-ce qui est arrivé ici ?

— Ils sont tous partis pour Fort Midlands où se rassemble l'armée anglaise qui doit combattre les Américains et les Indiens achetés avec de viles promesses.

— Et toi ?

— Je ne suis pour personne. Je suis à Dieu.

— Mais pourquoi ces batailles ?

— Pour le contrôle de la région des Grands Lacs.

— Mais ces territoires ne vous appartiennent pas !

— En quelque sorte, si. Québec est désormais aux Anglais ainsi que le reste de l'ancienne colonie de la Nouvelle-France. Anglais et Français ont cessé de se battre.

— Dans le Nord et l'Ouest, la guerre continue.

— Ce ne sont que des guérillas de commerçants, le pays est maintenant aux mains des Anglais.

— Et les Américains ?

— Les frontières au sud restent floues et évoluent au rythme des alliances entre guerriers outaouais et iroquois.

Ohio s'y perdait dans toutes ces guerres et guérillas que Blancs, Indiens et commerçants se livraient en laissant derrière eux des morts et des ruines. Tout cela ne le concernait plus. Les Indiens et les Blancs pouvaient bien s'entre-tuer. Il s'en fichait.

— Tu ferais mieux de partir.

— Suis pas pressé.

— Es-tu baptisé ?

— Baptisé ?

— Es-tu un enfant de Dieu ?

— Je suis le fils de Sacajawa.

Le vieux prêtre soupira.

— Il faut te convertir, mon fils.

— Je ne suis pas ton fils.

— Si tu veux sauver ton âme, il faut te confier à Dieu.

— Le Dieu des Blancs.

— Le Dieu de tout ce qui existe sur Terre.

— Non, le Dieu des Blancs ! Ce Dieu qui arrive avec vous ! Avec guerres, femmes volées, alcool... Avant le Blanc, l'Indien vivait en paix ! Je ne veux ni de ton Dieu ni des Blancs !

— Tu parles comme Pontiac, ce chef des Outaouais qui avait entraîné tous ses frères dans l'athéisme.

— Pourquoi restes-tu ici ?

— Parce que je ne crains rien.

— Moi non plus. J'ai tout perdu. Je ne peux plus rien perdre.

— Si, le plus important : ton âme, murmura le vieux prêtre entre ses dents.

— Dis-moi, quelle route va à Québec ?

— Passe par le nord. Évite le lac Ontario et Montréal. Une piste s'enfonce dans la forêt au fond de la baie Agawa. Apporte-moi cette carte là-bas.

Ohio alla chercher le rouleau que le prêtre lui indiquait et sur lequel il se pencha.

— Ensuite tu rejoindras le lac Abitibi. À partir de là, une piste redescend tout droit vers Québec avec des postes tous les cinquante ou soixante kilomètres. Tu y trouveras du foin et de la nourriture.

— Du foin ?

— Tu n'es pas à cheval ?

— Non, avec des chiens.

— Pour la nourriture, comment vas-tu faire ?

— Je chasserai.

Le vieux prêtre s'esclaffa.

— Chasser ! Mais il n'y a plus un élan à cent kilomètres à la ronde ! Tout a été tué le long de cette piste ! Je te propose quelque chose. Je te confie une lettre pour l'intendant du gouverneur général et en échange je te donne du pemmican, une centaine de kilos si tu veux.

— Pourquoi un échange ? Je porterai ta lettre contre rien si tu veux.

Le prêtre, pris en faute, fronça les sourcils alors qu'Ohio le regardait sans complaisance.

— Bien, dans ce cas je vais écrire la lettre. Le pemmican est dans ce hangar, là-bas, derrière la cabane tout en longueur.

Ohio essuya la buée sur la vitre pour repérer l'endroit.

Une heure plus tard, il repartait en laissant derrière lui le vieux prêtre dans son village vide.

33

Lorsqu'il atteignit le lac Abitibi, trois jours plus tard, une belle tempête de neige se levait. Dès le début de la piste qui filait vers Québec, Ohio rencontra plusieurs attelages de quatre à dix chiens qui venaient approvisionner les comptoirs du Nord et embarquer leurs lots de fourrures.

Comme tous ceux qui effectuaient le transport, Indiens ou Blancs, Ohio allait d'un poste à l'autre, s'y arrêtant pour dormir ou simplement pour manger, car il lui arrivait de sauter une étape et de parcourir plus de cent kilomètres par jour. C'étaient des auberges en bois rond ou des hameaux à partir desquels des Naskapis, des Crees ou des Ojibways ravitaillaient les comptoirs de la Compagnie de la Baie d'Hudson. On y dormait dans des dortoirs chauffés par de gros poêles de fonte. Le dîner était servi à heures fixes, dix-sept heures et vingt heures en fonction de son arrivée, et le matin à partir de cinq heures. Ohio versait chaque fois trois piécettes dont cent équivalaient à une pièce d'or, mais les membres du clergé, les représentants de la Couronne et les salariés de la compagnie se contentaient de signer un registre.

Ohio observait ce monde inconnu en gardant pour

lui toutes les questions qu'il suscitait. Il croyait se noyer dans la masse des Indiens et autres coureurs des bois hétéroclites qui fréquentaient ces lieux. Il ignorait cependant que sa renommée grandissait derrière lui. Jamais un attelage de chiens, et il y en avait de rapides, n'avait enchaîné de telles étapes. Ceux qui l'avaient croisé au lac Abitibi s'attendaient à le retrouver le soir dans le deuxième poste et s'étonnèrent en apprenant qu'il y était arrivé à midi et en était reparti ! Dès le poste suivant, où Ohio était déjà passé depuis deux jours, on l'affubla du surnom de « Ushuayak », « celui qui file comme une tempête ». Comme personne n'allait aussi vite que lui, sa célébrité le suivit toujours, trois jours derrière lui puis quatre et bientôt cinq.

— Et Ushuayak, quand est-il passé ici ? fut bientôt la première question que l'on posait en arrivant dans un poste.

Ushuayak devenait une véritable légende. Dans un pays où l'on risquait sa vie comme à plaisir, les hommes se livraient instinctivement au jeu pour se distraire et les paris commencèrent. On pariait sur le jour où il arriverait à Québec, les plus pessimistes misant sur le fait qu'il épuiserait ses chiens bien avant les deux premiers tiers du parcours, et les autres pensant qu'il effectuerait le voyage en quinze jours.

Comme Ohio parlait peu, il laissait derrière lui une sorte de mystère que son apparence ne faisait que renforcer. Sa jeunesse contrastait avec la dureté de son visage où le chagrin affleurait. Tout ce qu'il avait enduré et souffert se lisait sur ses traits et il en imposait. On le laissait tranquille. Il arrivait, mangeait, dormait et repartait. Il ne faisait pas plus de bruit que ses chiens et filait sur les pistes quel que fût le temps, se jouant du froid, des blizzards et des chutes de neige, ouvrant même par deux fois des pistes comblées par la tempête.

Oui, Ohio allait vite. Jamais ses chiens n'avaient manifesté une telle envie de courir et il avalait les kilomètres comme d'autres mordent dans de la bonne viande. Et Ohio ne s'arrêtait jamais ni pour laisser passer une tempête ni pour se reposer. Il n'aurait pas pu. Cette course l'éloignait de Mayoké et sa fatigue l'aidait à dormir pour ne pas souffrir éveillé, car ses nuits étaient habitées de rêves et non de cauchemars. Dès qu'il s'endormait, il retrouvait Mudoï et Mayoké, et c'était toujours l'été. Ils voyageaient en canoë le long de rivages fleuris. Les rivières regorgeaient de poissons qu'ils pêchaient en riant. Les grizzlys les laissaient tranquilles et ils vivaient loin de tout, à l'écart, dans des montagnes aux cimes enneigées que le soleil du soir habillait de couleurs d'arc-en-ciel. Dans ses rêves, Mudoï grandissait, et Ohio fuyait de plus en plus la réalité de cette piste sur laquelle il courait après l'inaccessible. Quand il se réveillait, il retrouvait le cauchemar de la réalité. Dans les relais, il esquissait un sourire, mangeait en silence et s'occupait de ses chiens, insensible à ce monde, à toutes ces nouveautés, sourd aux rumeurs les plus folles circulant sur cette ville de huit mille habitants qu'il allait découvrir. Plus d'hommes qu'il n'en avait vu dans toute sa vie ! Ce flegme austère grandissait la légende qui le suivait de plus en plus loin alors que Québec approchait.

À quelques jours de l'arrivée, Oumiak accusa la fatigue. Ohio la mit dans le traîneau, puis ce fut au tour de Nanook qui se démit une épaule dans un dévers. Les chiens avaient besoin d'un long repos. À une trentaine de kilomètres de Québec, on lui indiqua un trappeur qui pouvait les garder, au bord du lac Sainte-Anne. Il s'y rendit le soir même et trouva le trappeur non loin de la petite cabane de pêche qu'il transportait en hiver sur des patins tirés par son vieux cheval. Il rentrait chez lui et s'immobilisa en entendant le traîneau.

— Hooooo les chiens !

Ils s'arrêtèrent et se roulèrent aussitôt dans la neige.

— Bel attelage !

— Les hommes de Ruperval m'ont dit que tu gardais les chiens. Je paierai.

— Je fais cela, oui, pour les gars qui ne sont pas de la compagnie.

— Où vont les autres ?

— Jusqu'à Québec. Il y a des gars de la compagnie qui s'en occupent le temps qu'ils restent en ville. C'est un joli foutoir là-dedans. Il y a jusqu'à cent cinquante chiens dans les chenils.

— Tu peux garder les miens ?

— Tu viens d'où ?

— Loin, très loin.

— De l'ouest ou du nord ?

— De l'ouest et du nord.

— Le lac Winnipeg ? Je suis allé jusque-là il y a dix ans pour la compagnie.

— J'y suis passé.

— Je vois, un grand voyageur. Tes chiens sont bien taillés. Si tu veux, tu pourras en obtenir un bon prix.

— Ils ne sont pas à vendre.

— Tu as raison. Un bon attelage, ça rapporte plus de le faire tourner que de le vendre.

— Où est ta cabane ?

— Là-bas ! dit le vieux trappeur en lui indiquant l'extrémité du lac.

Ohio lui ménagea une place à l'arrière et lança les chiens. Comprenant qu'on arrivait, ils prirent le galop jusqu'à la grande cabane en bois rond qui donnait sur le lac à l'endroit où naissait une rivière.

— Fichtre ! Ce sont de sacrés chiens !

— Pourras-tu en prendre soin ?

— Personne ne s'est jamais plaint de mes services.

— Quel est ton prix pour cinq jours ?

— Tu me laisses de quoi les nourrir ?

— Non.

— Alors ce sera deux livres par jour.

— Je te donne le double. Occupe-t'en bien. Nourris-les bien. Ils en ont besoin. Ils ont beaucoup couru.

— Marché conclu !

— Où les met-on ?

— Comme tu veux. À la ligne là-bas ou dans ce chenil.

Il y avait là quelques dizaines de chiens, certains à la ligne et d'autres derrière de hautes palissades de bois renforcées avec du grillage qu'Ohio étudia avec beaucoup d'intérêt.

Le jeune homme hésitait. Il préférait les laisser libres dans un chenil qu'attachés court à une ligne, mais il craignait une bagarre entre Voulk et Torok. Pourtant les deux chiens observaient une trêve et depuis le début de l'hiver se respectaient. Il décida de tenter l'expérience. Après tout, encore dernièrement, lorsqu'ils étaient partis chasser seuls le petit élan, tout s'était bien passé.

— Mettons-les dans le chenil. Mais surveille ces deux-là, en cas de bagarre tu dois les séparer.

— Je m'en souviendrai.

Ils dételèrent les chiens puis les nourrirent et enfin les installèrent dans le chenil où ils trouvèrent leur place sous des sapins.

— Ils sont épuisés.

Effectivement, aussitôt repus les chiens se roulèrent en boule et s'endormirent, loin de se douter qu'ils étaient devenus, avec Ohio, les héros de cette piste sur laquelle ils avaient filé plus vite que le vent. Leur histoire ne les rattraperait que lorsque le premier homme au courant de l'exploit arriverait à Québec, sans doute une semaine plus tard.

Ohio pénétra dans la grande cabane du vieux trappeur et s'étonna des piles de fourrures entassées sur le sol.

— Tu as trappé tout ça !

— Moi c'est Bill, et Bill, il ne trappe plus depuis longtemps. Ici il n'y a plus que des chevaux et des chiens ! Les animaux à fourrure, pour en trouver, il faut aller de plus en plus loin. Ça, ce sont les Montagnais qui les apportent et je les leur échange. Je paie mieux que le comptoir car je traite directement avec la compagnie.

— Des Montagnais ?

— Oui, j'ai passé dix ans là-haut, je les connais bien.

— Connais-tu... Mudoï ?

Ohio eut quelque difficulté à prononcer le nom de son ami.

— Mudoï ? Mudoï... Non, de quel village ?

— En bas de la baie James.

— Moosene, donc. Je connais le chef, Nottaway. Son fils m'apporte des peaux. Il doit revenir bientôt.

— Peux-tu lui demander s'il connaît Mudoï ?

— D'accord.

Ils partagèrent leur repas, préparé par une vieille femme qui ne parlait pas, se contentant de ronchonner dans son coin. Bill lui raconta qu'il avait connu son heure de gloire lorsqu'il avait travaillé pour le compte des Français dans le nord du pays.

— Maintenant le pays ne vaut plus rien. Les Anglais n'y comprennent rien.

— Anglais ou Français, les Blancs ne comprennent pas le pays.

— Pas plus que toi tu ne comprends le leur, petit.

Mais je peux te dire que dans le temps, il y a eu de sacrés gaillards qui ont sillonné le pays dans tous les sens et ont crevé les Indiens sur les pistes.

— À cause des Blancs, la guerre est partout.

— C'est bien plus compliqué que ça, mon gars. Mais dis-moi, qu'est-ce que tu viens faire par ici ? Du négoce ? Tu n'as pas beaucoup de bagages…

— Je suis un voyageur, c'est tout.

Bill fit une moue sceptique.

— Oh ! Tu fais bien ce que tu veux. Ça ne me regarde pas, du moment que tu me paies.

— Je paierai à mon retour.

— Ça me va ! De toute façon, si tu ne reviens pas, tes chiens me payeront largement !

— Je reviendrai. Connais-tu Claire Morin, de la Compagnie de la Rivière rouge ?

— Il faut que tu ailles dans la ville basse, là où mouillent les navires et où s'amarrent les barges. Tu demanderas aux commis des marchands, ils connaissent tout le monde.

Si Keith avait conseillé à Ohio d'aller voir cette femme, c'est qu'elle était une bonne piste pour commencer ses recherches.

34

Cette nuit-là, son sommeil fut agité et il ne rêva ni de Mudoï ni de Mayoké. Alors il se réveilla avec l'atroce sensation de les avoir totalement perdus, corps et âme, puisqu'ils ne venaient même plus dans ses rêves entretenir ce délicieux mensonge.

Bill lui trouva un transporteur qui se rendait à Québec pour livrer des fûts de sirop d'érable. Sa charrette, tirée par une belle mule aux poils longs et épais, était équipée de sortes de skis qui s'attachaient sous les roues bloquées par un ingénieux système de chevilles.

— Lorsqu'on arrivera à Québec, j'enlèverai les patins. Il n'y a guère de neige dans les rues.

Ils traversaient, sur une piste assez large, un paysage de collines. De loin en loin on apercevait des fermes que desservait tout un réseau de pistes où des chevaux allaient et venaient, attelés à des chariots. De grands espaces défrichés taillaient la forêt de façon plus ou moins rectiligne et des haies séparaient les petits champs qui dormaient sous leur linceul de neige. Ils passèrent sur un pont constitué de madriers dont Ohio admira l'épaisseur. Enfin, vers midi, il aperçut la ville. Ohio retint son souffle. C'était au-delà de tout ce qu'il avait imaginé. C'était immense, colossal. Des centaines de colonnes de fumée montaient dans le ciel d'un beau bleu pâle illuminé par le soleil. Et des maisons partout, côte à côte, certaines immenses. Mais le plus étonnant était le port que l'on distinguait au bord du fleuve et où s'entassaient des bateaux gigantesques. Une sensation bizarre assaillit Ohio. Plus ils approchaient, plus la ville grossissait et plus il se sentait minuscule, insignifiant dans cet univers de géant. Quelle puissance avaient les bâtisseurs de telles merveilles ! Il n'était rien, lui, avec son arc, son canoë et ses chiens, et surtout, que pourrait son peuple lorsque les Blancs décideraient de s'approprier son territoire ? Oui, que pouvait-on face à des hommes capables de construire une telle ville et de pareils bateaux ?

Ils arrivaient. La ville aux maisons et monuments de pierre se découpait sur la blancheur du fleuve gelé où le passage des bateaux entretenait encore un chenal étroit qui conduisait à la mer. Ohio se fit déposer au pied des remparts qui entouraient la ville. Il prit une rue au hasard et déambula en écarquillant les yeux. Une femme somptueusement vêtue traversa la rue devant lui. La plupart des hommes portaient un chapeau et un costume sombre d'une découpe très stricte, mais cette gent bien habillée se mêlait à une foule hétéroclite de travailleurs en veste de cuir ou de laine épaisse qui allaient et venaient, pressés et occupés. Tant de monde ? Ohio ne put s'empêcher de penser à son campement, là-bas, si loin dans les Montagnes, et il mesura tout à coup l'étendue du chemin qu'il avait parcouru. Une distance que les kilomètres ne suffisaient pas à expliquer. Un monde le séparait de ce qu'il découvrait ici. Il n'aurait su dire ce que cela impliquait comme changement dans le futur, mais cette pensée l'effraya.

Il avait faim et soif. Il s'adressa à un jeune homme qui tenait un cheval par la bride.

— Au coin là-bas. L'auberge est bonne et ils acceptent les Indiens.

Il s'y rendit. Une vaste pièce que chauffait un gros poêle en fonte occupait tout le rez-de-chaussée d'un grand bâtiment mansardé et aux poutres énormes. Une trentaine d'ouvriers s'entassait là, mangeant sur des tables rectangulaires en bois. Ohio traversa la pièce et s'adressa à ceux qui distribuaient la nourriture. On lui donna une assiette et un bol sans même le regarder. Une femme lui demanda de l'argent. Il lui tendit quelques pièces dans le plat de sa main, elle en choisit deux et l'envoya s'asseoir dans un coin où il restait de la place. Il but le potage et mangea sans relever la tête. C'était bon, mais cette pièce sans ouverture éclairée par des lampes à pétrole à l'odeur nauséabonde le mettait mal à l'aise. Il alla ranger son assiette et son bol comme le faisaient tous ceux qui avaient fini, puis il sortit, heureux de retrouver l'air froid et vivifiant de cette belle journée d'hiver.

Sur le port, on lui indiqua les bâtiments de la Compagnie maritime de la Rivière rouge.

— Claire Morin ? Elle est au palais du gouverneur général. Elle sera là vers seize heures, lui dit-on en le regardant de la tête aux pieds d'une façon bizarre.

Il resta sur le port pour admirer les bateaux. De tout ce qu'il avait vu, c'était de loin le plus impressionnant. Il comprenait, même si certaines techniques lui échappaient. Comment pouvait-on construire d'aussi grandes maisons de pierre aux colombages et solives de bois ? Le génie mis en œuvre par ceux qui avaient conçu de tels bateaux le subjuguait.

— Tu cherches à embaucher ? T'as l'air costaud !

— Embaucher ?

— Tu veux du travail ?

Ohio observa l'homme qui l'avait abordé. Il ressemblait un peu à Hans, avec quelques années de plus. Il avait l'air pressé.

— Il y a du travail sur un bateau ?

— De la marchandise à débarquer.

Ohio avait aperçu des groupes d'hommes, avec des sacs sur le dos, qui allaient et venaient des bateaux aux quais. La perspective de monter sur l'un de ces monstres l'enchantait.

— Demain, oui.

— Sois là à cinq heures trente, près du *Discovery*.

— *Discovery* ?

— Le grand bateau là-bas.

C'était l'un des plus gros amarrés aux quais. Le type était déjà reparti. Ohio était ravi.

À seize heures, Ohio retourna aux bureaux de la Compagnie maritime de la Rivière rouge. Il patienta une bonne demi-heure puis on l'introduisit dans un bureau où une femme blanche en âge d'être sa mère donnait des ordres à des hommes qui notaient consciencieusement sur des carnets.

— Marc, tu t'occupes de la cargaison qui n'a pas pu être embarquée sur le *Deasy* et toi Grank tu mets ton équipe sur le *Discovery*.

Elle releva ses yeux d'un beau bleu translucide et s'interrompit en apercevant Ohio.

— Bon. Tu as un message de la part d'un certain Keith, c'est ça ?

— Non. Keith m'a dit de venir ici.

— Tu cherches du travail ? Qu'est-ce que tu veux ?

— Je cherche Cooper.

Son visage se figea. Elle resta un moment silencieuse à le regarder. Le cœur d'Ohio s'accéléra. Elle savait quelque chose. Il le lisait dans ses yeux.

— Cooper… Et qui es-tu ?

— Je m'appelle Ohio.

— Mon Dieu !

Elle était devenue blanche.

— Quoi ?

Ohio ne comprenait plus. Elle congédia les trois hommes qui se trouvaient dans son bureau et en appela un autre.

— Occupe-toi des cargaisons.

Quand ils se retrouvèrent seuls, elle semblait avoir repris un peu ses esprits.

— Mais tu n'as pas donné ton nom ? Quand es-tu arrivé ? Où habites-tu ?

Il répondit aux questions alors qu'il attendait lui-même des réponses à toutes celles qu'il se posait depuis si longtemps.

— Écoute, l'homme que tu dois voir n'est pas ici. Il revient demain de Montmagny. Il t'expliquera tout.

— Qui, est cet homme ? Il a des nouvelles de Cooper ?

— Oui, j'en suis sûre. Viens avec moi, je vais te montrer où te loger et… enfin, viens avec moi.

Elle avait l'air un peu désorienté.

Il la suivit. Ils allèrent en charrette à cheval jusqu'à ce qu'elle appelait l'hôtel-Dieu, où deux hommes en costume leur ouvrirent les portes. L'intérieur, lambrissé, très spacieux, s'ouvrait sur un large escalier en pierre blanche. Ohio, mal à l'aise, monta jusqu'à l'étage où on lui attribua une chambre. Un feu brûlait dans une cheminée en pierre finement taillée. Des tableaux accrochés aux murs montraient des vues de Québec en été ainsi que des bateaux sur des mers déchaînées. Une telle avalanche de nouveautés assaillait Ohio qu'il en était venu à ne plus s'étonner de rien. Un élan à cinq têtes aurait pu apparaître sans qu'il sursaute.

— Voilà ta chambre. Le restaurant est en bas, tu peux y manger et y boire à toute heure. Tu n'as rien à payer et voilà quelques livres..

Elle lui tendit des billets qu'il refusa.

— En échange de quoi ?

— Ne t'inquiète pas pour cela. Demain tu comprendras.

— Tu ne m'expliques rien.

— Je... Ce n'est pas à moi de le faire.

Il n'insista pas. Il pouvait bien attendre une journée de plus.

— Surtout reste ici... Je veux dire, dans la ville ! Et si tu as besoin de quoi que ce soit, envoie un des coursiers de l'hôtel me chercher.

— L'homme de l'hôtel, en bas, il a regardé mes mocassins. Où peut-on acheter ça ?

Ohio montra un des tableaux sur lequel un paysan portait une paire de bottes de cuir. Elle baissa les yeux vers ses mocassins.

— C'est une bonne idée ! Viens avec moi.

Avant de le quitter, elle confia Ohio à l'un des employés de l'hôtel, qui le guida jusqu'à une maison où l'on fabriquait des bottes. On prit ses mesures, on lui fit essayer deux ou trois paires et on lui demanda de revenir le lendemain matin. Puis l'homme l'emmena vers un autre bâtiment où on prit d'autres mesures pour lui tailler un pantalon et une veste qu'il n'avait pas demandés.

— C'est Mme Morin, lui expliqua l'employé de l'hôtel.

Ohio se laissa faire. Il n'y comprenait plus rien.

Le soir, au restaurant où un tas de gens bien habillés le dévisageaient, il dut choisir entre différents plats qu'il ne connaissait pas. Il mangea une viande délicieuse mais un peu épicée, puis retourna dans sa chambre où il s'endormit aussitôt, vaincu par toutes les heures de sommeil en retard accumulées sur la piste.

Cette nuit-là, il retrouva Mudoï et Mayoké.

Au petit matin, un employé de la Compagnie de la Rivière rouge vint se présenter à Ohio de la part de Claire Morin et lui demanda s'il n'avait besoin de rien. Ohio le remercia, étonné de la prévenance de tous ces gens.

On le conduisit de nouveau dans le magasin où l'attendait une paire de bottes en cuir épais. Il eut du mal à s'y faire car le pied était tenu et presque comprimé, mais elle s'ajustait bien. Ensuite, il se rendit chez le tailleur où l'on retoucha encore une veste et un pantalon en toile préparés pour lui. Puis on lui demanda de se retourner vers une glace. Et cette surface dure qui reproduisait exactement ce qu'on plaçait en face d'elle fut sans aucun doute la grande découverte de sa matinée. Le tailleur et son apprenti qui lui faisaient essayer la veste le regardaient faire des gestes et crurent qu'il vérifiait la bonne coupe du vêtement. Ils n'imaginèrent pas qu'Ohio se voyait pour la première fois de sa vie dans une glace. Il s'examina objectivement. Son image était incroyablement réelle par rapport au reflet que l'eau des rivières ou des lacs lui avait déjà offert. Avec son visage rond, légèrement allongé et ses creux sous les pommettes, il avait presque l'air d'un Indien. Son teint bruni, son nez pelé et ses lèvres gercées par le froid ajoutaient à cette impression, mais sa peau et surtout ses yeux clairs étaient ceux d'un Blanc. Il ne se demanda pas s'il était beau ou non, émerveillé par son allure dans ces nouveaux habits dont on lui apprit qu'ils étaient déjà payés.

De retour à l'hôtel, il se changea car il se sentait mieux dans ses mocassins de cuir et ses vêtements souples pour se promener. Il descendit jusqu'au port où il s'excusa auprès du type, qui s'en fichait, de ne pas s'être présenté au petit matin pour l'embauche puis il rentra. Personne ne s'était présenté. Sur les conseils du groom qui l'avait accompagné dans ses emplettes, il partit déjeuner dans une auberge voisine.

C'était une grande salle où quatre musiciens jouaient de la musique devant des petites tables où toutes sortes de gens buvaient des boissons alcoolisées.

Ohio portait sa nouvelle veste mais avait conservé ses mocassins, les bottes lui meurtrissant les pieds. Il était à peine assis qu'une jeune femme l'aborda et commença à lui poser des questions. Elle se rapprocha de lui, beaucoup trop à son goût, lorsqu'il lui expliqua qu'il résidait à l'hôtel-Dieu. Comme il ne répondait pas à ses avances, elle finit par s'éclipser en haussant les épaules.

Lorsqu'il entra, Ohio sut tout de suite que c'était l'homme qui désirait le voir. Il le vit à son attitude grave, à sa façon de chercher quelqu'un en scrutant les parties sombres de l'auberge. Leurs regards se croisèrent. « Nous y voilà », pensa Ohio alors que l'homme de belle stature s'avançait vers lui. Il était large d'épaules, le nez mince et le front haut. La dureté de son visage était pourtant égayée de petites rides qui, au coin de ses yeux bleus, donnaient de la douceur à son regard de loup.

— Ohio !

— C'est moi.

— Je suis Cooper.

35

Silence.

Ils se regardaient et l'émotion était partagée.

Cooper ouvrit le premier la bouche.

— On m'a dit que tu connaissais un peu le français, en tout cas suffisamment pour le comprendre ?

— Oui.

— Je pense pouvoir te suivre si tu parles dans ta langue. Je suis sûr que je n'ai pas oublié.

Sa voix était douce et grave, et Ohio l'observait toujours. Une sourde colère grandissait en lui. Ainsi il était là, devant lui, ce père qui les avait abandonnés, lui et sa mère.

— Tu n'as pas oublié ma langue, mais tu as oublié Sacajawa.

Les yeux de Cooper flamboyèrent dans la pénombre. Il prit une profonde inspiration.

— Il va falloir m'écouter. Je crois que tu as fait un grand voyage pour en arriver là. Moi aussi, figure-toi, commença-t-il.

Alors Ohio se tut et écouta.

Il connaissait le début de l'histoire. Cooper avait parcouru comme lui tout le Canada pour revenir à Québec afin d'embarquer dans un bateau qui devait le ramener chez lui. Il avait minutieusement préparé son retour, laissant ici des chiens, là des canoës… Puis il avait traversé l'Atlantique sur l'un de ces gigantesques bateaux. Un retour triomphal grâce auquel il avait pu commencer à rembourser les sommes investies dans cette périlleuse aventure. Il devait repartir à la fin de l'été, sur l'un des bateaux de la compagnie avec laquelle il était encore en compte et où il travailla à la mise en place d'une société de négoce de fourrures.

— Et puis j'ai dû repousser mon départ d'un an. Ma mère est tombée gravement malade et est morte à l'automne. Je devais aussi finir de rembourser, sans quoi je ne pouvais embarquer ni affréter un bateau, d'autant plus que j'avais promis de dédommager les familles de ceux qui avaient péri au cours de l'expédition.

Ohio écoutait sans perdre une miette de ses paroles. Pas un instant il ne douta de la véracité de son histoire, il avait compris qu'elle était plus compliquée qu'il ne l'avait imaginé.

— J'ai donc mandaté un de mes plus fidèles équipiers pour aller jusqu'à ton village et lire à ta mère la lettre que je lui avais confiée. Il avait fait le voyage avec moi et ne se tromperait pas de route, il savait où étaient les chiens et où enrôler des guides. Et cet ignoble Guderson lui avait promis une importante somme d'argent en échange de renseignements sur les meilleures zones de trappe. Je ne les connaissais pas. Je me suis jamais occupé de ça.

— Qui est ce Guderson dont tu parles avec tant de haine ?

— Tu vas comprendre. C'était le patron, le chef si tu préfères, de cette énorme compagnie qui négociait avec la Compagnie de la baie d'Hudson.

— La Compagnie de la Rivière rouge.

— C'est l'une des compagnies. Enfin, toujours est-il que j'expliquais tout cela à Sacajawa. Cette lettre et son messager auraient dû arriver un an avant moi.

— Elle n'est jamais arrivée.

— Oh, je sais, mais il y a bien pire. J'ai travaillé comme un damné à mettre de côté assez d'argent pour pouvoir repartir dès l'été, mais Guderson m'a retenu jusqu'à l'automne. Il était malade et l'affaire ne fonctionnait que grâce à moi. De toute façon, partir en été ne m'aurait pas avancé beaucoup, car il m'aurait fallu attendre l'hiver pour voyager. C'est à ce moment-là qu'une lettre signée de mon ancien équipier m'est arrivée par bateau. Il s'était rendu dans ton village et...

— C'est faux.

— Laisse-moi finir. Il disait s'être rendu dans ton village et m'apprenait la mort de ta mère dans des circonstances tragiques.

Ohio commençait à comprendre.

— Mais... mais tu l'as cru ?

— Comment aurais-je pu ne pas le croire ? C'était l'un de mes plus fidèles équipiers et la lettre était de sa main. J'étais seulement étonné qu'il ait effectué l'aller et retour en un peu moins d'un an et demi, mais il m'affirmait que le voyage en canoë par un itinéraire que je ne connaissais pas, au sud, permettait de gagner beaucoup de temps au retour.

— Tu as revu cet homme ?

— Jamais.

— Mais pourquoi a-t-il raconté cette histoire ?

— Sous la contrainte. Je le sais maintenant. C'est ce fumier de Guderson ! Il voulait que je devienne son gendre. Que je reprenne les rênes de la société à laquelle il avait consacré toute sa vie. Ainsi, tout reviendrait à sa fille unique.

— Et tu l'as fait.

— J'aimais Sacajawa d'un amour si puissant qu'il ne pouvait y avoir de place pour qui que ce soit d'autre. Lorsque j'ai reçu cette lettre, le monde s'est écroulé. J'ai pensé fuir vers le Canada, puis je me suis résigné. Au contraire, je me suis juré de ne jamais y remettre les pieds car si j'aimais Sacajawa, j'aimais tout aussi passionnément cette terre qui m'a tant manqué. Je voulais oublier. Je n'ai jamais pu. Je me suis marié, je me suis tué au travail, je suis reparti en expédition vers les Indes, et lorsque j'en avais le temps, je filais chasser dans les collines, j'ai essayé de vivre, en un mot, mais le fil était cassé...

Ohio comprenait ce qu'il voulait dire. Oui, aujourd'hui il le comprenait et il se mit à éprouver de la compassion pour cet homme blessé qui était son père. Il mesura tout à coup l'étendue du désastre, et ce qu'avait dû être sa douleur, car c'était aussi la sienne.

Les yeux de Cooper flamboyaient toujours, mais se voilèrent quand il posa enfin la question qui lui brûlait les lèvres.

— Et... Et alors, Sacajawa ?

— Elle t'aime.

Ces mots s'étaient imposés à Ohio. Que pouvait-il lui répondre d'autre ? Ils se regardaient. Cooper était bouleversé.

— Et toi, Ohio, tu es mon fils ?

— Oui.

— Mon Dieu, que n'aurais-je donné pour te voir grandir !

— Mais que s'est-il passé ? Pourquoi être revenu ? C'est Keith, n'est-ce pas ?

Ohio avait besoin de savoir.

— Oui, j'ai reçu une lettre de lui m'apprenant qu'il t'avait rencontré et que tu me cherchais. Guderson est mort depuis, mais j'ai reconstitué le puzzle peu à peu. Ma femme était plus au moins au courant de l'affaire. On lui avait dit que tout cela avait été monté pour mon bien. Elle était prête à croire n'importe quoi pour m'avoir. Toujours est-il que j'ai ramassé tout l'argent que j'estimais être à moi et que j'ai affrété un de nos bateaux, et me voilà. Je suis ici depuis trois semaines à te chercher, à t'attendre…

— Tu as… tu as des enfants ?

— Oui, toi. Ma femme n'a jamais pu en avoir. Et Sacajawa ?

— Elle n'a pas eu d'autre enfant.

— Tu veux dire qu'elle est restée seule tout ce temps-là ?

— Elle voit de temps à autre un certain Oujka, mais ça s'arrête là.

— Il me faut un remontant. Un solide remontant.

Cooper se leva et revint quelques instants plus tard avec deux verres de whisky. Ohio, bouleversé par ses révélations, éprouvait le plus grand mal à mettre de l'ordre dans ses idées. Des centaines de questions se bousculaient dans sa tête.

— Elle doit m'en vouloir terriblement, me haïr ? demanda Cooper.

— Elle souffre comme tu as souffert.

— Quel gâchis !

— Pourquoi m'as-tu dit que tu « aimais » Sacajawa ?

— Je ne sais pas… Je ne sais plus. J'ai hésité à revenir et je l'ai fait pour toi, pour que tu saches, pour te voir. J'ai toujours rêvé d'avoir un fils. Alors un enfant de Sacajawa…

Sa voix s'étranglait. L'émotion le submergeait. Il émanait de cet homme quelque chose d'indéfinissable qui imposait le respect et qui troublait Ohio. Il paraissait à la fois terriblement vulnérable et doté d'une force de caractère hors du commun. Debout, contre le comptoir du bar qui garnissait tout un côté de la salle aux solives crevassées, quelques hommes les regardaient. L'un comme l'autre attirait les regards. Cooper continua :

— Il ne s'est pas passé une journée sans que je pense à elle, malgré toutes ces années… Aujourd'hui, je me dis que j'avais inconsciemment la conviction qu'elle était quelque part. Je m'en veux de ne pas avoir vérifié.

Ohio hésitait à lui poser la question qui lui brûlait les lèvres.

— Et maintenant, que vas-tu faire ?

— Avant tout, raconte-moi ton voyage. Par où es-tu passé ?

Et Ohio raconta. Cooper écoutait, fasciné. Il s'en allait, au fil du récit, dans ces montagnes qu'il avait lui-même franchies, il glissait sur les grands fleuves gelés et traversait les vastes étendues blanches. Il entendait le hurlement des loups et revoyait les aurores boréales.

Ohio relata sa première rencontre avec les Blancs, l'avilissement des Indiens spoliés de leur territoire. Il insista sur le massacre des bisons dont il avait été le témoin, puis parla de Mayoké.

Cooper ne l'interrompait pas, respectant les périodes de silence qui ponctuaient son récit. Dans la grande salle, des musiciens s'étaient mis à jouer et quelques couples valsaient, que les deux hommes ignoraient.

Lorsque Ohio en vint à l'accident, Cooper posa affectueusement sa main sur son avant-bras. Ce premier contact physique avec son père bouleversa le jeune homme qui, les yeux embués de larmes, le regarda sans honte.

— Tu vas aller la chercher, n'est-ce pas ? demanda Cooper.

Cette évidence troubla Ohio.

— Elle… C'est elle qui est partie. Elle ne voudra pas et…

Cooper le coupa. Il était grave et sa voix était devenue soudain autoritaire.

— Elle t'attend. Tu vas y aller, Ohio, tu la ramèneras chez toi et vous aurez un autre enfant.

Il détachait chaque mot, tel un ordre incontestable. Ohio ouvrit la bouche pour répondre mais se ravisa, se rendant à l'évidence. Cooper avait raison. Il retrouverait Mayoké.

— Et toi, vas-tu aller retrouver Sacajawa ?

— Rien ni personne ne pourra plus m'en empêcher.

36

Les yeux grands ouverts dans le noir, Ohio fixait les traits de lumière pâle que la lune traçait sur les murs à travers les volets de bois. Ses pensées allaient et venaient de Sacajawa à Mayoké. Il retrouverait Mayoké et Sacajawa retrouverait Cooper. Pourtant, il se doutait bien que rien ne serait aussi simple. Il aurait voulu le croire, mais son intuition le contredisait. Il avait appris de la vie, il s'en méfiait. Rien n'est jamais donné définitivement. Tout est précaire. La vie faisait un cadeau et le reprenait. Il ne la laisserait pas reprendre Mayoké.

— Comment ai-je pu la laisser partir ? Comment ai-je pu ? se répétait Ohio, la mort dans l'âme.

Elle était partie seule dans un territoire en plein chaos pour un long périple d'au moins deux lunes. L'immensité de la route à parcourir lui paraissait terrifiante. Elle n'avait même pas un chien d'expérience. S'il lui arrivait malheur, il en serait responsable. Une erreur de plus. Il pouvait maudire la vie pour sa cruauté, mais n'était-il pas tombé dans tous les pièges qu'elle lui tendait ? Ohio avait honte de lui. Il avait laissé Mayoké partir seule au moment même où elle avait le plus besoin de lui. Comment avait-il pu être aussi aveugle, aussi égoïste ? Il se leva. Où était-elle ? Que faisait-elle ? Son absence devenait tout à coup intolérable. Il voulait rejoindre ses chiens, atteler et filer vers le grand lac des Esclaves. Immédiatement. Que faisait-il encore ici ? Il n'avait plus rien à attendre de cette ville. Il avait vu Cooper, ils s'étaient tout dit pour l'instant. Ohio en avait fait assez comme ça pour Sacajawa et lui. Cette pensée l'intrigua. Pour qui avait-il réellement fait ce voyage insensé ? Pour sa mère, pour lui-même, par goût de l'inconnu et de l'aventure ?

— Je dois retrouver ma petite Mayoké, voilà l'essentiel. Le reste n'a d'importance que pour les autres.

Il pensait notamment à son ami Mudoï et à son obstination à vouloir retrouver son village.

— Les vivants ont plus d'importance que les morts, se dit-il, mais en son for intérieur, il essayait déjà de se convaincre de mener à bien les deux objectifs.

En passant par la baie d'Hudson plutôt que par les lacs Supérieur et Winnipeg, il raccourcissait son périple de plus de huit cents kilomètres. Ohio étudia la carte et se surprit à calculer en kilomètres la distance qui le séparait du village de Mayoké.

— Dans certains cas, le système des Blancs a du bon, s'avoua-t-il.

Il y avait plus de quatre mille kilomètres. Une distance énorme. En réalisant des étapes de soixante kilomètres par jour avec un repos tous les six jours environ, il pouvait arriver là-bas juste avant la fin de l'hiver. Cette réalité lui fit monter le sang à la tête. Cette course contre le printemps allait se gagner ou se perdre à quelques jours près ! Alors qu'attendait-il, assis stupidement sur ce lit moelleux dont il n'avait que faire ? Il s'habilla à la hâte, conscient de la futilité de son empressement. Mais il ne pouvait plus rester à tourner en rond dans cette chambre. Il se dirigeait vers la fenêtre pour regarder le ciel lorsque la porte s'ouvrit sur Cooper.

— J'ai entendu du bruit. Toi non plus tu ne peux pas dormir ?

— Je m'en vais, Cooper.

Il l'interrogea du regard, attendant qu'il lui en dise plus. Ohio lui expliqua tout : ses doutes, ses regrets, ses remords, ses indécisions.

— Je ne suis pas là pour te donner de conseils, mais je ne crois pas à tes prévisions de route. Même en considérant que la météo te soit favorable, ce qui n'est jamais le cas dans le Nord, tu le sais mieux que moi, tu ne peux pas arriver avant la débâcle.

— Moi non. Mes chiens, oui.

Cooper apprécia la boutade, mais il n'était pas convaincu. Il n'avait jamais utilisé que des malamutes qui ne pouvaient couvrir plus de quarante kilomètres par jour sur un excellent terrain.

— Viens avec moi, proposa Ohio.

— Le premier jour pour voir tes chiens, mais pas plus. Je serais un poids inutile et tu n'as pas besoin de ça !

— Comment comptes-tu voyager ?

— J'ai mon plan.

Cooper déroula la carte d'Ohio.

— Regarde !

Il montrait un espace vide tout à fait dans le Nord, bien au-delà de la terre sans arbres.

— Il n'y a rien, fit remarquer Ohio.

— Rien de connu. C'est pour cela que le tissu de cette carte est resté vierge au-delà de ces contrées explorées. Mais je ne suis pas le seul à penser que la mer que tu vois ici et qui s'enfonce entre ces îles communique avec celle que j'ai découverte avec Sacajawa.

Ohio regarda la carte.

— Et alors, ce plan ?

— Si le passage existe, je pourrai aller bien plus vite qu'en traîneau ou en canoë, d'autant plus que j'ai un excellent équipage. Plusieurs d'entre eux ont participé à des expéditions vers la terre de Baffin. J'ai consulté les notes de Henry Hudson et surtout celles de William Baffin qui parle du détroit de Lancaster qui est situé ici.

Cooper dessina sur la carte avec la pointe de son couteau une sorte de chenal à l'ouest de la terre de Baffin.

— Tout me laisse croire que ce chenal communique avec l'océan Pacifique.

— C'est quoi, l'océan Pacifique ?

— Celui dans lequel je me suis baigné avec Sacajawa.

— Cela voudrait dire que cette terre (il désigna l'immensité du Grand Nord canadien) est une sorte d'île… D'énorme île entourée d'eau ?

Cooper sourit.

— En quelque sorte, oui. On appelle cela un continent.

— As-tu une carte de ton pays, de l'autre côté ? Ohio indiqua l'est d'un signe de la main. Cooper alla chercher dans sa chambre un sac dans lequel il avait plusieurs cartes. Ils les étudièrent ensemble.

— Alors, dit Ohio en revenant aux cartes du continent nord-américain, en supposant que le passage existe, quel est ton plan ?

— Aller au cours de l'été jusqu'à l'embouchure de ce fleuve, là, puis le remonter jusqu'au grand lac de l'Ours, en canoë ou avec des chiens si le fleuve est pris.

— Où trouveras-tu les chiens ?

— Je sais qu'il y a de nombreux attelages à Fort Mac Pherson et j'ai ce qu'il faut pour décider le plus réticent propriétaire. En outre, je compte bien embarquer une vingtaine de chiens sur le bateau de manière à pouvoir rejoindre la terre au cas où nous serions pris par les glaces.

— Que possèdes-tu qui te permette de tout te procurer ?

— De l'argent. Beaucoup d'argent dont je n'aurai bientôt plus que faire.

— Oui, dans notre village, l'argent ne vaut rien.

— Ça ne saurait durer, Ohio.

— J'espère que si.

— Moi aussi, mais…

Cooper cherchait ses mots.

— Enfin, nous verrons ! D'ici là…

— Et si ton passage n'existe pas ?

— Je rejoindrai la terre avec les chiens et j'irai jusqu'au grand lac de l'Ours. Ensuite tu connais le chemin, moi aussi.

Ohio acquiesça tout en calculant.

— Il se pourrait que nous nous retrouvions là-bas. J'arriverai avant la débâcle au grand lac des Esclaves, j'y passerai l'été et en repartirai aux premières glaces. Je devrais être au pied des montagnes à la deuxième ou troisième lune de l'hiver.

— Tu veux dire que vous serez là-bas.

Un large sourire illumina le visage d'Ohio.

— Oui, je reviendrai avec Mayoké, et tu seras ébloui par sa beauté.

— J'en suis sûr.

— J'aimerais être là, Cooper, lorsque le regard de Sacajawa se posera sur toi.

Cooper le regarda fixement.

— Il ne se passe pas une minute, Ohio, sans que je pense à cet instant.

37

Ni Sacajawa ni Oujka n'avait de chien, si bien qu'ils voyagèrent en passagers sur les traîneaux d'Ulah et de Nutak, celui de Rankhan étant trop chargé pour embarquer quelqu'un. La piste était tracée jusqu'à la vallée de la Rivière qui chante où trappait le cousin de Nutak mais ensuite ils se relayèrent pour battre la neige en raquettes.

Ils mirent sept jours pour atteindre le secteur où Rankhan voulait traquer mouflons et chèvres. Ce n'était pas le secteur le plus riche en animaux de montagne, mais assurément celui où les chances de pouvoir les approcher étaient le plus fortes. Le massif n'y était pas constitué de grands sommets et de crêtes interminables, mais d'une multitudes de cirques, de ravines, de combes et de pics séparés par de petits alpages où, en été, les animaux venaient mettre bas. Malheureusement, dès les premiers froids, la plupart quittaient ce secteur pour se rassembler sur les grandes arêtes que le vent balayait, rendant l'herbe accessible.

— Tu crois qu'il en restera suffisamment ? interrogea Ulah après que Rankhan leur eut fait un résumé de la situation.

— Oui, des mâles notamment. Ce sont les plus

belles bêtes, même si la viande n'est pas aussi bonne que sur les jeunes.

— Ce sont aussi les plus difficiles à approcher ?

— Non, les hardes de femelles et de jeunes sont gardées par les redoutables bréhaignes alors qu'en hiver, les mâles relâchent leur vigilance.

Ils installèrent leur camp dans un cirque où de l'eau libre tombait d'une cascade partiellement gelée et où une petite forêt de sapins poussait contre les rochers. Pour atteindre ce refuge à l'abri des vents, ils avaient dû grimper pendant plus de deux heures, sans se douter qu'existait un tel havre de paix, si haut et totalement invisible du fond de la vallée.

— Cet endroit est magique, Rankhan, dit Sacajawa ravie.

Il répondit par un vague murmure bourru.

— Montons le campement avant que la nuit tombe !

Depuis qu'il avait fait sa troublante déclaration, Rankhan gardait ses distances avec Sacajawa. Elle ne savait plus comment s'y prendre. Lorsqu'il s'était proposé pour charger son traîneau de tout le matériel de campement, Sacajawa l'avait soupçonné de s'être ainsi dispensé d'avoir à l'embarquer. Il évitait son regard et s'en tenait à de rares dialogues à usage pratique. Les autres ne remarquèrent rien. Rankhan avait toujours été un chasseur solitaire, avare de paroles, et ils s'estimaient chanceux de pouvoir profiter de son expérience. Ils n'allaient pas être déçus. Dès le lendemain, ils tuèrent un gros mâle mouflon grâce à une habile manœuvre d'encerclement mise au point par Rankhan. Nutak, excellent tireur, s'était vu confier la garde du col par lequel le mouflon allait le plus vraisemblablement s'échapper. Il abattit la bête d'une seule flèche tirée presque à bout portant alors que le mouflon atteignait le col.

— Ce mouflon va nous nourrir pendant notre chasse, expliqua Rankhan qui ne partageait pas l'enthousiasme des autres. Nous allons maintenant commencer la vraie chasse, celle pour laquelle nous sommes venus afin de reconstituer les réserves de votre clan.

Ils se regardèrent. Il avait raison. Il ne fallait pas se réjouir trop vite. Ils n'avaient tué qu'un mouflon, celui qui se trouvait le plus près de leur campement, et il faudrait en rapporter au moins dix voire quinze au village pour tenir jusqu'au printemps. La prudence et la réserve étaient de rigueur.

Ils avaient installé deux tipis, un grand, dans lequel ils prenaient les repas du soir en commun et où dormaient Rankhan, Ulah et Nutak, et un autre plus petit pour Sacajawa et Oujka. Ils avaient laissé Banks, après l'avoir sevré, sous la garde de la sœur d'Ouzbek qui le nourrissait au lait de caribou, celui prélevé sur les femelles allaitantes tuées à l'automne et conservé en briques dans le permafrost. Son fils manquait à Sacajawa, mais elle n'aurait échangé sa place contre aucune autre. Elle était restée trop longtemps confinée dans l'espace restreint de sa cabane alors qu'Oujka trappait loin du village. Elle avait besoin de grands espaces et d'exercice, et cette chasse réveillait en elle les instincts sauvages qui la faisaient vibrer.

— Rankhan t'évite. C'est comme s'il avait peur de toi, lui fit remarquer Oujka, pensif, en se couchant dans les peaux tandis que Sacajawa couvrait les braises du feu.

— Rankhan n'a peur de personne et sûrement pas de moi, dit-elle d'un ton faussement détaché.

— C'est vrai qu'il n'est pas très bavard, surtout avec les femmes. En tout cas dans le village, il n'a jamais partagé les plaisirs avec qui que ce soit...

Sacajawa resta silencieuse.

— Cela dit, c'est un sacré chasseur. Sa réputation n'est pas surfaite. Il a remarquablement mené cette chasse, en laissant le bon rôle aux autres.

Oujka, lucide, reconnaissait le talent de Rankhan, et cette honnêteté était l'une des qualités que Sacajawa aimait chez lui. Il était aussi un bon amant, tendre et généreux, mais ce soir Sacajawa, feignant la fatigue, ne fit aucun geste pour l'encourager. Pourquoi Rankhan avait-il attendu qu'elle prenne Oujka pour compagnon et lui donne un enfant pour lui déclarer qu'il l'aimait ? Il me l'a dit, se rappela Sacajawa, il n'aurait pas supporté de me partager avec un fantôme ! Et la colère montait en elle, car elle savait, oui elle savait, qu'elle aurait pu aimer cet homme. Elle éprouvait pour lui de l'attirance et de l'admiration, alors qu'elle ne ressentait rien de tel pour Oujka. Elle l'appréciait, voilà tout. Ainsi Cooper continuait de lui gâcher l'existence ! Une fois de plus, elle était passée à côté d'un bonheur à cause de lui. Ah, elle le haïssait du plus profond d'elle-même ! Si Oujka n'avait pas été auprès d'elle, elle en aurait pleuré. Elle pensa à son fils et l'appela silencieusement à l'aide jusque dans ses rêves les plus lointains, où tout se mélangeait.

Comme pour donner raison à Rankhan, la chasse fut plus difficile les jours suivants. Ils furent bloqués deux jours dans une tempête puis ratèrent leur approche sur trois chèvres des Rocheuses qui éventèrent Nutak alors qu'il les contournait. Sacajawa, postée sur la crête, s'était rendu compte que les animaux s'étaient déplacés durant la manœuvre mais pas une fois Nutak ne se retourna et elle ne put lui faire signe. Quant à Rankhan, posté cette fois-là sur la coulée où ils devaient être rabattus, il ne put qu'assister, impuissant, à la fuite de leurs proies par une combe inaccessible et donc non gardée.

— C'est ma faute, concéda Nutak, penaud. Je

savais que Sacajawa était là-haut et voyait les chèvres, j'aurais dû être plus attentif. Absorbé par l'approche, j'ai oublié qu'elle était là.

— Les animaux n'avaient aucune raison de bouger et même si j'avais pu te prévenir, tu n'aurais pas pu faire grand-chose.

— J'aurais essayé de leur couper la route vers la combe où…

Rankhan le coupa sèchement.

— Cette discussion ne sert à rien ! Vous feriez mieux de vous reposer. Demain il faudra beaucoup marcher.

— Que comptes-tu faire ?

Bien qu'ils n'aient jamais discuté de la manière dont ils s'organiseraient pour chasser, Rankhan s'était imposé comme le chef de ce petit groupe et il ne serait venu à l'idée d'aucun d'entre eux de contester cette autorité naturelle. C'est lui qui choisissait le secteur de chasse et répartissait les rôles dès que des animaux avaient été repérés.

— Reprendre ce groupe de chèvres à revers.

— Tu ne crains pas qu'elles se soient enfuies très loin après nous avoir repérés ?

— Elles ont basculé de l'autre côté du col. C'est certain. Mais je ne pense pas qu'elles aient traversé la vallée. Si c'est le cas, nous le verrons bien : nous allons les approcher par là, du moins quatre d'entre nous.

— Il va falloir descendre la montagne puis remonter ?

— Non, je pense que nous pouvons passer par la pente, un peu plus haut, et redescendre directement dans la vallée à la hauteur de la Pointe brillante.

C'était le nom qu'il avait donné à un pic rocheux constitué de quartz qui par moments réfléchissait la lumière du soleil.

— Je pourrais aller me poster en haut de la combe

par où elles se sont échappées, proposa Sacajawa d'une voix douce.

Rankhan la laissa continuer alors qu'un imperceptible sourire se dessinait à la commissure de ses lèvres gercées par le froid.

— Si elles entendent quelque chose venant de la vallée, elles risquent de s'échapper par là, non ?

Rankhan souriait toujours malicieusement, les yeux perçants comme ceux d'un rapace.

— Ça me semble bien. Très bien.

Il n'ajouta rien, but un bol de thé et se coucha, invitant les autres à faire de même. Il voulait partir à la nuit, pour être en place à l'aube lorsque les chèvres commenceraient à bouger et seraient plus faciles à repérer.

Sacajawa et Oujka rentrèrent sous leur tipi.

— J'ai été stupide, dit-elle, furieuse contre elle-même.

— Pourquoi ?

— Lorsque Rankhan a commencé à nous exposer son plan pour demain, il a parlé de quatre d'entre nous qui remonteraient la vallée.

— Et alors ?

— Et alors, cela voulait dire qu'il avait un plan pour le cinquième et ce plan ne pouvait être que celui d'en placer un en haut de la combe.

Oujka ne comprenait toujours pas. Elle se mit en colère.

— J'étais idiote, c'est tout. J'aurais dû le laisser finir plutôt que de me ridiculiser en proposant l'évidence.

— Personne ne t'a trouvée ridicule. Tu le dis toi-même. C'était le plan de Rankhan, donc le bon. Qu'y a-t-il donc de ridicule ?

C'était à son tour de se fâcher. Elle ne répondit pas.

— Tu es bizarre, Sacajawa, depuis quelque temps.

Et c'était un reproche plus qu'une constatation.

Le lendemain, Sacajawa apprécia la solitude, malgré le froid qui sévissait. Elle resta toute la journée postée en haut de la combe, transpercée par les aiguilles du froid dans un silence total. Elle ne vit rien, n'entendit rien, mais elle était bien, en accord avec le paysage qui l'enveloppait et lui communiquait sa sérénité.

Les trois chasseurs n'avaient pas approché les chèvres, repérées sur une crête inaccessible, et s'étaient lancés à la poursuite d'un mouflon qu'Ulah tua d'une balle de fusil en pleine colonne vertébrale. Il rentra tard avec Oujka et son frère, sans Rankhan. Ils avaient l'air épuisé.

— Mais… Rankhan n'est pas là ?

Le ton de Sacajawa trahissait un affolement qui amusa les deux frères. Ils la regardèrent narquoisement.

— Ne t'inquiète pas ! Il reviendra demain ou après-demain. Il s'est installé un abri dans la vallée après avoir placé une quantité de collets. C'est plein de lièvres là-bas.

— Je m'inquiète de lui comme je m'inquiéterais de n'importe lequel d'entre vous s'il ne revenait pas.

Ils ne dirent rien. Ce n'était pas leur affaire. Sacajawa se félicita qu'Oujka, occupé dans leur tipi à changer ses vêtements humides, n'ait pas assisté à la scène.

Le soir, elle se coula nue contre lui et elle lui fit l'amour avec une sorte de rage qu'il prit pour de l'ardeur passionnée.

38

Ohio accepta de retarder de deux jours son départ et il ne le regretta pas, car une tempête de neige effroyable se leva. Les flocons, chassés par un vent terrible venant de la mer, traversaient l'air à l'horizontale et se plaquaient contre la surface irrégulière des murs de pierre de Québec.

Cooper et lui en profitèrent pour mettre au point leurs expéditions respectives. Ohio visita de fond en comble le *Farvel* affrété par Cooper. Il fut subjugué par l'architecture du bateau, par la robustesse de ses pièces, par la précision avec laquelle elles étaient assemblées. Il se fit tout expliquer, demanda qu'on déroule une voile sur le pont — en raison du vent, on ne pouvait malheureusement pas l'attacher aux vergues pour la hisser. Dans la timonerie, Il étudia les instruments de navigation et se fit expliquer leur fonctionnement. La compagnie de Cooper lui était de plus en plus agréable. Il avait le don de le mettre à l'aise. Avec lui, Ohio osait toutes les questions suscitées par la découverte de ce monde inconnu et Cooper ne lui répondait pas avec cette condescendance qui était le triste apanage de la plupart des Blancs rencontrés jusque-là. Au contraire, Cooper s'efforçait de le questionner lui aussi sur toutes sortes de détails faisant partie de son monde, instaurant une sorte d'échange. Mais Ohio n'était pas dupe. Cooper connaissait ce qu'il lui expliquait, la trappe, les voyages en canot, les grandes chasses de caribous. Quant à son grand voyage sur lequel il l'interrogeait avec passion, il l'avait fait avant lui !

— Je n'étais pas seul, Ohio. Ce que tu as réalisé est véritablement incroyable ! Et je sais de quoi je parle, lui dit-il alors qu'il lui soumettait cette réflexion.

Cooper fit embarquer des dizaines de caisses de pemmican sur son bateau et acheta deux tentes de toile avec leurs petits poêles à bois. Il en chargea une avec trois cents livres de pemmican sur la charrette qu'il avait louée pour se rendre jusqu'au lac où les chiens d'Ohio reprenaient des forces.

— J'ai hâte de voir tes chiens, lui dit-il.

— J'espère que ce Bill en a pris soin, s'inquiéta Ohio.

Ils mirent une bonne demi-journée pour atteindre le hameau où se trouvait la maison de Bill, au bord du lac Sainte-Anne. La tempête avait érigé d'énormes congères sur les parties hautes des collines où le chemin passait et ils durent dégager la piste à la pelle à plusieurs reprises. Par moments, on perdait totalement la trace du chemin, heureusement bordé de piquets. Dans la forêt, à l'abri du vent, la progression était plus aisée.

Lorsqu'ils arrivèrent en vue de la cabane, ils aperçurent Bill qui dételait un attelage avec deux individus blanchis par le givre. Le vent avait disparu et le ciel d'un rose délavé s'était dégagé, promettant une belle période de froid sec.

Cooper et lui garèrent la charrette et s'approchèrent du groupe.

— C'est lui, dit Bill aux deux hommes avant même de saluer Ohio et de s'enquérir de l'identité de Cooper auquel il adressa cependant un respectueux signe de tête.

— Ushuayak !

Ils regardaient Cooper, comme s'il s'agissait d'une apparition, avec des sourires béats d'admiration, ignorant totalement Ohio qui ne comprenait pas.

— Non ! Non ! C'est lui, corrigea Bill en désignant Ohio.

— Lui ! C'est à lui l'attelage ? C'est lui Ushuayak !

Ils dévisageaient maintenant Ohio.

— Je m'appelle Ohio et je ne connais pas Ushuayak.

— C'est pourtant toi, dit l'un d'eux avec déférence.

— Mon nom est Ohio.

— Ushuayak, c'est le surnom qu'ils t'ont donné sur la piste, expliqua Bill. « Celui qui file comme la tempête. » Ils m'ont raconté ton exploit…

— Quel exploit ? intervint Cooper, les sourcils froncés.

L'un des coureurs des bois, coiffé d'une chapka en lynx, se mit à relater tout ce qu'il savait sur les aventures insensées de cet Ushuayak qui avec son attelage pulvérisait tous les records. Il racontait le voyage d'Ohio depuis le lac Supérieur sans même vérifier les informations auprès du principal intéressé qui l'écoutait avec amusement. Cooper dévorait lui aussi le récit et approuvait de la tête, incitant l'autre à continuer. C'est Ohio qui l'arrêta.

— Il ne faut pas exagérer ! J'étais pressé d'arriver. C'est vrai que mes chiens sont rapides, mais ils ont beaucoup d'entraînement et je n'étais pas chargé.

Cooper traduisit, car Ohio s'était exprimé dans sa langue et non en français comme les deux coureurs des bois. Puis il les interrogea sur les distances d'un poste à l'autre.

— Nom de Dieu, je ne pensais pas qu'on puisse filer à cette vitesse avec des chiens !

Ravis de ce nouvel enthousiaste, les deux autres donnaient toutes les précisions que Cooper demandait. Pendant ce temps, Ohio alla retrouver sa meute. Il ouvrit la porte de l'enclos et aussitôt les chiens lui sautèrent dessus avec effusion. Ses craintes n'étaient pas fondées. Ils paraissaient en pleine forme et avaient repris plusieurs kilos.

— Voilà Torok, dit solennellement Ohio à Cooper qui approchait.

Torok, dressé sur ses pattes arrière, lécha le visage d'Ohio qui le caressait. Cooper fit un signe de tête admiratif.

— Il est magnifique !

— Sûr que ce sont de sacrés chiens ! ajouta Bill qui les rejoignait avec les deux coureurs des bois.

Bill rayonnait comme s'il s'agissait de son propre attelage alors que Cooper affichait une fierté non feinte envers ce fils qui avalait les grands espaces.

Mais Ohio redressa la tête lorsqu'il entendit son père décliner son identité.

— Je m'appelle Cooper, je suis le père de ce faiseur d'exploit.

Et il aurait été bien difficile de dire qui du père ou du fils était le plus fier.

— Tu repars ? demanda l'un des coureurs des bois.

— Oui, cet après-midi, dit Ohio, en français cette fois. Le temps est beau, la lune presque pleine. J'en profiterai pour réaliser une grosse étape.

— Et où vas-tu ?

— Je vais chercher ma femme et rentrer chez moi, répondit-il en souriant.

— Et où est-ce chez toi ?

— Loin. Très loin. À deux hivers d'ici !

— C'est à plus de neuf mille kilomètres, confirma Cooper.

Les deux coureurs des bois buvaient leurs paroles. Ils savaient qu'ils deviendraient par procuration les héros de cette histoire. On n'avait pas fini de parler d'Ushuayak, celui qui file comme la tempête, et ils seraient les deux seuls à l'avoir vu en chair et en os. Ils pourraient parader dans les bars et n'auraient même pas besoin d'en rajouter pour attiser l'intérêt de l'assistance. Ils diraient qu'il venait de l'autre côté du Grand Nord canadien et qu'à peine rendu à Québec, il était reparti en plein après-midi avec l'intention de courir toute la nuit sous les étoiles. Ils parleraient de son père aux yeux aussi bleus que ceux de ses formidables chiens. Ah oui, ils ne regrettaient pas leur marche forcée dans la tempête. Ils avaient vu Ushuayak et dans le Grand Nord, approcher un héros, c'est l'être un peu soi-même.

Ils observèrent sa méthode pour préparer son paquetage. Ils étudièrent sa ligne de trait, ses harnais, son traîneau. Ils demandèrent le nom de quelques chiens en promettant de s'en souvenir et surtout, ils assistèrent au départ.

C'était le plus beau moment de l'après-midi. Celui où le soleil rasant de l'hiver termine sa course et allonge les ombres en caressant d'or la neige où irradie la lumière. Les chiens exhalaient des bouffées d'air qui se figeaient dans l'air glacé et givraient leur fourrure. Ils aboyaient, la gueule happant le vide, sautant sur place pour creuser de petites cales sur lesquelles ils prendraient appui au moment de partir. Leurs muscles saillaient sous leur poil épais et roulaient sur leurs cuisses d'athlètes. Ohio était fier de son attelage. Son cœur s'accéléra quand arriva le moment de leur donner l'ordre de s'élancer. Il voulait qu'ils soient parfaits. Les chiens le comprirent à la façon avec laquelle il les calma juste avant de partir, d'une voix ferme et autoritaire.

— On va pouvoir y aller !

Ohio se retourna. Cooper fouillait dans un sac et en sortit une paire de mocassins et deux moufles en fourrure et cuir de wolverine. Ohio reconnut tout de suite la signature de sa mère.

— Je ne pensais pas un jour les réutiliser…, dit doucement Cooper en caressant avec une certaine solennité le cuir souple de ses mocassins parfaitement entretenus, lourds de souvenirs.

Puis il les chaussa.

— En traîneau, il n'y a que ça pour avoir chaud, ajouta-t-il sans trop savoir pourquoi.

Cooper prit place sur le patin de droite et Ohio lut sur son visage qu'une profonde émotion le submergeait. Les aboiements des chiens, le contact des harnais, les mocassins et les grosses moufles, voilà qu'il retrouvait le monde qui l'avait tant marqué, celui que l'on ne comprenait pas, là-bas, si loin, chez lui, en Angleterre. Comment expliquer l'exaltation que procure la conduite d'un attelage dans les solitudes blanches ? Comment expliquer ce glissement de l'air froid sur sa peau chargée de l'odeur sauvage de l'attelage ? Comment expliquer l'émoi d'un départ lorsque les chiens, animés de la même envie que vous, se propulsent en avant avec des jappements de plaisir ? Oui, comment raconter tout cela ? Le crissement de la neige sous les patins. Le nuage de givre qui enveloppe bientôt l'attelage au galop. Les battements du cœur, qui semblent se mettre à l'unisson de ceux des pattes des chiens courant sur la surface glacée.

Cooper n'en avait jamais parlé. Une ou deux fois, sa femme l'avait interrogé.

— Alors, ces chiens eskimos, sont-ils aussi sauvages qu'on le dit ?

Mais il avait éludé la question.

Les chiens ! Ils lui avaient tant manqué. Et le Nord. Et le froid. Tout. Il allait revivre, renaître.

— Allez les chiens !

Un long frisson courut le long de ses épaules. Des larmes qui n'étaient pas de froid coulèrent sur ses joues jusque dans sa barbe blanchie par le givre. Cooper releva son capuchon et d'un geste sûr donna au traîneau la secousse nécessaire pour prendre le virage en bas de la descente. Il se souvenait. Il retrouvait instantanément l'équilibre et les gestes. Alors les chiens s'alignèrent bien droits sur la piste qui traversait le lac en son centre et prirent le galop. Ohio pivota pour adresser un clin d'œil à son père. Un immense sourire illumina le visage de Cooper. Il se mit à crier de toutes ses forces car une trop grande joie l'habitait.

— Yahouuuuuuh !

Et les chiens accélérèrent encore, encouragés par les cris d'Ohio qui, se mêlant à ceux de son père, ressemblaient à une charge victorieuse.

39

Cooper accompagnerait Ohio jusqu'à Yakataga, un village montagnais à une centaine de kilomètres au nord de Québec. Là, il trouverait bien un Indien avec un attelage prêt à louer ses services pour le ramener. Depuis qu'ils avaient exterminé à peu près tout ce que les forêts alentour abritaient d'animaux à fourrure, le village se dépeuplait. Il ne restait plus que ceux qui se chargeaient du transport et un groupe qui construisait des canoës à six places pour le compte de la Compagnie de la Baie. Les autres étaient partis avec toute leur famille, plus au nord, à la recherche de territoires giboyeux qu'ils disputaient aux Crees.

Les chiens filaient sur la piste malgré la tempête de neige qui l'avait en partie recouverte. Ohio s'arrêta brièvement pour mettre une sorte de petite coque de cuir attachée avec des lacets aux pattes avant de Torok et de Narsuak qui ouvraient la piste. Le cuir protégeait de l'érosion de la neige la peau tendre des coussinets.

Cooper était conquis par cet attelage qui maintenait depuis le départ un rythme incroyable. Il était habitué aux malamutes marchant au pas et qui, lorsqu'ils prenaient le trot, étaient patauds, comme engoncés dans une peau trop petite pour eux. Là, les chiens déroulaient leurs pattes, ils couraient avec une espèce de légèreté nonchalante, ils glissaient sur la neige qu'ils effleuraient à peine. Et de part et d'autre du traîneau, dans le tunnel de forêt où se creusait la piste, Cooper voyait défiler les kilomètres. Une vingtaine la première heure, car ils avaient galopé pendant plus de quinze minutes, puis une moyenne de douze à quinze kilomètres à l'heure ensuite.

— C'est incroyable ! Vraiment incroyable ! répétait-il, fasciné.

Ohio souriait de fierté. Aujourd'hui, la meute excellait.

— Tu seras vite auprès de ta Mayoké, dit Cooper en hochant la tête.

Il ne pensait qu'à cela. La serrer dans ses bras, l'embrasser, la caresser, la respirer, toucher sa peau, entendre sa voix, se coller contre elle et ne plus la quitter, noyer son visage dans sa longue chevelure et prendre ses seins dans ses mains, lui faire l'amour, encore et encore. Aurait-il assez de toute sa vie pour s'en rassasier ? Il imaginait quelle devait être l'impatience, mais le mot lui-même semblait bien faible, de Cooper, après quinze ans. Quinze ans !

Cooper n'en parlait pas et Ohio respectait sa pudeur. Il n'avait posé que peu de questions sur Sacajawa, l'essentiel. Le reste, il comptait sans doute l'apprendre lui-même. Ou alors ne pensait-il qu'à l'avenir, à celui qu'il pouvait encore construire avec elle malgré cette si longue et douloureuse séparation ?

Une nuit lumineuse succéda à un long crépuscule pâle et glacial. Ils s'arrêtèrent et allumèrent un feu sur lequel ils firent griller de la viande et cuire des galettes. Les gestes de Cooper étaient efficaces et précis, et Ohio sentait combien chaque tâche, couper un arbre à la hache, arracher l'écorce d'un bouleau, allumer le feu, faire fondre de la glace, l'émouvait. Comment avait-il pu vivre si longtemps sans tout cela ?

— Qu'on me donne le Nord et des chiens ! dit-il soudain en mordant dans la viande, et qu'ils gardent tout le reste ! Voilà la seule vie qui mérite d'être vécue, Ohio.

— Et Sacajawa ?

— Elle est au-delà de tout cela. Elle est tout. Tout.

Comment Ohio pouvait-il encore poser la question ? Cooper ne trichait pas. Sans doute avait-il besoin de l'entendre encore une fois.

La lune monta à l'ouest, au-dessus de la ligne des arbres qui dessinait un horizon noir sur le ciel d'un bleu-mauve profond, illuminé par des milliers d'étoiles. Au loin, un renard jappa puis le silence s'installa, troublé seulement par le crépitement des bûches de pin sec alors que les chiens, roulés en boule, dormaient la truffe sous la queue. Ils ne parlaient pas. Ils écoutaient la nuit et ressentaient les mêmes choses. Au loin un arbre claqua, fendu par le gel.

— Il va faire froid et ça va tenir, prédit Cooper.

Ohio regarda la lune et approuva.

— Oui, c'est du joli temps en perspective.

— Tu iras vite.

— À condition que je trouve des pistes.

— Sur la banquise, tu n'en as pas besoin.

— Je ne connais pas la banquise.

— Il faut voyager sur la partie uniforme qui se situe entre la côte et la zone de compression de la glace.

— C'est quoi ?

— C'est le résultat de la marée.

— …

— Je t'explique. Deux fois par jour, la mer monte et redescend de plusieurs mètres. C'est un peu comme dans un bol que tu animerais d'un imperceptible mouvement de droite à gauche.

Cooper fit basculer son bouillon de viande d'un côté à l'autre du bol.

— L'hiver, la glace se brise à chaque marée, et se reforme lorsque le mouvement s'interrompt, entre le flux et le reflux. Puis elle se brise à nouveau. Cela forme des compressions de glace qui peuvent atteindre plusieurs mètres de haut.

— Infranchissables ?

— Tu n'as pas intérêt à voyager au-delà sauf pour couper dans les anses et à condition que la surface soit belle. La zone comprise entre la terre et cette frange est idéale, plate, sans risque.

— Je m'en souviendrai.

— Prends soin de toi, Ohio. Je ne veux pas te perdre aussitôt après t'avoir rencontré.

Ohio était ému.

— Toi aussi, Cooper. Ton aventure est bien plus périlleuse que la mienne.

— Je connais bien la mer.

— Sacajawa a besoin de toi. Elle mérite ce qui doit arriver. Ne prends aucun risque inutile.

— Je te le promets.

Ils repartirent en pleine nuit et arrivèrent au village de Yakataga peu après l'aube. Une gangue de glace auréolait leurs visage lorsqu'ils rentrèrent, après avoir dételé les chiens, dans l'auberge du comptoir de la Baie d'Hudson où s'arrêtaient manger et dormir tous les voyageurs qui montaient ou redescendaient du Nord.

Le tenancier, un gros bonhomme au visage jovial, était ravi de les voir car il envoyait le jour même deux Indiens à Québec.

— Vous avez ouvert la piste ! Bravo ! Combien de temps cela vous a-t-il pris avec cette foutue tempête ?

— Deux jours, dit Ohio, devançant Cooper qui s'apprêtait à répondre.

Cooper, après une seconde d'hésitation, adressa un clin d'œil complice à Ohio et précisa.

— Deux jours pleins.

— Vous avez de sacrés chiens. Avec cette tempête qui a dû partiellement combler la piste, je pensais que vous aviez mis au moins trois jours.

— Donne-nous donc un bon repas ! On a de quoi payer, précisa Cooper qui se séchait près du gros poêle de fonte.

— Je pense bien.

Il fila dans la pièce qui servait de cuisine et mit aussitôt de grosses tranches de bacon à griller puis il revint avec la bouilloire pleine de café.

— Vous avez du thé, plutôt ? demanda Ohio.

— Bien sûr.

— Quand comptes-tu repartir ? interrogea Cooper en se servant de café.

— Demain matin, très tôt.

— Dis-moi patron, ces deux hommes là-bas, demanda Cooper en les désignant, peuvent-ils retarder d'un jour leur départ et me faire voyager avec eux jusqu'à Québec ? Je payerai ma place.

— Ça doit pouvoir se faire. Je vais leur demander de prendre trois ou quatre chiens de plus.

— Combien de jours leur faut-il ?

— Maintenant que la piste a été damée, deux.

Cooper brûlait d'envie de lui dire que l'attelage avait couvert la distance en un peu plus d'une nuit, mais il respectait la discrétion d'Ohio. Ils mangèrent puis allèrent nourrir et donner à boire aux chiens. Ohio les passa tous en revue, massa les dos et les cuisses, examina leurs pattes, fit jouer les muscles et les tendons sous l'œil attentif de Cooper qui se faisait expliquer l'histoire et le caractère de chacun.

— Tu me donneras des chiots, que je puisse te suivre dans quelques-unes de tes escapades ?

Ohio se figea d'étonnement. Il n'avait encore pas pris conscience de ce que représentait le fait d'avoir un père. Tout à coup il l'imagina près de lui, au village, partageant ses courses dans les étendues blanches, chassant et pêchant avec lui. Il aurait quelqu'un à qui se confier, sur qui s'appuyer. Il tenait la réponse à l'une des questions qu'il se posait. Il n'était pas seulement parti à la recherche du Cooper de Sacajawa, mais aussi à celle de son père. Voilà ce qui le poussait en avant. Il fut soudain convaincu qu'il existait une force invisible qui se jouait des distances et des années, et permettait à deux êtres de communiquer. Sans elle, comment Sacajawa aurait-elle continué d'aimer ? Comment lui, Ohio, aurait-il traversé tout le Grand Nord, s'il n'avait été animé de cette espérance inconsciente, de cette volonté que procure la foi en quelque chose de quasiment surnaturel. Il se rappelait le vieux chaman Keshad qui lui avait donné une leçon, un jour, au bord d'un grand lac, en prédisant l'arrivée de perdrix blanches puis celle, un peu plus tard, d'une femelle élan et de son petit, allant même jusqu'à préciser que ce dernier boiterait. Il existait bien, au-delà des frontières de la conscience, d'autres pouvoirs. Si Cooper était mort durant son périple ou en Angleterre, Ohio en était certain, la flamme qui brillait dans le cœur de Sacajawa se serait éteinte et lui-même n'aurait pas, envers et contre tout, été jusqu'au terme de son voyage. N'étaient-ils pas, eux les hommes, les jouets d'un destin décidé par d'autres ? Ohio se sentit soudain infiniment vulnérable.

— Tu es bien pensif, Ohio. Alors, tu me donneras des chiots ?

Il éluda la question.

— J'ai peur qu'il nous arrive quelque chose, Cooper. Tout cela me paraît si extraordinaire !

— Elle est bonne, celle-là ! Ne crois-tu pas que Sacajawa, Mayoké, toi et moi nous avons eu notre dose de malheur et que nous méritons un peu de… sérénité ?

— J'ai un mauvais pressentiment. Je ne peux m'en défaire.

— Nous allons nous retrouver l'hiver prochain et nous traverserons ensemble ces belles montagnes, Mayoké, toi et moi, jusqu'au village.

C'était une affirmation. Il ne pouvait ni ne voulait envisager autre chose.

40

Ils s'étaient quittés sans rien se dire dans la froideur de l'aube. À peine Ohio eut-il disparu que Cooper fut pris de regrets. Mais qu'aurait-il pu faire de plus ? L'embarquer avec lui ? Ohio devait retrouver Mayoké. Quant à l'aider dans ce qu'il s'apprêtait à effectuer, à part lui donner de l'argent, ce qu'il avait fait, et prier pour lui, ce qu'il ferait, c'était à son fils d'éviter les pièges du Nord. Et qui mieux qu'Ohio et ses chiens pouvait prétendre braver le pays d'en haut ? Lui n'aurait été qu'une charge. Il était fier de ce fils, si fier.

Cooper fixa longuement la nuit où Ohio venait de disparaître et retourna vers le comptoir pour appeler les Indiens qui, à leur habitude, vivaient comme si le temps n'existait pas. Ils n'avaient toujours pas attelé, or Cooper ne devait pas traîner. L'hiver était déjà bien avancé, il ne lui restait plus que deux mois pour régler ses affaires, achever de préparer son bateau, recruter la seconde moitié de l'équipage, et surtout dénicher un bel attelage et l'entraîner. Ensuite, le voyage serait rapide, et dans un an il serait aux côtés de Sacajawa et de son fils, dans ces montagnes qu'il n'aurait jamais dû quitter.

— Allez, bon Dieu, le jour va se lever !

Les hommes sortirent du comptoir en haussant les épaules. Encore un de ces maudits Blancs pressés et autoritaires. Au moins celui-là payait-il bien. Ils attelèrent leurs malamutes, vérifièrent leur chargement puis quittèrent Yakataga. Les chiens trottèrent un peu, mais à peine avaient-ils dépassé les dernières cabanes, pour la plupart abandonnées, qu'ils se mirent au pas. Cooper soupira. Le trajet allait être long.

Ohio était parti un peu tôt. La lune s'était couchée et les lueurs de l'aube qui commençaient tout juste à colorer le ciel à l'est ne pénétraient pas dans la forêt où la piste serpentait. Il heurta un arbre, brisant l'arc de bois qui protégeait l'avant du traîneau.

— Ça commence bien, soupira-t-il.

Il s'arrêta, fit un feu et, à la lueur des flammes, reconstitua avec quelques tiges de bouleau liées ensemble un pare-chocs de fortune qui tiendrait bien quelque temps. Il profiterait d'un arrêt, plus tard, pour en tailler un vrai dans une bille de tremble. Enfin, quelques lueurs percèrent le couvert des arbres et il put repartir. La piste, tracée dans la forêt, longeait plusieurs lacs et ruisseaux qu'elle n'empruntait pas. Elle devait être utilisée en toutes saisons. Le tenancier du comptoir de Yakataga lui avait expliqué qu'elle rejoignait la rivière Haricana, loin au nord, à partir du village montagnais de Waspanipi. Il fallait, disait-il, au moins trente jours pour atteindre la baie James. Ohio en déduisit que la distance pouvait être couverte en dix jours, surtout que cette piste était le seul lien entre la baie d'Hudson et Québec, la seconde piste, à l'ouest, étant quasi inutilisable. Les territoires qu'elle traversait continuaient d'être le théâtre de nombreuses guérillas entre clans et comptoirs qui, parfois, changeaient plusieurs fois de main au cours d'une année.

En passant très au nord, Ohio espérait échapper à ces horreurs dont il était las, et tremblait à l'idée de ce que Mayoké avait pu rencontrer. Aurait-il dû suivre la même route qu'elle ? Elle était loin maintenant, du moins l'espérait-il, et il n'avait aucun espoir de la rattraper. En passant par le nord, il rejoindrait au plus vite le grand lac des Esclaves où elle avait toutes les chances d'arriver avant lui puisqu'elle se dirigeait vers lui depuis déjà plus d'un mois. S'il ne la trouvait pas là, ce qu'il ne voulait même pas envisager, alors il reprendrait la piste et il la chercherait.

Profitant d'une longue période de grand froid, Ohio voyagea à raison de soixante à soixante-dix kilomètres par jour sur une piste qui s'améliorait au fur et à mesure qu'il montait vers le nord car la tempête n'avait apporté ici que peu de neige. Il croisa un premier attelage, puis trois autres à deux jours de Waspanipi. Les hommes s'enquirent du cours de la fourrure de castor à Québec, qu'Ohio ignorait. Ils considérèrent avec curiosité ce voyageur qui ignorait la chose la plus importante au monde : le cours de la fourrure de castor !

À Waspanipi, comme à Yakataga, une sorte d'auberge jouxtant le comptoir avait été installée. Les voyageurs indiens et blancs pouvaient s'arrêter là, y coucher et acheter de la nourriture pour les chiens. La grande bâtisse en bois rond comportait, outre un dortoir, deux chambres individuelles pour les membres de la compagnie et les clients fortunés qui ne désiraient pas se mélanger aux autres, notamment aux Indiens. Ohio s'installa dans le dortoir où deux Indiens cuvaient l'alcool qu'ils venaient d'échanger contre quelques peaux de renard de mauvaise qualité. Il acheta du poisson et des carcasses de castor pour ses chiens, trouvant au système de l'argent un avantage certain. Il soigna leurs pattes échauffées avec de la graisse de castor mélangée à de l'huile de baleine que le comptoir vendait dans des fioles et dont Ohio connaissait les vertus antiseptiques.

Comme partout ailleurs, le village était en partie déserté, la plupart des hommes étant partis trapper sur des territoires éloignés.

Ohio comptait s'y reposer deux nuits, mais au matin, quand il se réveilla, il eut la désagréable surprise de s'apercevoir que le sac de cuir contenant tout son argent, une énorme somme que lui avait laissée Cooper, avait disparu.

— Les putois !

Il s'habilla à la hâte et sortit. Leurs chiens n'étaient plus là. Il faisait jour depuis moins de deux heures, les fuyards ne pouvaient avoir trop d'avance. Il déchargea son traîneau et attela en prenant soin d'emporter avec lui son arme et des munitions.

— Eh là, tu ne pars pas sans payer.

— Je n'ai plus d'argent. Des Indiens l'ont volé ! Je reviens avec. Garde mes affaires.

Le Blanc hésita, mais, voyant le tas d'affaires et de matériel, s'estima bien payé si Ohio disparaissait. Il le laissa partir en maugréant.

— Maudits Indiens ! Ils se volent même entre eux.

Les chiens s'élancèrent. Ils avaient perçu l'excitation d'Ohio qui contenait mal sa colère. Avec leurs traîneaux de six chiens, les deux voleurs allaient plus vite que ne le pensait Ohio et il ne les rattrapa qu'au terme de quatre heures de course, dans une longue ligne droite, près d'un lac. Ils ne l'aperçurent que lorsqu'il fut à moins de quatre cents mètres d'eux et stoppèrent immédiatement pour charger leur arme. Ohio calcula qu'il n'avait pas le temps de fondre sur eux.

— Djee Torok ! Vite, djee !

Torok s'élança dans la neige fraîche et Ohio s'arc-bouta au traîneau pour le pousser dans la forêt. Une balle siffla alors qu'il atteignait un groupe de sapins épais derrière lequel il se dissimula. Il chargea son arme et s'avança sous le couvert de tiges de saule jusqu'à un point d'où il put tirer en direction de ses adversaires, cachés eux aussi dans la forêt. Il n'espérait pas les atteindre, seulement leur montrer que lui aussi était armé. Un long silence s'ensuivit. Aucun des deux camps ne semblait vouloir prendre l'initiative d'une offensive. Ohio retourna près de ses chiens, craignant qu'un des deux hommes ne tente de le contourner et ne tire sur eux. C'est ce qu'Ohio aurait fait à leur place, la meilleure façon de profiter de leur supériorité numérique. Mais il les entendit soudain s'enfuir, une nouvelle fois. Il ne comprenait pas.

— Ils savent bien que je suis plus rapide !

Qu'espéraient-ils ?

Ohio ne les avait pas vus partir et devina la ruse. L'un d'entre eux devait mener les deux attelages tandis que l'autre était resté en embuscade, espérant qu'Ohio allait suivre, offrant une cible facile. C'était bien joué mais on ne l'attraperait pas comme ça. Ohio attendit. Une longue demi-heure s'écoula.

Excédé, il décida de passer à l'offensive.

— Torok, tu restes là ! Sage !

Il s'approcha tout doucement, par la forêt. Rien ne bougeait. Le silence était angoissant. Ohio préférait la confrontation à ce jeu de nerfs où le traître pouvait vous tirer dans le dos. C'est alors qu'à l'emplacement des traîneaux, il aperçut son sac !

— Une ruse !

Il s'approcha encore, franchit la piste et contourna les endroits où l'on pouvait être à l'affût. Il croisa des traces et les étudia. Il y avait bien deux pistes. Les deux hommes étaient partis en laissant son sac.

Ohio n'y comprenait plus rien. Il vérifia encore qu'aucun piège n'avait pu être tendu, chercha autour de lui la moindre trace suspecte, et, enfin rassuré, alla vers son sac et s'en saisit.

Quatre des cinq bourses contenant l'argent étaient là !

C'était donc ça !

— Ces putois ont pensé que s'ils me restituaient la plus grande partie de l'argent, j'allais renoncer à les poursuivre !

Ils avaient raison. Si la première intention d'Ohio était de les rattraper, il se résigna vite à leur abandonner ce qui représentait une véritable fortune, puisque l'argent contenu dans une bourse de cuir équivalait à huit cents peaux de castor. Plus que ces deux hommes pouvaient attraper en trois ans de trappe !

Ohio donna à boire à ses chiens et s'en retourna. Il avait compris la leçon. Désormais, il cacherait son argent et se contenterait, pour payer, d'exhiber quelques pièces. Il comprenait maintenant les craintes de Cooper qui possédait une quinzaine de bourses comme celle-là et avait souhaité répartir le risque en lui en confiant cinq.

— Surtout, Ohio, lui avait-il dit en lui donnant l'argent, sers-toi autant que tu en as besoin. Il ne saurait être mieux et plus judicieusement dépensé que par toi.

Ohio n'avait pas discuté. L'argent ne représentait rien pour lui. Quant à le dépenser, sinon pour l'échanger contre quelques nourritures, munitions et bougies…

41

Les chiens ne comprenaient pas pourquoi Ohio reprenait pour la troisième fois le même chemin. Ils commençaient à se lasser de ces allers et retours dont le sens leur échappait.

— Allez les chiens, un peu de courage ! On va se reposer un bon coup avant de repartir !

Mais ils n'accélérèrent pas vraiment. Kourvik et Huslik avançaient même la queue basse. Ils rentrèrent à la nuit à Waspanipi où des chasseurs du village de Moosene étaient arrivés au cours de la journée.

— Vous êtes vraiment de Moosene ?

— Oui, pourquoi ?

Ohio touchait là au second but de son voyage, mais il avait du mal à prononcer le nom de son ami, qui était devenu celui de son fils. Il bredouilla, ému.

— Est-ce que tu connaissais Mudoï ? Il a quitté le village, il y a plusieurs années, trois, quatre peut-être ?

— Avant la grande bagarre avec les Iroquois ?

— Je suppose, oui… Peut-être juste après.

— Ça m'étonnerait. Il n'en restait pas beaucoup !

— Et toi ?

— Je viens d'Attawaspikat comme la plupart des

Crees qui sont maintenant au village de Moosenee. C'est nous qui avons chassé les Iroquois et les Ojibways.

Ohio commençait à saisir. Il se rappelait les mots de Mudoï alors qu'il apprenait à parler : « Village mort. Hommes, femmes, enfants tués pour fourrures. » À l'époque, Ohio n'avait pas compris. Il ne savait encore rien des bouleversements que la traite de la fourrure avait entraînés dans le pays qu'il s'apprêtait à traverser. Il ne connaissait pas les Blancs, ni les armes, ni l'alcool. Il vivait avec les siens, loin de tout cela, retranché dans les Montagnes qui les avaient protégés de la furieuse tempête blanche bouleversant le pays.

— Piwiskat te renseignera. Il n'était pas dans le village quand le massacre a eu lieu.

— Il est ici ?

— Oui, c'est lui là-bas. Celui qui découpe le poisson.

— Merci.

Ohio se dirigea vers l'homme d'une cinquantaine d'années qu'il lui avait indiqué.

— C'est toi Piwiskat ?

— Oui.

— Je m'appelle Ohio. Je viens de très loin dans l'ouest et j'ai rencontré Mudoï. Tu le connaissais ?

— Et comment !

L'Indien se releva, jovial.

— Il est mort.

Piwiskat soupira.

— Il n'en restera donc aucun de la belle époque.

— Il était de ta famille ?

— Nous étions tous de la même famille.

— Je veux dire…

— Je comprends ce que tu veux dire. Il était le fils de ma sœur.

— Je suis désolé.

— Comment est-il mort ?

Ohio lui raconta tout. Cela lui faisait du bien. Un fardeau se déchargeait de ses épaules à mesure qu'il parlait.

Comme il faisait froid dehors, Ohio aida Piwiskat à nourrir ses chiens. Ensuite ils s'occupèrent ensemble des siens, puis ils prolongèrent leur discussion à l'intérieur du comptoir où des tables était dressées près du poêle.

Piwiskat jugeait avec sévérité et discernement les Français et les Anglais qui avaient envahi leur territoire pour y imposer leurs lois et leurs religions. Ohio se sentit très vite en accord avec cet homme qui ne se plaisait plus que dans les bois, loin de tout.

— Que fais-tu ici ?

— Je suis venu échanger quelques fourrures contre un peu de thé et surtout des vitres pour ma cabane.

— Et les autres ? demanda Ohio en désignant huit Indiens qui étaient arrivés avec cinq attelages.

— Regarde-les !

Ils buvaient.

— Leurs femmes leur ont dit ce qu'ils devaient rapporter et ils ont déjà négocié la moitié de leurs fourrures contre ces bouteilles ...

Piwiskat eut un geste d'impuissance. On le sentait révolté mais fataliste.

— Est-ce que Mudoï aurait un parent à part toi, un frère, une sœur... son père ?

Piwiskat faisait signe que non au fur et à mesure.

— Personne ?

— Presque tous sont morts. Moi, j'étais à la chasse. Ils ont tué tout le monde. C'était effroyable.

Ses yeux se voilèrent tandis qu'il se remémorait la scène. Ohio n'insista pas. Qu'espérait-il ? Il ne savait plus pourquoi il tenait tellement à retrouver ce village. Pensait-il se libérer ainsi de la dette dont il se sentait redevable ?

Comme s'il devinait ses pensées, Piwiskat lui demanda s'il avait conservé quelque chose de Mudoï.

— Ce couteau.

Ohio montra celui qu'il portait à la ceinture.

— Tout au bout de la pointe du Narval, à l'ouest du village, tu trouveras un amoncellement de pierres sur une grande roche plate. Il y en a beaucoup, mais elles sont toutes gravées. Celle avec un saumon qui saute au-dessus d'un oiseau est le signe de la famille de Mudoï. Ils reposent là. Vas-y et laisse ce couteau. Les esprits comprendront et je suis sûr qu'une partie de son âme est encore sur cette arme.

— Je le ferai.

Le ciel s'était couvert, remontant la température, et Ohio coucha dehors avec ses chiens. Le lendemain, il acheta une centaine de kilos de saumons. Il en fit dégeler un près du feu, creusa l'intérieur avec le couteau que Cooper lui avait donné et y plaça les bourses de cuir contenant l'argent. Puis il referma le poisson et le laissa geler de nouveau. Il passa tout l'après-midi auprès de ses chiens, massant leurs dos et leurs articulations, jouant avec eux et les flattant. Piwiskat vint le saluer avant de repartir avec les siens.

— Nous nous reverrons sur la piste, dit Ohio, je pars demain à l'aube.

— On nous a signalé plusieurs petites hardes de caribous à l'ouest de ce village. Nous allons quitter la piste à deux heures d'ici pour nous enfoncer dans cette direction. On ne se reverra donc pas.

— Tes compagnons de route ont dessaoulé ?

— Bah, quelques heures de raquettes et il n'y paraîtra plus !

— Que le grand esprit de la chasse soit avec vous.

Ils se saluèrent.

— Ohio ?

— Oui.

— Sois en paix ! Tu as fait ce qu'il fallait et même bien plus.

— Merci, Piwiskat. Il faudrait beaucoup d'hommes comme toi. Alors les Blancs ne nous imposeraient pas leur loi !

— Oh ! Cela ne suffirait pas. Les Blancs arrivent plus nombreux que les oies au printemps et ils sont puissants. Mais surtout, ils avancent toujours et ne se retournent jamais.

— Que veux-tu dire ?

— Lorsqu'un Indien traverse une étendue blanche, vierge de toute trace, il se retourne en haut de la colline et prend le temps qu'il faut pour la regarder. Il s'aperçoit de ses erreurs. Il voit si sa piste n'est pas conforme à l'idée qu'il s'en faisait. Il la compare à d'autres, celles qui sont gravées dans sa mémoire ou celle d'un loup qui parfois erre sans véritable but.

— Tu parles bien, Piwiskat. Je fais partie de ces hommes qui ne tirent pas assez d'enseignements de leurs erreurs. Je tâcherai de me souvenir de ton histoire. Chaque fois que j'arriverai en haut d'une colline de ma vie, je prendrai le temps de m'arrêter et d'écouter ce que ma piste me révélera.

— Autre chose, Ohio. Méfie-toi de *Pisugtooq,* le grand voyageur. L'ours polaire est un animal imprévisible et dangereux. Ne le confond avec aucun autre animal que tu connais. *Pisugtooq* est grand et lourd, mais il est capable de se faire aussi léger et discret qu'une plume d'oie.

— Je ne sous-estimerai pas *Pisugtooq,* promit Ohio.

— Si les Inuits l'appellent « le grand voyageur » et l'honorent, c'est parce que ceux qui voyagent loin méritent le respect. Je suis heureux de t'avoir rencontré, Ohio. Que l'esprit de *Pisugtooq* soit avec toi.

Ohio atteignit Moosenee en un peu moins de dix jours. En fait de village, Moosenee était la plaque tournante de la Compagnie de la Baie d'Hudson. Il y régnait une grande activité, les fourrures de toute la baie transitaient par là et un grand nombre de marchandises était entreposé dans l'énorme comptoir trônant au beau milieu du village. Ohio admira les centaines de fourrures de renard polaire qui séchaient dehors dans le vent. Mais cette vision le mit mal à l'aise. Tant de cadavres !

Il se rendit sur le rocher de la famille de Mudoï et y resta toute une journée, assis au bord d'un petit feu, perdu dans ses pensées, face à la banquise qu'il voyait pour la première fois de sa vie.

— Mudoï, mon ami, je te confie mon fils. Emmène-le avec toi dans le pays des grands esprits. Protège-le et redis-lui combien je l'aime. Que cela lui donne la force.

Ohio sentait que Mudoï était près de lui et l'écoutait. La similitude entre ce lieu et la presqu'île où il avait rencontré Mayoké, au bord du grand lac qui ressemblait à une mer, troubla le jeune homme.

— Je l'aime ! Je l'aime si intensément ! avoua-t-il en pensant à ce chagrin qu'ils auraient dû vivre et surtout surmonter ensemble. Me pardonneras-tu, Mayoké ?

Il n'en était plus si sûr.

42

Ils n'avaient pas pu chasser pendant plus de six jours durant lesquels sévit un froid terrible. Les animaux se terraient pour économiser au maximum leur chaleur. Les mouflons et les chèvres se blottissaient dans la neige sous la voûte des branches basses d'un sapin et attendaient que le coup de froid passe. Ensuite, Rankhan prévoyait une belle chasse car les animaux affamés resteraient visibles tout le jour, ce qui permettrait de les approcher plus facilement qu'à l'aube et au crépuscule. Mais au grand froid succéda une tempête de neige… Deux semaines après leur arrivée, ils n'avaient récolté que trois mouflons et une chèvre, à peine de quoi nourrir une famille sur la vingtaine que comptait le clan.

Ulah et Nutak qui étaient partis au village rapporter ces maigres provisions revinrent avec de mauvaises nouvelles. Ouzbek était rentré bredouille des grands marais d'Isotia où il espérait trouver des élans. Il en avait approché un, mais les loups lui avaient fait rater sa chasse. Rankhan n'émit aucune réflexion, mais Sacajawa lut dans ses yeux ce qu'il pensait : Ouzbek était peut-être un bon chef mais il n'était pas un chasseur habile.

La survie du village dépendait d'eux. Ils redoublèrent d'efforts. La chasse au grand gibier ne remportait pas beaucoup de succès. Ils tuèrent deux mouflons en six jours de chasse acharnée. Cependant Ulah et Nutak repartirent vers le village avec deux traîneaux chargés de lièvres colletés par Rankhan dans deux vallées adjacentes à celle où ils avaient dressé leur campement.

— Maintenant il faudra aller loin pour en colleter autant. Je ne suis même pas sûr de retrouver pareil endroit.

— Que penserais-tu d'aller établir notre campement de base ailleurs ? proposa Oujka.

— Essayons encore d'approcher cette harde de jeunes chèvres que nous avons repérée à l'ouest du lac.

— Mais elles sont hors d'atteinte !

— Le vent va tourner, elles vont bouger.

Rankhan avait raison. Un vent d'ouest succéda au vent du nord et les chèvres quittèrent le rocher inaccessible pour un versant abrupt où ils pouvaient tenter de les atteindre.

Ils étaient tous les trois, Rankhan, Oujka et Sacajawa sur le col. À l'ouest s'élevait une crête rocheuse sous laquelle paissaient les chèvres.

— Je vais les approcher par-dessous en utilisant cette combe rocheuse, à bon vent. Répartissez-vous de part et d'autre de la crête. Vous voyez ces traces là-bas ?

— C'est par là qu'elles sont arrivées, observa Oujka.

— Et elles s'échapperont sans doute par là. Poste-toi là avec deux flèches. L'une sur l'arc et l'autre entre les dents. Tu auras peut-être le temps d'en tirer deux. Quant à toi, Sacajawa, il faut que tu redescendes jusqu'au lac et que tu remontes en haut de la combe par la crête opposée. Avec ce vent, il est possible que le groupe s'échappe dans cette direction.

— Tu te trouveras donc en dessous de moi.

— Oui, mais reste sur la droite pour qu'elles ne t'éventent pas.

Ils ne contestaient jamais les plans de Rankhan. Son instinct, doublé d'une expérience exceptionnelle, était incomparable. Pourtant, cette fois, Sacajawa émit un doute.

— Je connais cette pente, dit-elle d'un ton conciliant. Je suis passée en dessous lorsque Nutak a tué ce jeune mouflon. Elle est bien plus abrupte qu'il n'y paraît. Je doute que tu puisses grimper et la neige est…

— Va où tu dois aller et laisse-moi faire avec cette combe ! Le village a faim et si ces chèvres ne meurent pas ce sont des Indiens qui vont mourir !

Rankhan chargea son sac sur son dos, le fusil en bandoulière, et s'éloigna. Le cuir tressé de ses raquettes grinçait contre le bois et il s'arrêta pour les réajuster de façon qu'elles fassent le moins de bruit possible. Sacajawa évita le regard d'Oujka et se mit en route elle aussi, mal à l'aise.

Il lui fallut un peu plus d'une heure pour aller se mettre en place. Elle dominait tout le versant. Le groupe de chèvres s'était un peu éloigné de la combe, mais restait néanmoins à distance de tir, du moins pour un fusil. Aucun signe de Rankhan. Un silence absolu régnait. Le ciel blanc semblait suspendu au-dessus de la cime des montagnes. Elle aperçut au loin dans la vallée la trace laissée par un loup puis, plus haut, celle de Rankhan. Enfin, elle le vit. Il montait péniblement, face à la pente, s'accrochant aux rochers qui, par endroits, affleuraient la couche neigeuse dans le fond de la combe. Il lui aurait été plus facile de progresser sur le bord de la combe mais les mouflons l'auraient repéré. Comment allait-il faire ? Un peu plus haut, la pente s'accentuait.

Elle voulait que la chasse réussisse mais en même temps, elle espérait que les chèvres l'éventent ou l'entendent. Les mouflons s'enfuiraient et Oujka en tuerait un ou deux. La perspective d'en tuer un de plus justifiait-elle cette prise de risque ?

« Et ce n'est même pas pour les siens, pensa Sacajawa. Il le fait pour nous. Ce n'était pas à lui de monter. Il aurait dû se poster là-bas et Oujka et moi aurions pris sa place. »

Elle ne put achever sa réflexion. Soudain, un bruit terrible d'éboulement résonna dans la vallée.

— Rankhan !

Un nuage de neige s'éleva de la combe. Des rochers s'étaient détachés, déclenchant une petite avalanche. Sacajawa sauta dans la pente, glissant dans la neige qui dévalait sur le versant gelé avec elle. Elle risquait de déclencher une vraie avalanche, mais peu lui importait. Rankhan était en danger de mort.

Elle atteignit rapidement l'endroit où il se trouvait. Elle vit le sang qui rougissait la neige avant de le repérer, coincé sous un amas de rochers. Elle le dégagea. Sa jambe était prise, broyée par un gros rocher qui avait roulé avec lui. Il revint à lui lorsqu'elle lui souleva la tête pour la poser contre sa paire de raquettes.

— Rankhan !

Il se redressa à moitié en serrant les dents et vit sa jambe et le sang.

— L'artère !

Il se vidait de son sang. Gênée par le rocher, elle ne pouvait la comprimer. Elle essaya de le faire rouler en creusant derrière lui pour le mettre en équilibre. En le poussant sur le côté, elle réussit à le faire basculer. Rankhan laissa échapper un râle de douleur lorsqu'en roulant, le rocher fit bouger ce qui restait de sa jambe. Il eut du mal à reprendre sa respiration, mais parvint toutefois à s'asseoir pendant que Sakajawa essayait en vain de stopper l'hémorragie. Le sang sortait de toutes parts.

— Sacajawa ! Sacajawa !

— Oui !

Il l'attira contre lui, la faisant lâcher prise.

— Rankhan ! Le sang ! Il faut arrêter le sang.

— Non ! C'est fini, Sacajawa.

Il était maintenant incroyablement calme.

— Je n'ai plus de jambe. Je suis mort, Sacajawa.

— Non ! Non ! Je vais arrêter le sang !

Elle criait. Elle se révoltait. Elle ne voulait pas.

— On va te ramener. On va te soigner.

Elle se libéra en se débattant et sortit son couteau pour tailler dans sa veste des lanières de cuir. Le sang jaillissait par saccades. Elle paniquait.

— Je t'en supplie, Sacajawa.

Le ton de la voix la fit se retourner. Il lui souriait.

— Ne gâche pas les derniers moments. J'ai déjà assez souffert à cause de toi.

Il la ramena contre lui. Elle se laissa faire.

— Je suis bien, Sacajawa. Je suis si bien. Ne t'en fais pas. Sans jambe pour courir les montagnes, je suis déjà mort.

— Oh ! Rankhan !

Elle s'était résignée. Elle comprenait. Elle le regarda. Son visage creusé de petites rides au coin des yeux s'était adouci. Elle lui sourit.

— Rankhan.

Elle lui caressa le visage en l'embrassant.

— Il devait être en équilibre. Il s'est retourné quand je me suis appuyé dessus… Je suis tombé en arrière dans la pente, expliqua-t-il le souffle court.

— Ça n'a pas d'importance.

— Non. Plus rien n'a d'importance. Je veux rester ici, Sacajawa… Ici, sous ces cailloux.

Il souriait. Elle lui caressait le visage et continuait de l'embrasser.

— Je suis si bien…

Il avait de plus en plus de mal à articuler. Son visage lui-même devenait exsangue.

— J'en ai tellement rêvé, de ce moment-là… Je…

— Oui, Rankhan, je t'entends… je suis là…

Elle pleurait maintenant.

— Tu voulais mourir ?

Elle ne comprenait plus.

— Non ! je rêvais de… Je rêvais de…

Il balbutiait. Elle sentait qu'il voulait encore parler.

— J'ai tellement rêvé de… te tenir dans mes bras.

— Tu ne rêves pas, Rankhan.

Elle l'embrassait et le serrait de toutes ses forces.

— Je suis dans tes bras et je t'aime, Rankhan.

Ses lèvres blanches tremblèrent un peu, esquissèrent un sourire. Puis Sacajawa ressentit le relâchement de tout son corps.

Pourquoi la vie était-elle si injuste avec elle ?

43

La banquise. Le royaume de *Pisugtooq*, l'ours polaire, le grand voyageur.

Ohio attendit deux jours avant de repérer une trace à moitié effacée par le vent mais que les chiens humèrent néanmoins avec méfiance. Alors il arrêta son traîneau et considéra longuement l'empreinte. Il l'observait avec un certain recueillement et beaucoup de respect. Le vide se fit en lui. C'était comme si son âme se dépouillait du poids de son passé pour rester seulement suspendue au rythme de son désir de voir un ours. Oui, il ne quitterait pas la banquise avant d'avoir rencontré *Pisugtooq*. Il ne pouvait pas faire autrement.

Il avait de la chance. Cinq jours d'affilée sans vent avec une bonne température. Les chiens filaient sur la belle surface dure et plate, plus ou moins large, qui se situait, comme l'avait expliqué Cooper, entre la terre et la zone de compression. Quand il s'arrêtait, Ohio entendait les plaintes et les grincements des morceaux de glace qui se frottaient les uns contre les autres, se retournaient, se contorsionnaient sous l'effet de la marée. Les premiers jours, les chiens sursautèrent devant ces bruits qui, pour eux, étaient synonymes de danger, puis ils s'habituèrent.

Il n'avait croisé personne depuis le départ car la plupart des Indiens trappaient le renard polaire à l'intérieur des terres. La deuxième partie de l'hiver était la plus propice et ils en profitaient.

Ohio atteignit Attawaspikat juste avant que ne se déclenche un terrible blizzard qui le bloqua trois jours dans le petit village, bien protégé, blotti dans la forêt à une dizaine de kilomètres de la mer. Le village était pratiquement désert et le comptoir assez minable.

— Les Indiens n'échangent plus rien ici. Ils vont tous jusqu'à Moosenee. Il y a plus de choix, lui expliqua le Blanc, fataliste, qui lui offrit l'hospitalité bien que le comptoir ne soit pas prévu pour recevoir des voyageurs.

Mais Dick aimait les chiens et Ohio comprit qu'il était là pour eux. Il avait lui-même un bel attelage de six huskies croisés avec des malamutes qu'Ohio admira.

— Ils sont puissants.

— Oui et assez obéissants, admit Dick, plutôt fier. Avant je travaillais pour le comptoir à Québec, et je ne pouvais pas avoir de chiens, c'est pour cela que j'ai postulé pour ici, ajouta-t-il.

Ohio lui expliqua qu'il allait traverser une zone comprise entre la baie James et le grand lac des Esclaves où les clans se faisaient la guerre.

— Tu as intérêt à passer par le nord et à redescendre ensuite.

— Je n'en aurai pas le temps. Je dois être au grand lac avant la débâcle.

— Impossible !

Ohio avait maintenant l'habitude de ce genre de réaction et n'insista pas, se contentant d'un vague : « Je pense que si. »

— Tu devrais monter au nord de Churchill, au moins jusqu'au village inuit d'Ivilig. Les Inuits vont chasser le caribou dans la terre sans arbre et tu voyageras vite.

— Il y a un poste là-bas ?

— Oh non, les Inuits ont massacré tous les Blancs qui s'y sont risqués. Sais-tu ce qu'on raconte ? Cet été, un baleinier de fort tonnage s'est arrêté à Ivilig. Les Blancs voulaient forcer les femmes inuits à leur faire des moufles. Ils ont terrorisé le village jusqu'à ce que les femmes se mettent au travail. Alors elles ont fabriqué des moufles sans pouce qu'elles ont solidement attachées aux poignets de ces imbéciles. Ils n'ont pas pu se défendre lorsque les Inuits leur sont tombé dessus et leur ont volé leurs fusils !

— Ces Blancs ont eu ce qu'ils méritaient.

— Tu ne sembles pas les apprécier ?

— Comment pourrait-il en être autrement ? Regarde ce que sont devenus les pays d'en haut...

Dick s'en fichait. Il haussa les épaules en guise de réponse et confia à Ohio une lettre pour le responsable du poste de traite de Churchill.

— Swann est comme moi. Il parle une dizaine de dialectes indiens et inuits, tu n'auras aucune difficulté.

— Je parle un peu français moi-même, lui dit Ohio.

— Ce n'est pas le bon choix.

— Que veux-tu dire ?

— Le pays devient anglais. C'est l'anglais qu'il faut apprendre.

— Mon pays restera celui des Nahannis.

Ohio avait parlé durement, la mâchoire serrée et l'œil mauvais.

— Ce n'est pas mes affaires, conclut Dick qui n'aimait pas ce genre de discussion.

Une Indienne entra dans le petit comptoir avec une dizaine de peaux de renard polaire que Dick examina rapidement. Il signa un reçu qu'il lui tendit, et elle s'en alla.

— Elle ne discute pas et elle ne prend rien ? s'étonna Ohio.

— Le prix du renard est fixe et je n'ai pratiquement plus de marchandise. Elle reviendra lorsque je recevrai le chargement de Moosenee.

Comme souvent en hiver, une longue période de froid succéda au blizzard. Ohio quitta Attawaspikat dès que le vent tomba et réalisa deux énormes étapes en remontant sur la mer gelée le long de la baie James. Il avait confectionné des petites bottines en cuir pour protéger les pattes de ses chiens car leurs coussinets avaient tendance à s'abîmer sur la croûte salée de la banquise. À l'aube du deuxième jour, il atteignit le campement de Lake River où étaient dressés quelques tipis et, un peu à l'écart, trois igloos auprès desquels Ohio remarqua un bel attelage de chiens pesant au moins quarante kilos. Leur poil droit et rêche se dressait par-dessus une bourre duveteuse de teinte claire.

Les tipis étaient fermés, à l'exception d'un seul d'où montait une mince colonne de fumée. Les chiens attachés à un câble tiré entre deux piquets se mirent à aboyer lorsque Ohio arrêta son traîneau. Un pan du tipi se souleva et une jeune femme aux yeux plissés l'observa.

Tout en dételant, Ohio lui fit un signe amical. Il planta deux piquets dans la neige avec le revers de sa hache et tendit le câble d'acier qu'il s'était procuré à Québec en remplacement du sien. La femme passa une veste en fourrure de phoque et s'approcha pour l'aider. Ils ne se comprenaient pas. Elle était inuit. Elle lui montra l'igloo et fit signe de la suivre. Ohio admira l'architecture, simple mais efficace, de la construction en blocs de neige empilés en colimaçon jusqu'à la dernière pièce de la voûte, taillée dans un bloc de glace, laissant filtrer la lumière.

Elle appela. Ohio entendit maugréer à l'intérieur, puis, après un certain temps, un homme trapu mais fort costaud sortit du petit tunnel qui permettait d'accéder à l'igloo. Ohio le salua. L'Inuit le considéra un instant et s'adressa à lui en indien avec un accent prononcé.

— Je suis rentré tard. Un ours m'a échappé au bord de l'eau libre, dit-il comme pour s'excuser d'être encore en train de dormir.

— Tu chasses les ours ?

— J'habite Nastapoka et là-bas il n'y a pas d'ours cette année.

— Pourquoi ?

— La banquise a pris trop tard. C'est déjà arrivé il y a quelques années. Alors je suis venu ici avec des chasseurs qui chassent le caribou dans les terres.

— Et pourquoi as-tu besoin d'un ours ?

L'Inuit se mit à rire.

— Ta question est étrange. C'est moi qui le premier ai croisé la trace de ce grand mâle. Cet ours est à moi.

Une étrange lueur de défi se reflétait dans ses yeux brillants d'excitation. Ohio comprenait cette passion. Il l'enviait.

— Qui es-tu ?

Ohio le lui expliqua. L'Inuit s'appelait Napaktok et riait toujours. Il invita Ohio à partager un repas de viande de phoque. La chair était noire et sentait le poisson. Ohio mangea du bout des lèvres alors que Napaktok s'empiffrait.

— Tu es seul ici ?

— Ils sont tous à la chasse. Ils reviendront dans quelques jours. Mais il y a Ipkik. Tu peux t'en servir si tu veux.

La jeune Inuit baissa les yeux alors que Napaktok riait franchement.

— Tu verras ! Elle est bonne quand elle gigote comme un jeune caribou.

Cette fois, Ipkik rougit en retenant un sourire.

— C'est ta compagne ?

— Je la partage avec Magusk en voyage car ma compagne ne peut plus aller loin depuis qu'elle s'est cassé la jambe. Elle s'est mal remise.

— Je comprends.

— Tu veux Ipkik ?

Ohio se demandait comment se sortir de ce mauvais pas sans vexer ni l'un ni l'autre.

— Ipkik est très désirable, mais… j'ai attrapé une maladie qui m'empêche pour l'instant de partager les plaisirs.

Ils semblaient aussi déçus l'un que l'autre.

— Tu as voyagé toute la nuit, me disais-tu, repose-toi, cet igloo est le tien.

Ohio remercia. Il était étonné de la relative tiédeur qui régnait dans l'igloo pourtant chauffé par une simple lampe à l'huile.

— Où trouvez-vous le bois pour les tipis ? demanda-t-il.

— C'est du bois échoué ou rapporté par les chasseurs. La forêt n'est pas très loin d'ici. À deux jours de marche seulement.

— Dis-moi, Napaktok, j'ai quelque chose à te demander et rien à te proposer en échange. Je voudrais aller avec toi à la recherche de cet ours.

Napaktok ne sembla pas étonné par cette soudaine demande.

— Quand comptais-tu repartir ?

— Pas avant demain soir, mes chiens ont besoin de reprendre des forces.

— L'ours se chasse avec des chiens.

— Bon, je prendrai les miens.

— Ils connaissent *Pisugtooq* ?

— Non !

— Alors il ne faut pas les emmener.

— Cela veut dire que je ne peux pas t'accompagner ?

Napaktok le regarda, l'air de le sonder.

— Je ne sais pas. Pourquoi veux-tu venir ?

— Pour comprendre *Pisugtooq*…

L'Inuit le considéra un long moment, le visage impassible.

— Repose-toi ! Je vais réfléchir. Je ne partirai qu'en fin de journée.

Et il s'en alla, suivi d'Ipkik, docile.

Ohio se coucha sous l'épaisse couverture en peau de caribou doublée de lièvre posée sur une fourrure d'ours polaire ; *Pisugtooq*, celui qui allait habiter ses rêves de banquise.

44

Les chiens de Napaktok allaient relativement vite pour des chiens aussi lourds.

— C'est parce qu'on part à la poursuite de *Pisugtooq.* Ils le savent et ils aiment ça ! expliqua-t-il.

L'Inuit était venu le réveiller et lui avait seulement dit :

— Prépare-toi à partir et peut-être à mourir.

Et il avait éclaté de rire en exhibant une cicatrice de vingt centimètres de large qui lui traversait le ventre. Ohio n'avait pas posé de question. Il avait expliqué à Torok qu'il allait revenir et confié la surveillance de son attelage à la jeune Inuit.

Le traîneau était rudimentaire, mais efficace. On s'asseyait, un de chaque côté, sur des planches grossièrement équarries, chevillées sur deux hauts patins en bois recouverts de glace et reliés par des lanières de cuir de phoque barbu. Très bas, long et large, le traîneau qui cahotait sur la banquise ne pouvait pas verser. Les chiens étaient attelés en éventail, chaque bête étant directement reliée au traîneau par un trait individuel de longueur différente. L'Inuit les menait au fouet, appuyant les ordres donnés à la voix par des coups d'une précision sidérante. Napaktok était capable de viser la cuisse arrière droite de n'importe lequel de ses chiens, jusqu'au plus éloigné. Certains, par peur, se jetaient violemment en avant, pressentant le coup qui allait les frapper lorsqu'ils relâchaient un peu leur effort et que l'Inuit criait leur nom.

Ils allèrent ainsi durant plus de deux heures, avançant plutôt vite sur les traces de la veille malgré la surface brisée de la banquise. Puis, sans raison, Napaktok quitta la piste et obliqua vers l'ouest. Dès lors, il s'arrêta souvent et escalada systématiquement les icebergs pris dans la glace qu'il croisait.

Ohio comprit qu'il cherchait l'ours. Il évitait de poser des questions. La chasse est silencieuse. L'harmonie est indispensable entre l'homme et l'environnement de l'animal, qu'il doit percevoir jusque dans ses vibrations les plus secrètes et les plus intimes. Les mots n'avaient plus de valeur ici. Il y avait l'homme et l'ours. Entre eux s'établissait un lien spirituel, qui se sublimait lorsqu'ils s'affrontaient dans une lutte dont la mort était l'inéluctable issue. Se retrouver face à l'ours, le rencontrer de tout son être, c'était affronter quelque chose de personnel. Réussir, c'était trouver en soi quelque chose d'irréductible, c'était le cadeau de l'ours. L'Inuit ne pouvait vivre sans l'ours car c'est lui qui l'assurait de sa propre vie, c'est lui qui donnait la force, et parfois il ressentait le besoin d'aller à sa rencontre. Bien sûr, il nourrirait les chiens de sa viande, il confectionnerait des habits dans sa peau, des colliers avec ses dents, mais toucher un ours c'était autre chose... Voilà pourquoi *Pisugtooq* avait changé de nom depuis qu'ils étaient sur la banquise. Il s'appelait désormais *Tornarssuk*, « celui qui donne la puissance », et Ohio ressentait déjà le souffle de cette puissance qui le faisait respirer plus fort, comme pour mieux humer l'air que l'ours avait peut-être exhalé ici même, car sa trace était là !

— *Tornarssuk* ! Il est passé il y a moins d'une heure.

L'Inuit n'attendait pas de question ni de commentaire. Ohio se contenta de sauter sur le traîneau lorsque Napaktok le libéra. Dès qu'ils rencontrèrent les traces fraîches, les chiens se déchaînèrent. Ils haletaient comme des bisons au galop et il fallait se cramponner au traîneau qui cahotait dans les amas de glace pour ne pas être éjecté. Ohio pouvait tomber, Napaktok, entré dans une sorte de transe, ne s'en apercevrait pas. Se rappelait-il seulement qu'Ohio l'avait accompagné au début de la chasse ? L'Inuit exhortait ses chiens et ceux-ci couraient en laissant leurs truffes frôler au plus près la piste sur la neige grise coupée de laies noirâtres où l'on apercevait la glace et des empreintes énormes qui cheminaient vers l'ouest.

Comment Napaktok savait-il qu'il allait retrouver l'ours ici ?

Ils se heurtèrent à une sorte de mur de blocs de glace empilés les uns sur les autres où les chiens entortillèrent leurs traits. Les deux hommes halaient le traîneau sur la partie la plus abrupte quand soudain les chiens se mirent à aboyer. Aussitôt, Napaktok dégaina le couteau qu'il portait à la ceinture et se rua sur eux. Ohio crut qu'il allait tuer celui ou ceux qui avaient aboyé, mais il se contenta de trancher quelques traits. À l'instant, les chiens libérés s'élancèrent sur la piste de l'animal et disparurent derrière l'amas de glace. Le reste de l'attelage devint fou furieux. Ils arrachèrent le traîneau qu'Ohio attrapa au passage alors que, depuis le sommet du chaos de glace, il avait eu le temps d'apercevoir le corps élancé et majestueux de *Tornarssuk* dans la lueur tamisée du crépuscule.

Le regard d'Ohio croisa celui de Napaktok. L'Inuit était devenu magnifique, immatériel, inaccessible, ses yeux brillants d'ivresse étaient ceux d'un homme exalté qui dans la jouissance de l'acte perd le contrôle de lui-même. Il ne voyait plus que l'ours et ses chiens qui le poursuivaient. Il n'entendait plus que les aboiements et bientôt les grognements furieux de l'ours acculé. Il ne ressentait plus le froid, la fatigue, ni la peur. Il était l'ours.

L'Inuit ne pouvait plus reculer. Il avait pactisé avec l'esprit de l'ours et il devait payer le prix de son intrusion dans son monde. Se soumettre à la loi de la banquise. La loi du combat. Tuer ou mourir dans la puissance.

Le traîneau filait maintenant sur une surface relativement plate vers un groupe d'icebergs enchâssés dans la banquise. L'Inuit s'allongea sur l'avant du traîneau et trancha encore des liens. Il ne restait plus que trois chiens attelés, les autres avaient rejoint l'ours et l'assaillaient. Ils se heurtèrent aux premiers blocs de glace. Napaktok laissa la proue du traîneau se ficher dans une congère et détacha la lance qui était ficelée sur l'un des côtés. Elle était longue d'au moins trois mètres, avec un manche en ivoire et une pointe d'acier parfaitement aiguisée. Ohio s'élança à la suite de l'Inuit qui avait ôté son survêtement en phoque dans lequel il était trop engoncé.

L'ours était là. Instinctivement, Ohio eut un mouvement de recul devant un tel gigantisme. Il mesurait au moins trois mètres de haut, peut-être plus, et devait peser près de sept cents kilos, près de dix fois le poids du petit homme qui s'apprêtait à le combattre !

Acculé contre un iceberg qui préservait ses arrières, l'ours défiait les chiens qui, en cercle, le harcelaient en restant toutefois à distance. La gueule ouverte sur une terrible mâchoire, les babines retroussées sur des dents étincelantes, l'ours grondait, un rugissement d'entrailles qui tétanisa Ohio, subjugué. De ses énormes pattes, la bête envoyait en l'air des blocs de glace qu'elle arrachait à l'iceberg, de rage.

En apercevant l'homme, les chiens redoublèrent d'énergie et certains, les plus audacieux, s'approchèrent encore, feignant de vouloir mordre le monstre qui, dressé de toute sa hauteur, hurlait sa colère. Et tout à coup il chargea avec la soudaineté de l'éclair. Un bond, un seul, instantané. Ses griffes fouettèrent l'air et trouvèrent sur leur trajectoire un chien qui vola, éventré, déjà mort, comme s'il s'agissait d'un simple oiseau. L'autre patte balayait l'espace et faucha un deuxième chien. Il alla s'écraser avec un hurlement désespéré contre un bloc de glace qui se macula de son sang. L'ours s'était déjà redressé et Ohio vit dans sa gueule noire un chien qui se tortillait, pantelant, et que l'ours déchirait en secouant la tête furieusement. Tout cela n'avait duré que quelques secondes. Ohio, paralysé par la violence de la scène, n'avait pas bougé d'un pouce. Il était captivé, aspiré par la puissance qui se dégageait de la scène et qui emplissait l'espace.

Alors il entendit le hurlement de l'Inuit.

Il avait bien choisi son moment. Avec le chien dans la gueule, l'ours ne le vit pas se ruer sur lui, la lance en avant, pointée sur sa poitrine. L'homme criait pour se donner du courage et pour libérer toute l'énergie qui était en lui et dont il avait besoin. Il n'avait pas peur. Le sentiment qui l'habitait à cet instant était au-delà des frontières humaines. L'homme lançait son arme comme on sort son sexe pour pénétrer l'intimité d'une femme. En pénétrant dans la chair de l'ours, puis dans son cœur, l'Inuit accomplissait un acte d'amour, un acte d'échange.

Il ne tuait pas. Il possédait l'ours qui parfois se donnait à lui, ou prenait la vie.

Ohio s'entendit hurler à s'en arracher les cordes vocales lorsque le choc eut lieu. La lance s'enfonça dans le corps du monstre contre lequel Napaktok se heurta. Aussitôt une patte énorme le recouvrit alors qu'un nuage de neige masquait la bagarre inégale. Ohio entendit un grognement terrible et des claquements de mâchoires, puis la masse blanche s'affaissa dans une mare de sang où gisaient l'Inuit et l'ours, l'un au-dessus de l'autre, l'un dans l'autre. Étreinte fatale.

L'ours agonisa dans un dernier râle qui sembla ébranler toute la banquise. Les chiens, encore tremblants de peur et d'excitation, restaient prudemment à l'écart, les oreilles couchées sur le cou et la queue basse, gémissant doucement. Ohio n'avait toujours pas bougé. Le silence se fit tout à coup. Alors seulement Ohio entendit le pleur de l'Inuit.

Il n'aurait pu dire s'il s'agissait d'une marque de tristesse ou de joie. Il laissa Napaktok pleurer doucement. Quand enfin il se tut et se redressa, Ohio s'avança. Jamais un homme ne lui avait paru aussi beau que cet Inuit, la lance à la main, face à l'ours et qui, dans le crépuscule, récita une prière qu'Ohio ne comprit pas mais dont il saisit le sens car il avait pénétré l'*umwelt* de *Tornarssuk*, « celui qui donne la puissance ».

Ohio ressentit le flux d'énergie qui se dégageait de l'ours polaire et qui se transférait dans celui qui l'avait tué. Les yeux de Napaktok brillaient maintenant d'un éclat semblable à la lumière diffuse que la lune dispensait sur la banquise.

Ils découpèrent l'ours et roulèrent l'immense peau sur le traîneau, ficelée sur les blocs de viande qui gelaient déjà dans la nuit polaire, puis rentrèrent au rythme lent des chiens fatigués et bouleversés par la mort de leurs compagnons d'attelage. Napaktok et Ohio ne s'étaient presque rien dit. Quelques mots à demi murmurés pour s'entendre sur la façon de découper la peau et de la fixer, rien de plus. Le reste avait été vécu et partagé.

Ils arrivèrent trois heures plus tard au campement où Ipkik les attendait, tenant au chaud un bouillon et de la viande de caribou cuite dans de la graisse de baleine. Elle non plus ne posa pas de question. Mais elle savait que Napaktok, après avoir côtoyé la mort et reçu la puissance de l'ours, allait lui faire l'amour avec une certaine violence.

45

— Attendre ! lui dit Ipkik quand il se réveilla dans l'après-midi et voulut partir.

— Où est Napaktok ?

— Attendre, répéta-t-elle.

Il attendit jusqu'au lendemain matin. Ipkik ne voulait pas qu'il pénètre dans le tipi où elle travaillait sans relâche. Enfin, il comprit. Elle avait tanné et découpé la peau de l'ours puis cousu un pantalon à ses mesures qui s'ouvrait avec un ingénieux système de lanière sur le côté. Elle le lui donna. Ohio, ému, ne savait comment remercier.

— Napaktok, dit-elle simplement pour lui faire comprendre qu'il s'agissait bien d'un cadeau de l'Inuit.

— Mais où est-il ? demanda-t-il en répétant le nom de l'Inuit et en montrant l'étendue de la banquise qu'un léger vent du nord balayait.

Elle lui fit signe qu'elle ne savait pas.

Ohio attela. Quand il fut prêt, il découpa la peau de grizzly sur laquelle il dormait dans son tipi et il la plaça sur la banquette de Napaktok à l'intérieur de l'igloo. Puis il alla saluer Ipkik qui fabriquait avec du duvet d'herbe de lin des mèches pour les lampes à l'huile de phoque. Et il s'en alla avec ses questions.

Pourquoi Napaktok avait-il partagé avec lui cet intense moment de communion avec l'esprit de son peuple ? Pourquoi lui avait-il fait don de ce pantalon ? Il avait la réponse à l'une de ces questions. Pour que son initiation soit complète, Ohio devait repartir avec un élément de l'ours. Dans cette chasse, l'un se donnait à l'autre. L'ours mangeait l'homme ou l'homme se nourrissait de la chair de l'ours et s'habillait avec sa peau. Ainsi l'Inuit et *Tornarssuk* étaient unis par les liens du sang, de génération en génération. Ainsi se transmettaient-ils la puissance nécessaire pour survivre sur ces terres glaciales où la nuit dure six mois et où même les arbustes chétifs ne poussent plus. Ohio éprouva soudain une profonde admiration pour ce peuple qui survivait au-delà des derniers arbres, au milieu des glaces. Il n'oublierait jamais Napaktok et se promit intérieurement de revenir un jour sur le territoire de *Tornarssuk,* pour se régénérer de sa puissance en allant lui-même à sa rencontre.

— Avec Mayoké !

Son absence n'était plus une souffrance. La femme qu'il aimait l'accompagnait désormais tout au long de ses jours et de ses nuits sur la banquise immuable. Il voyait se dessiner son sourire dans les aurores boréales qui se déployaient sur le ciel mauve, constellé d'étoiles. Il entendait sa voix quand le mouvement de la mer faisait murmurer la banquise. Il sentait son souffle sur sa joue lorsque l'haleine chaude d'un chien s'approchait de lui pendant qu'il dormait.

Au cours des huit jours qui suivirent, il ne rencontra qu'un groupe d'Indiens, qui rentrait à Churchill après une infructueuse partie de chasse au caribou. Il venait de repartir lorsqu'il croisa leur campement et il ne prit que le temps de boire un thé et d'échanger quelques bavardages sans importance.

À Fort Severn, il s'arrêta deux jours. Il donna du repos à ses chiens, les soigna, acheta du poisson et quelques dizaines de kilos de pemmican et repartit, bien décidé à aller jusqu'à Churchill d'une seule traite. Mais le Nord décide et une tempête venue du sud le bloqua à mi-parcours. Les jours d'hiver étaient maintenant comptés. Déjà, les journées rallongeaient et le soleil montait dans le ciel, réchauffant l'atmosphère saturée de lumière. Ohio se tailla une paire de lunettes dans une omoplate de caribou pour se protéger de la redoutable cécité des neiges qui l'aurait obligé à interrompre son voyage et à rester enfermé dans le noir. Il vit plusieurs ours, deux mâles mais surtout des ourses avec leurs petits qui faisaient leurs premiers pas sur la croûte durcie de la neige de printemps. Tous s'enfuirent à son approche, à l'exception d'un mâle qu'il dut contourner car il semblait ne pas vouloir quitter l'endroit où il avait tué un phoque.

Il fut heureux de retrouver les arbres et salua joyeusement la forêt qui venait lécher la rive. Il n'avait pourtant jamais manqué de feu grâce aux nombreux morceaux de bois échoués sur la plage. La débâcle arrachait aux berges des rivières qui se jetaient dans la baie d'Ungava des quantités d'arbres et les entassait ici, écorchés, roulés, cassés. Il suffisait de repérer les endroits où ils s'accumulaient et de les ramasser.

Un soir, au bord du feu, Ohio parla longuement à ses chiens.

— Il va falloir se hâter, mes seigneurs. Je sens le printemps qui chasse l'hiver.

Il les caressait, allant de l'un à l'autre.

— Ne sentez-vous pas la tiédeur qui s'installe ?

Ne voyez-vous pas ces mères ourses qui sortent leurs petits cloîtrés depuis des mois dans des antres de glace ? N'entendez-vous pas la rumeur de l'eau qui sourd de la glace et va bientôt la casser ? Ce vent qui chante le retour du printemps ?

Ils le regardaient, semblant comprendre ce qu'il disait. Ils penchaient la tête et leurs yeux pleins d'amour lui disaient toute la confiance qu'ils avaient en lui. Oui, il pouvait leur demander l'impossible. Ils le feraient pour lui. Pour lui seul. Car ensemble, ils avaient déjà plusieurs fois effectué l'impossible.

Ohio regardait sa meute, plongeait ses yeux dans ceux de Torok, de Nanook, de Voulk et des autres, et il se sentait si fort. Il soupesa le ventre d'Oumiak.

— Ne t'inquiète pas, tes petits naîtront au bord du grand lac. On te trouvera une belle place et tu les élèveras tranquillement sous le soleil chaud de l'été.

Oumiak le retenait, agrippant sa veste avec ses dents pour qu'il la caresse encore. Un peu plus loin Narsuak et Kourvik gémissaient faiblement, l'appelant eux aussi. Ils n'étaient jamais rassasiés.

À ces deux jours de tempête succéda une longue période de temps relativement stable et froid, dont Ohio profita. Il ne s'arrêta à Churchill qu'une nuit, le temps d'acheter des provisions et de se reposer un peu. Une fois de plus, sa réputation le suivait. Plus tard, un Indien de Churchill qui ne les avait même pas rencontrés, ni lui ni ses chiens, raconterait qu'il l'avait vu nourrir sa meute avec un breuvage spécial qui, mélangé à la viande, leur procurait une énergie incroyable. Grâce à ce breuvage, ils étaient prêts à repartir aussitôt après être arrivés au campement, au terme d'une course de huit heures. L'histoire serait répétée et, des mois après, les Indiens et les Inuits ne sauraient plus si ce jeune chasseur avec ses chiens qui filaient « comme une flèche dans le vent » était une légende ou une réalité.

Après Churchill, la route la plus courte était de rentrer dans les terres et de suivre la rivière Seal puis de piquer plein ouest jusqu'aux lacs Brochet et Wollaston, mais Ohio ne pouvait pas passer par là. Nombreux étaient ceux qui pourraient le reconnaître et vouloir se venger de lui. Il ignorait que la plupart étaient morts au cours des multiples affrontements qui avaient, depuis, secoué cette zone stratégique s'ouvrant sur l'ouest et ses richesses tant convoitées. Aussi choisit-il de contourner ce territoire à haut risque par le nord. Cette route comportait un avantage. Il se hisserait ainsi largement au-dessus de la ligne des arbres et voyagerait sur la surface dure de la neige de printemps qui ne dégelait qu'aux heures les plus chaudes de la journée. Il remonta donc le long de la baie d'Hudson jusqu'à la pointe de Thelwizia où un groupe d'Inuits chassait le narval.

Les Inuits lui offrirent naturellement l'hospitalité et Ohio apprécia leur compagnie. Il se sentait bien auprès de ces hommes rudes mais pleins d'humour, se moquant d'eux-mêmes et toujours de bonne humeur.

Leur campement était niché dans le creux d'une petite combe, entre deux épaulements de terrain où de grosses roches grises polies par les vents et les embruns salés saillaient de la neige. À l'abri, les huttes de pierre, aux toits de branchages entrelacés et aux fenêtres en peau d'intestin de phoque, avaient toutes leur entrée tournée vers le sud, dos à la mer gelée. Ces huttes avaient été dressées ici par leurs ancêtres pour la chasse des narvals. Ils les avaient préférées aux igloos car la récolte de bois mort échoué sur les plages leur permettait de les chauffer, ce qu'ils ne pouvaient faire dans leur village situé bien plus au nord. Chaque printemps, un chenal s'ouvrait depuis l'embouchure de la rivière jusqu'au large. C'est là, dans des kayaks en peau de morse, que les Inuits chassaient le narval. Ils en avaient déjà tué deux et aussitôt qu'ils en auraient tué un troisième, ils rentreraient, à pied derrière leurs traîneaux chargés au maximum.

Une des Inuits, Kangliot, parlait assez bien la langue des Chipewyans car elle avait été enlevée lorsqu'elle avait quinze ans lors d'un affrontement entre Indiens et Inuits. Elle servait d'interprète. Ohio essaya de trouver quelques similitudes entre leur langue et celles qu'il connaissait, mais rien ne se rapprochait de près ou de loin de l'inuktitut. Il abandonna l'idée de commencer son apprentissage, malgré son envie de communiquer avec ce peuple qui différait tant de tous les clans indiens qu'il avait rencontrés.

Dès qu'il arriva, il vit les regards posés sur son pantalon mais les Inuits ne lui posèrent que bien plus tard la question qui leur brûlait les lèvres, et ils le firent avec une fausse désinvolture au milieu d'une discussion.

— C'est le cadeau d'un Inuit que j'ai rencontré plus à l'est et qui m'a fait l'honneur de m'emmener chasser l'ours avec lui.

Alors les yeux se mirent à briller et les langues se délièrent. Ainsi, il avait chassé l'ours. Sans doute pouvait-il alors un peu les comprendre ? Ohio leur en donna confirmation lorsqu'il fit le récit qu'ils attendaient, mimant tour à tour l'ours, les chiens et le chasseur. On réclamait des détails. On riait de ses imitations. On approuvait ses commentaires et ses descriptions.

Ce récit dont l'un des leurs était le héros comblait de fierté ces hommes aux yeux plissés. Au travers de ce qu'ils lui racontaient, Ohio ressentit toute l'aversion qu'ils vouaient aux Indiens. Et Ohio, qui était-il ? Il le leur dit. Les Inuits hochèrent gravement la tête et le plus vieux d'entre eux, celui qui semblait être leur chef, parla. Kangliot traduisit.

— Kiskutuak dit que ton âme est comme l'ours avant que la mer ne gèle.

Une comparaison lourde de sens.

— Il dit aussi que lorsqu'un caribou naît avec une robe blanche, soit il devient le meneur du groupe, soit il périclite, rejeté par les autres. Kiskutuak pense que tu deviendras une lumière vers laquelle tes amis pourront se diriger dans la tempête si tu parviens à trouver ta mer gelée : l'espace sur lequel tu veux avancer.

Ohio hocha la tête, sceptique mais fasciné par le regard pénétrant de cet homme. Qui était-il pour se permettre de le juger, de le conseiller ? Comment pouvait-il lire en lui alors qu'il n'était là que depuis quelques heures ?

— Kiskutuak veut que tu saches que tu devrais être mort mais que c'est lui qui au dernier moment a donné l'ordre à ses hommes de ranger leurs lances.

— Pourquoi vouliez-vous me tuer ? Et pourquoi ne pas l'avoir fait ?

— Les Indiens sont nos ennemis. Ils nous ont volé nos femmes, ont massacré nos fils et nos parents. L'Inuit ne pardonne pas à l'Indien et nous t'avions pris pour l'un des leurs.

— Mais je suis un peu indien.

— Un Indien avec une culotte d'ours polaire.

Ohio comprenait maintenant le double sens du cadeau de Napaktok. Mais cet Inuit solitaire, pourquoi ne l'avait-il pas tué, pourquoi l'avait-il initié à la chasse de l'ours, la plus spirituelle qui soit ?

— Kiskutuak dit qu'il connaît la réponse mais que tu dois la trouver sans l'aide de personne.

— Dis à Kiskutuak que ses paroles voyageront avec moi. Dis-lui aussi que si j'en avais eu le temps je lui aurais demandé la permission de participer à l'une de vos chasses au narval. Dis-lui encore que son peuple ne doit pas considérer l'homme blanc comme un ami, ni même comme un ennemi. Il n'est rien de tout cela. L'ours et l'Inuit se battent loyalement, se respectent et partagent la vie. Le Blanc est fourbe et partage la mort. Il viendra dans vos villages avec ses cadeaux et ses mensonges, et vos vies seront bouleversées. Voilà ce que mon voyage m'a enseigné et ce que je voulais vous dire.

— L'homme blanc a déjà apporté le malheur et la maladie dans le village de Wabuck. Nous nous souviendrons de tes mises en garde, mais que sont-elles face à ce danger qui nous guette ?

Kiskutuak avait raison. À quoi servaient-elles ?

— Le Blanc est un invité et doit le rester. Il doit respecter l'hôte et non s'imposer.

— Le Blanc arrivera à vivre dans les pays de l'Indien sans son aide mais il ne pourra vivre dans celui des Inuits sans se faire manger par le pays.

Les Inuits se mirent à rire.

— Oui, sans nous, ils seront mangés par la banquise, par les ours et les tempêtes !

— Ne sous-estime pas les Blancs, Kiskutuak. As-tu déjà vu leurs maisons, leurs bateaux ? Oui, leurs bateaux ! Des hommes qui construisent de tels bateaux sont capables de presque tout.

— Leurs bateaux !

Ils se mirent tous à rire, à se taper sur les cuisses, à effectuer d'étranges mimiques en se recroquevillant et en grimaçant, la tête penchée et les yeux révulsés en bredouillant des choses incompréhensibles. C'était à celui qui obtenait le résultat le plus ridicule. Il fallut du temps pour que les rires cessent.

— Kiskutuak veut que je te raconte : il y a quelques hivers, lors d'une chasse aux phoques sur la banquise, à trois jours de traîneau de notre village d'hiver, Kiskutuak a vu l'un des bateaux dont tu parles, couché sur la banquise. Ils se sont approchés et des dizaines de renards polaires se sont enfuis de la carcasse du bateau où ils dévoraient les corps de plus de cent vingt hommes. Le bateau avait été en partie démonté pour fabriquer des petites cabanes où ils se chauffaient avec le bois qu'ils récupéraient sur l'épave écrasée par la pression de la glace.

— Mais alors de quoi sont-ils tous morts ?

— Du scorbut, de la faim et du froid car leurs cabanes étaient inchauffables. Pourtant, tout autour d'eux, il y avait de la neige avec laquelle on peut construire des igloos bien chauds et qui protègent des plus grands blizzards. Et sous eux il y avait la mer, pleine de phoques et de poissons attendant d'être mangés par les hommes qui savent les prendre ! Kiskutuak a vu des traces qui s'éloignaient du bateau et ils ont retrouvé un groupe d'hommes qui étaient allés jusqu'à l'île la plus proche.

— Ils étaient vivants ?

— Trois d'entre eux l'étaient encore à moitié. Le scorbut leur avait fait perdre toutes leurs dents.

Ohio grimaça à cette idée. Il imaginait l'état de ces hommes aux mains et aux pieds gelés, édentés, amaigris, blottis les uns contre les autres dans cette petite grotte que Kangliot décrivait.

— Deux sont morts durant le voyage du retour et le troisième est mort l'été suivant...

— Il a eu le temps de vous raconter qui ils étaient, d'où ils venaient ?

— Il ne parlait pas l'inuktitut et il était trop faible pour l'apprendre. Il n'était plus un homme. Sa vie était restée dans ce bateau.

Kiskutuak regardait maintenant Ohio dans les yeux. Il parlait lentement pour que Kangliot puisse traduire au fur et à mesure.

— Un Inuit, un seul, aurait pu sauver tous ces

hommes qui voulaient braver le monde des glaces. Un Inuit dans ce bateau leur aurait montré comment construire l'igloo, comment attendre le phoque au-dessus du trou par lequel il vient respirer. L'Inuit aurait montré comment se chauffer en faisant cuire la graisse du phoque dans une pierre creusée, comment tanner sa peau et s'habiller chaudement, comment récolter les algues gelées qui préviennent le scorbut. Il leur aurait appris tant de choses qu'il aurait fallu toute une vie aux Blancs pour lui rendre le quart de ce qu'il leur aurait donné.

Un silence s'installa, seulement troublé par les reniflements bruyants des Inuits qui se mouchaient dans leurs mains et s'essuyaient sur le revers de la veste légère qu'ils gardaient à l'intérieur des huttes.

— Je comprends le sens que tu donnes à cette histoire tragique, mais les Blancs apprennent vite. D'autres bateaux reviendront avec des Blancs qui connaîtront l'igloo et sauront conduire des chiens. Crois-moi, Kiskutuak, ne sous-estime pas cette menace.

46

Ils partirent en même temps, les Inuits avec leurs kayaks en peaux de morse vers le large, et Ohio avec ses chiens vers l'intérieur des terres. Pas un mot au moment de se séparer. Les Inuits préféraient les actes aux paroles gratuites et avaient posé près de son traîneau des morues gelées, pêchées dans leur filet. Ohio nourrirait ses chiens avec elles.

Les Inuits envisageaient d'emprunter sa piste quelques jours après lui pour aller chasser le caribou. Une piste contre l'hospitalité et des morues, c'était peu de chose, mais Ohio n'avait rien d'autre à offrir.

Un vent d'ouest soufflait assez régulièrement, sans gêner leur progression. De toute façon, Ohio n'avait d'autre solution que d'avancer coûte que coûte, car le printemps menaçait. Il ressentait les prémices de cette force qui allait s'emparer du pays et tout balayer, la neige et la glace, immobilisant pour une ou deux lunes les voyageurs imprévoyants qui s'étaient trop écartés de leur village.

Mayoké ! Il ne pensait plus qu'à elle. Elle occupait toutes ses pensées, jour et nuit. Elle était vivante. Il le savait car il ressentait sa présence. Mais où était-elle ? Tant de choses avaient pu lui arriver.

La région qu'elle avait traversée était en sang, ébranlée par les guérillas. Les Indiens perdaient leur sens de la dignité, ne respectaient plus rien. Ils tuaient, violaient, égorgeaient. Ils s'enfonçaient dans le brouillard de la déchéance. Beaucoup les encourageaient, ceux qui au nom du commerce se disputaient les privilèges, ceux qui au nom de la religion marchandaient les âmes, quitte à faire couler encore du sang. Tous les moyens étaient bons. Ce que les Blancs ne pouvaient obtenir par la parole, ils l'arrachaient par la force, soulevant les Indiens les uns contre les autres.

Ohio ne voyait plus rien, ni les hardes de caribous sur lesquelles il posait un œil indifférent, ni les loups qui le regardaient passer avec condescendance. Il n'était plus qu'une flèche traversant le vent vers sa cible.

— Mayoké ! Mayoké !

Il répétait son nom en courant derrière le traîneau. Les chiens connaissaient la menace du printemps et, encore mieux que l'homme, en percevaient les signes précurseurs. Ils savaient que c'était un dernier galop et qu'un long repos suivrait, alors ils donnaient le meilleur d'eux-mêmes, devinant l'empressement et l'inquiétude d'Ohio qui avait laissé toute sa bonne humeur sur la banquise.

Mais Ohio n'avait rien perdu de la profonde connaissance de ses chiens et étudiait leurs attitudes, les laissant se reposer, repartant aussitôt qu'ils avaient repris des forces. L'attelage était l'objet de tous ses soins, de toutes ses attentions. Il était concentré vers son seul but et savait que pour l'atteindre il avait besoin d'eux.

— Mon avenir et celui de Mayoké dépendent de votre capacité à gagner cette course contre le printemps, leur dit-il un soir en observant le ciel qui se chargeait de nuages filiformes, signe que la température allait encore monter.

Ses réserves de nourriture et de bois baissaient et il dut réduire les rations, ce qui, au vu des efforts qu'il demandait aux chiens, le rendit malheureux et l'inquiéta. Il n'avait plus le temps de s'arrêter pour chasser. Pourtant, il vit souvent des hardes de caribous, mais dans l'espace infini de la toundra, sans arbre, plate et morne jusqu'à l'horizon, les animaux s'enfuyaient de très loin et, même avec son arme, il n'eut pas une seule fois l'occasion de tenter une approche. Il n'y avait ni lièvre, ni perdrix. Ceux-ci redescendaient en hiver vers la ligne des arbres où les Indiens trappaient nombreux, car c'était là que les animaux à fourrure se concentraient eux aussi. Plusieurs fois au cours de leur histoire, les Inuits avaient cherché à se rapprocher de cette ligne où la forêt et le gibier leur auraient donné un peu de confort, mais les Crees et les Chipewyans les avaient refoulés vers le nord, tout en haut, aux confins de la toundra. Alors les Inuits s'étaient installés au bord de la mer et de ses richesses, survivant dans un pays de glace et sans soleil la moitié de l'année.

Ohio redescendit jusqu'aux premières broussailles d'aulnes dans l'espoir de dénicher quelques lièvres et perdrix et de reconstituer ses provisions de brindilles sèches. La zone qu'il atteignit était marécageuse, sillonnée de multiples ruisseaux dans lesquels la neige s'était accumulée, évitant parfois aux chiens de s'embourber. Les castors qui avaient besoin d'arbres pour édifier leurs barrages ne venaient pas jusque-là, pas plus que les hommes qui les pourchassaient depuis quelques hivers dans leurs retranchements les plus sauvages. Durant deux jours, Ohio et les chiens se démenèrent pour avancer dans ce labyrinthe de ruisseaux et de marais où la progression se faisait par à-coups, cassant leur rythme. Ohio tua neuf perdrix le premier jour et treize le second. Il en aurait fallu au moins cinq par chien et par jour, mais c'était déjà ça. Pour tromper la faim.

— Désolé, les chiens ! Désolé !

Au soir du troisième jour dans ces marais, il atteignit enfin un grand lac qui se jetait dans une rivière. Il consulta ses cartes, par trop imprécises. Impossible de savoir exactement où il se trouvait.

— Peut-être à la rivière Twithlezia ?

Torok le regardait, les yeux pleins d'amour et de compassion, cherchant à l'aider.

En tout cas il approchait de son but. Il en eut la confirmation un peu plus tard en croisant de vieilles traces.

— Des bisons !

Une bouffée d'émotion le submergea et ses yeux s'embuèrent. En retrouvant les bisons, il retrouvait déjà un peu Mayoké. Dans leur sang coulait celui de ses ancêtres, celui de son peuple qui avait nourri le sol de ses cendres.

Tout aux souvenirs délicieux que la traque du grand bison éveillait en lui, il ne soupçonna pas le piège. Quand les chiens le virent, la glace se dérobait déjà sous eux. Dans un fracas épouvantable, le traîneau bascula avec Ohio et les chiens jusqu'au lit de la rivière, deux bons mètres plus bas, constitué de grosses roches recouvertes de glace. Après avoir gelé en automne, l'eau s'était retirée vers les hauts-fonds et la glace, scellée aux rives, était restée suspendue. Ohio aurait dû apercevoir le bombement que la surface glacée faisait à cet endroit par rapport au lit central. Il connaissait ce risque. Le fils d'Ouzbek était mort dans un tel accident, il n'avait pas eu la chance d'Ohio car l'eau venait jusque-là et le courant l'avait entraîné vers une fin certaine et rapide.

L'accident avait été aussi soudain qu'un coup de

feu. Ohio était tombé entre deux grosses roches et mit un certain temps à retrouver ses esprits. Quelques morceaux de glace se détachèrent encore et tombèrent en se brisant sur les rochers. Plusieurs chiens couinaient de douleur. Ohio essaya de se dégager. Il ne ressentit d'abord qu'une fulgurante douleur dans les côtes, avant d'apercevoir sa jambe. Prise entre deux cailloux, elle faisait un angle bizarre.

— Oh non !

Il essaya de bouger et comprit. Elle était cassée. La douleur lui arracha un cri et il s'évanouit. Il ne perdit conscience que quelques minutes, mais cela suffit à Torok pour sectionner les traits qui l'entravaient et s'approcher de son maître. Quelques secondes plus tard, Voulk le rejoignit. Il saignait abondamment d'une oreille, coupée par une aspérité de rocher. Les autres chiens, coincés dans les rochers ou ligotés par les traits, pleuraient.

— Torok !

Ohio était effondré. C'en était fini de ses chances de retrouver Mayoké avant la débâcle. Peut-être en était-ce tout simplement fini de tout ? Comment allait-il se sortir de ce piège de glace ?

Il leva la tête et regarda le trou au-dessus de lui, par lequel filtrait une lumière bleue qui se diffusait dans la cavité, une sorte de grotte aux reflets grisâtres. Maintenant qu'il revenait totalement à lui, la souffrance lui arrachait des gémissements. Il bougea un peu pour détordre sa jambe et s'évanouit une nouvelle fois. Il recommença jusqu'à ce qu'il puisse lui-même prendre sa jambe avec ses deux mains et tirer dessus pour la décoincer. Il lui fallut un long moment. Son visage crispé par la douleur était inondé de sueur. Il trouva un endroit à peu près plat entre deux gros cailloux et s'y coucha en respirant fortement.

Alors il eut froid, très froid car la transpiration dont ses vêtements étaient imbibés commençait à geler. Son traîneau se trouvait à quelques mètres de lui, mais il ne pouvait plus bouger.

Il tremblait maintenant.

— Torok ! Voulk !

Mais il n'avait pas besoin de les appeler. Ils étaient déjà là, près de lui, contre lui. Ohio claquait des dents. Du sang s'échappait de sa blessure ouverte au-dessous du genou et gelait le cuir de son pantalon. Il ne sentait plus le froid, rien que la souffrance, lancinante, envahissante, intolérable par moments. Peu à peu, il sombra. Au-dessus de lui, la lumière déclinante du crépuscule zébrait de noir la glace qui l'emprisonnait.

Torok quitta un instant son maître et alla libérer Oumiak et Kourvik qui, ligotés par les traits emmêlés, ne parvenaient pas à se détacher seuls. Torok trancha les liens avec ses dents et les ramena avec lui, forçant ceux qui ne le firent pas naturellement à se coucher contre Ohio.

47

Sacajawa avait laissé Rankhan sous des cailloux, dans la pente, puisque c'était là sa dernière volonté. Elle s'était longuement recueillie, puis elle avait rejoint les autres.

Orpheline de ses conseils et de sa présence, la bande se flétrissait comme un arbre sans sève. Ils n'avaient plus d'énergie et continuaient seulement parce que la survie du village en dépendait. Mais sans réussir.

Lorsque Ulah et Nutak revinrent du village, Oujka et Sacajawa n'avaient tué que deux chèvres et colleté à peine une trentaine de lièvres.

— Il faut au moins une chèvre pour nous nourrir durant le voyage du retour, soupira Ulah dépité.

— Et les chiens ? demanda Oujka.

— Il y a un peu de lièvres. On a posé des collets. De toute façon, Ouzbek ne nous autorise plus à les nourrir.

— La situation est si désespérée ?

— Il n'y a plus rien à manger, plus un lièvre ni une perdrix autour du village.

— Et la pêche ?

— Tu sais ce que c'est, en hiver. Les grosses

truites ne se laissent pas facilement attraper. Quant aux petites…

Sacajawa était consternée. Qui était responsable de cela ? Les Blancs. Eux encore. Elle les haïssait, tous. À cause d'eux, elle avait raté sa vie et ils allaient encore gâcher celle de son village, tuer des vieillards et des enfants. La famine !

— Il faudra tenir jusqu'aux oies ! dit-elle rageusement.

— Encore deux lunes, peut-être trois, fit remarquer Nutak, incrédule. Et la glace va devenir instable, la pêche…

— On va trouver des solutions ! Je vous dis qu'on va tenir jusqu'aux oies.

Elle était maintenant en colère. Elle en voulait à la vie. Elle ne supportait plus personne, même Oujka qu'elle repoussait et qui la regardait avec perplexité et un peu de pitié. Elle ne s'aimait plus. Elle ne pouvait plus aimer les autres.

Elle se serait bien laissée endormir par le froid au côté de Rankhan, mais il y avait Banks et puis Ohio. Où était-il ? Elle savait qu'il reviendrait pour elle. Oui, mais le désir de vivre n'était-il pas plus important encore que de vivre ? Sacajawa remonta dans sa mémoire. Jamais elle n'avait sombré aussi profondément dans le désespoir. Que pouvait-elle encore attendre de la vie ? Le sourire disparaissait de son visage, ses yeux se ternirent et sa tristesse, contagieuse, gagna la petite bande qui s'en retourna tristement vers le village au rythme lent des chiens affamés.

Ils mirent six jours pour rentrer. Dès qu'ils arrivèrent, tout ce que le village comptait d'hommes et de femmes se rassembla pour connaître le résultat de la chasse. S'ils rentraient, c'est qu'ils avaient réussi et ramenaient du gibier. Au lieu de cela, ils apprirent la mort de Rankhan, celui que l'on pensait invincible, dur comme le roc. La consternation succéda à la joie bien éphémère qu'avait suscitée leur retour.

— Banks !

Sacajawa ouvrit de grands yeux effrayés en apercevant le visage de son fils, dont elle ne reconnaissait plus les traits creusés et tirés par la faim. Elle l'arracha littéralement des bras de Koonays.

— Il n'y a plus de lait, dit la sœur d'Ouzbek pour excuser la maigreur du bébé.

— Comment est-ce possible ! Mais comment est-ce possible ?

Tous la regardèrent. Elle serrait contre elle ce petit corps qui ne demandait qu'à vivre et elle se sentait capable de tuer. Ses yeux qui avaient perdu de leur éclat brillaient maintenant de haine et de colère.

— Voilà ce que vous avez fait ! hurla-t-elle. Je vous avais prévenus et vous n'en avez fait qu'à votre tête, aveuglés par ces promesses de Blanc !

Et elle continua, plus bas, comme pour elle-même :

— Pourtant je les connais, moi, les promesses de Blanc...

— Ce n'est pas sa faute, Sacajawa. Il a été attaqué. On le sait maintenant. Ce sont des Tsetsauts qui lui ont tout volé.

Ils parlaient de Klawask, l'Indien censé leur rapporter nourriture et matériel du comptoir.

— À quoi bon !

Elle ouvrit le traîneau, y prit deux lièvres malgré l'interdiction faite par Ouzbek de se servir avant qu'un partage ne soit effectué sous son autorité, et elle s'en alla vers sa cabane, embrassant son bébé serré dans ses bras.

Elle prépara un bouillon avec la viande et le fit boire à Banks puis elle en mangea une partie, laissant le reste à Oujka qui revint bien plus tard, le visage fermé, grave.

— Il n'y a plus rien, Sacajawa. Tout a été partagé.

— Que nous reste-t-il ?

— Ça !

Il montra le récipient en pyrite dans lequel baignaient les restes des deux lièvres cuits. Elle ne dit rien. Elle s'en voulait de s'être emportée et elle alla s'excuser aussitôt auprès d'Ouzbek qui s'indigna, compréhensif.

— Sacajawa ! Ta colère est légitime et nous fait du bien. Nous aurions dû t'écouter, nous n'en serions pas là ! Ton fils mérite de grandir et c'était mon rôle de chef que de faire entendre raison à mon peuple. Au lieu de cela, je les ai encouragés à quitter les hauts plateaux où passait le grand troupeau pour aller trapper. Quelle erreur ! Et je n'ai même pas trouvé un élan pendant que toi et les tiens chassiez au risque de vos vies...

Il était défait, accablé, avachi sur sa paillasse, les épaules affaissées.

— Je m'en veux tellement, Sacajawa. Je m'en veux.

Ils restèrent un long moment silencieux.

— Accepte ce que j'ai à te demander, Sacajawa, promets-le-moi !

— Quoi ?

— Je veux que tu prennes ma place. Je ne suis pas digne de continuer à...

— Arrête Ouzbek ! Le village connaît assez de difficultés en ce moment. Ne va pas semer le trouble en prenant une décision de nature à déstabiliser les nôtres. Un homme doit diriger et personne ne le fera mieux que toi.

— Oujka pourrait.

— Il n'est pas des nôtres.

— Comment peux-tu ? En t'épousant il a…

— Oublie cela.

Elle était redevenue autoritaire.

— Écoute, Ouzbek ! Il faut tenir jusqu'aux oies. Partageons-nous en deux groupes. Un qui pêchera jour et nuit s'il le faut et l'autre qui se rendra au nord des marais d'Isotia. Il y a des lièvres là-bas.

— Que crois-tu que nous avons fait pendant que vous étiez partis ? Nous étions là-bas et ailleurs, partout où il y a des lièvres.

— Il en reste forcément.

— Oui, mais si peu. Il faut dépenser autant d'énergie pour attraper un lièvre qu'il en contient dans sa viande. Pourquoi crois-tu que les loups ne poursuivent pas un grand élan en hiver ? Ils savent que pour l'épuiser et le tuer il leur faudra plus de temps que celui-ci ne fournira de jours de viande à la meute. Il nous faut agir de la même manière.

— Alors nous abandonnons ? Nous nous résignons à voir les plus faibles mourir ?

— Il faut bien réfléchir à ce que nous allons faire et ne pas dépenser notre énergie inutilement. Il reste les chiens et…

— Les chiens ?

— Bien entendu ! J'ai déjà demandé qu'on abatte ceux de Rankhan.

Elle voulut ouvrir la bouche pour protester, mais comment pouvait-elle reprocher à Ouzbek cette décision ?

Les myrtilles ! Oui, il restait les myrtilles. Elle connaissait des pentes où, à l'automne, on en trouvait en quantité. Les ours et les oies s'en gavaient. Le gel puis la neige les conservaient. Il fallait monter là-bas, sur les contreforts des plateaux d'Isotia, et gratter la neige. Oui, elle allait organiser une expédition pour aller chercher cette source de nourriture. Ils en profiteraient pour ramasser du lichen. Une fois bouilli, séché et réduit en farine, ils le mélangeraient aux myrtilles et à de la sève de tremble. Avec ces galettes et un peu de poisson, le peuple des Nahannis pourrait tenir jusqu'aux oies. Mais pour cela il fallait conserver les attelages d'Ulah et de Nutak et partir aussitôt, avant que les forces des chiens affamés ne les abandonnent.

Ouzbek accueillit ce plan avec bienveillance. La détermination de Sacajawa était contagieuse et il était trop désemparé pour ne pas se laisser persuader que l'idée était bonne. Restait à convaincre Ulah et Nutak de repartir dès le lendemain. L'expédition était audacieuse, car ils pouvaient se faire piéger par le printemps. À partir de maintenant, il pouvait arriver n'importe quand. Alors il leur faudrait au moins douze jours pour rentrer, quand, par la glace du fleuve, trois jours suffisaient.

Mais rester ici était aussi un piège. Ulah et Nutak en convinrent assez facilement, d'autant que cette proposition leur offrait la survie de leurs chiens. Oujka fut bien plus difficile à convaincre, surtout lorsque Sacajawa lui dit qu'elle voulait emmener Banks avec elle.

— Ce n'est pas un voyage pour lui.

— Je ne le laisserai jamais mourir de faim ici. Là-bas, en plus du lichen et des myrtilles, nous trouverons des perdrix et des lièvres.

— Juktayul a trappé là-bas. Il a pris les lièvres et tué la plupart des perdrix…

— Il en reste forcément.

— Si peu…

Se rendaient-ils compte des bouleversements désastreux que toute cette folie avait engendrés ? Si Banks n'avait pas tant risqué, Sacajawa aurait presque été satisfaite de cette famine qui allait permettre aux siens d'ouvrir les yeux. Du moins l'espérait-elle.

48

En s'éveillant, Ohio regretta d'être vivant.

Il avait mal partout. Il avait soif et frissonnait de froid malgré les chiens qui l'entouraient. Incapable de bouger, il mit un long moment à retrouver ses esprits. Que s'était-il passé ? Où était-il ?

Dès qu'il ouvrait les yeux et essayait de regarder autour de lui, tout se mettait à tourner. Une douleur vive enflait dans sa tête qu'il balançait doucement pour tenter de chasser le mal, mais rien n'y faisait. Il se mit à respirer plus fort en gémissant. Une plainte d'animal blessé, sourde et désespérée. Les chiens bougèrent un peu. Torok approcha sa truffe humide du visage brûlant. Voulk se leva et regarda Ohio en penchant la tête, inquiet et malheureux.

— Cette fois, c'est fini. Fini, parce que je n'ai plus la force de me battre.

Les chiens écoutaient comme si Ohio avait quelque chose d'important à leur dire.

C'était l'heure des bilans. N'avait-il pas été au terme de son voyage ? Bientôt Cooper prendrait la mer. Il allait retrouver Sacajawa. Quant à lui, il avait perdu Mudoï et laissé Mayoké.

— Mayoké... Oh, si simplement tu pouvais être là, à côté de moi... m'endormir dans tes bras avec ton sourire, comme un soleil qui réchaufferait mon corps.

Il ferma les yeux. C'était le seul moyen de calmer un peu son terrible mal de tête.

« Me suis-je tapé le crâne en tombant ? Et ma jambe ? J'ai sûrement perdu beaucoup de sang. » Il pensa à ses chiens. À Voulk et Torok, désormais réconciliés. Pourtant, il aurait juré que leur conflit ne cesserait qu'avec la mort de l'un des deux, car il avait toujours su qu'aucun ne se soumettrait sans se battre jusqu'au bout. Décidément, les chiens n'avaient pas fini de l'étonner. Ils avaient une sorte d'intelligence instinctive qui le fascinait, le dépassait parfois.

« Non, je ne peux pas laisser les chiens mourir dans ce trou ! » Et cette évidence le consterna, car il aurait voulu renoncer et mourir. Il n'avait plus de courage. Mais ses chiens lui avaient tout donné. Ils l'avaient suivi dans toutes ses folies, lui avaient sauvé la vie, mis en lui tant de confiance, d'amour. Il n'avait pas le droit de les abandonner ici.

« Non, je n'ai pas le droit. Je dois trouver un moyen de les sortir d'ici. »

Alors il se mit à réfléchir. Deux mètres au-dessus de lui, la glace formait comme une voûte qu'il avait crevée. Il ne pouvait remonter. Même s'il trouvait une solution pour atteindre le bord du trou, avec le traîneau pour échelle par exemple, la glace se briserait.

Il avait soif. Tellement soif.

— Il faut que je boive… Commençons par là !

Du feu pour faire fondre de la glace ? Il n'avait que le bois du traîneau à brûler. Pourquoi pas ? Mais alors il lui fallait se déplacer. Et avec cette jambe…

Il aurait été tellement plus facile de s'endormir, d'oublier, de s'échapper.

— Une attelle !

Pour cela, il devait atteindre le traîneau, ramper jusqu'à lui. Il essaya de s'asseoir. Aussitôt la douleur se réveilla. Sa vue se troublait. Au fait, était-ce le matin ou le soir ? Il regarda au-dessus de lui le morceau de ciel découpé dans la glace. Il était gris, sans éclat. Peu importait finalement qu'on fût le matin ou le soir. Il faisait jour et il fallait qu'il boive, qu'il vive encore un peu, juste le temps de sauver ses chiens.

Après une bonne quinzaine de tentatives infructueuses, il put s'asseoir et ouvrir les yeux sans que le vertige le force à les refermer. Il découpa son pantalon de cuir imbibé de sang et s'examina. Un morceau d'os taillé en biseau sortait de la peau, une dizaine de centimètres en dessous du genou. Il tira très légèrement dessus en serrant les dents. Le morceau venait. Il n'était pas attaché à l'os. C'était juste un éclat. Il l'enleva. Ce fut moins douloureux qu'il ne l'imaginait car le segment d'os était plus fin que l'ouverture. Puis il tâta la peau à la hauteur de la cassure. Il lui sembla que les deux parties du tibia brisé étaient à peu près dans l'axe. De toute façon, il ne pouvait pas les réajuster seul. Il allait mettre une attelle, et peu importe que la jambe puisse ou non fonctionner plus tard. Ce qu'il fallait, c'était bouger pour boire, puis sauver les chiens. Ensuite...

Les chiens le regardaient, d'autres exploraient la grotte de glace dans laquelle ils étaient tombés. Oumiak léchait le sang coagulé qui maculait la pierre sur laquelle Ohio reposait.

— Je vais vous sortir de là, les chiens.

Il se le promettait sans savoir comment il y arriverait.

Ohio grelottait, mais le pire c'était cette soif, la bouche pâteuse, les lèvres sèches. Il trouva une position où sa jambe cassée reposait en partie sur l'autre et commença à se mouvoir assis, tout doucement, en s'aidant des mains. Sa jambe, pourtant ankylosée et légèrement anesthésiée par le froid, le faisait souffrir le martyre mais il arriva tout de même jusqu'au traîneau en contournant le gros caillou qui l'en séparait. Il coupa les liens en cuir cru qui tenaient les différents éléments du traîneau et le désossa. Avec l'une des traverses, il tailla une paire d'attelles qu'il fixa de part et d'autre de l'os contre le mollet, puis il découpa une longue lanière dans une peau et serra. Il dut s'y reprendre à plusieurs fois tant la douleur que ces ajustements déclenchaient était forte.

— Maintenant, boire !

Il n'avait plus froid. Bien au contraire. À présent, il transpirait. Il s'apprêtait à allumer un feu avec les brindilles sèches qu'il transportait dans le traîneau lorsqu'il entendit un léger clapotis. Il écouta plus attentivement. Oui, un chien lapait de l'eau. Mais on n'y voyait rien au fond de cette sorte de grotte dont le plafond s'abaissait vers le centre du lit de la rivière. Il se dirigea à tâtons vers le bruit. L'eau n'était pas très loin. Il la trouva à quelques mètres, et s'allongea pour boire. Cela lui procura le premier plaisir depuis l'accident. Torok et Voulk, gardiens attentifs, restaient à côté de lui, surveillant le moindre de ses gestes, cherchant à l'aider, attendant des ordres.

— Mes braves chiens.

Il les caressa ensemble. Torok étouffa un grognement qui signifiait que Voulk ne devait pas réclamer plus.

— Maintenant, manger.

Il lui restait deux perdrix et quelques kilos de farine. Il se confectionna une galette et la mit à cuire dans une petite poêle de fonte au-dessus du feu. Il n'avait plus rien pour les chiens et ils le regardaient en bavant et en se léchant les babines, excités par les odeurs de viande grillée qui embaumaient l'espace.

Les quelques miettes de galette ne firent qu'aiguiser leur faim.

— Il faut qu'on sorte de là ! Vous irez chasser, leur dit-il, déterminé.

Il allait mieux. Il avait bu, mangé. Il n'avait plus froid et son mal de tête s'éloignait. Il recousit sa plaie et appliqua un baume à base de gomme de pin sur sa blessure nettoyée. Il s'en voulut de l'état de découragement extrême qui l'avait saisi. Il pouvait s'en sortir. Et Mayoké avait besoin de lui. Elle l'attendait. Il le savait. Il l'avait déjà abandonnée une fois, il n'allait pas recommencer.

Sortir de là.

Il essaya de se mettre debout. Il avait besoin d'une béquille. Il la tailla dans une des traverses du traîneau et l'ajustait à sa taille lorsqu'il s'aperçut que la lumière du jour déclinait. Tant mieux. Il était fatigué et sa jambe avait besoin de repos, encore plus que lui. Il s'installa confortablement sur les peaux en enlevant du sol les cailloux qui le gênaient et s'emmitoufla dans son sac de couchage. Il mit longtemps à s'endormir. La douleur allait, venait, tantôt faible puis soudain plus forte comme si elle jouait à user ses nerfs. Il ne s'endormit qu'au petit matin et demeura une partie du jour allongé, à réfléchir. Il étudia différentes solutions pour se sortir de ce piège et finit par conclure que la meilleure idée consistait à aller sous la glace, jusqu'à l'endroit où elle rejoignait le sol près de la rive, et de la creuser vers le haut. C'était sans doute là qu'elle était le plus épaisse, car c'était par là que la rivière commençait à geler à l'automne, mais c'était aussi la façon la plus sûre de réussir. Et puis le travail solliciterait ses bras plutôt que ses jambes.

Avec une bougie, il rampa sous la glace et l'étudia. Où percer ? Il ne fallait pas que le plafond risque de s'effondrer sur lui. Il choisit un coin près de plusieurs cailloux qui retenaient la glace et entreprit de la casser à la hache. La position était inconfortable, mais en allant doucement, il pouvait espérer traverser.

La glace giclait par écailles coupantes sous les coups de hache. Ohio s'arrêtait souvent car il tapait en position assise et il se fatiguait vite. Les chiens s'étaient écartés d'eux-mêmes. Les coups ébranlaient la grotte et à deux reprises, des morceaux de glace se détachèrent des rebords du trou pour aller se fracasser près du traîneau. Mais la plupart des vibrations étaient absorbées par les deux rochers derrière lesquels Ohio forait. Lorsque l'obscurité l'obligea à s'arrêter, il avait creusé sur une profondeur d'environ un demi-mètre. Il se prépara la dernière perdrix, mangea une galette et se coucha, malheureux de ne pouvoir offrir aux chiens la moindre nourriture.

Lorsqu'il se réveilla le lendemain matin, il constata que la douleur de sa jambe s'amenuisait. Il était arrivé à trouver le bon serrage des cordons de cuir qui bloquaient le tibia entre les deux attelles sans gêner la circulation du sang, et surtout les positions et la façon de se déplacer qui ne réveillaient pas la douleur.

— Torok ! Torok !

Pas un bruit.

— Voulk ! Oumiak ! Huslik !

Toujours rien.

Ohio paniqua. Il chercha avec fébrilité sa béquille et se leva, laissant échapper une plainte, car il s'était un peu appuyé sur son pied gauche, sollicitant le tibia.

— Les chiens ! Torok ! Voulk !

Le silence.

À l'inquiétude succéda un sentiment d'espoir.

S'ils n'étaient pas là, c'est qu'ils étaient sortis ! Ohio alluma une bougie et explora la grotte. Rien. Comme si les chiens s'étaient volatilisés ! Il appela encore. Rien.

Il recommença son exploration et cette fois remarqua des traces de griffes sur une plaque de glace s'étalant entre deux rochers. En se penchant, il s'aperçut qu'un étroit goulet existait, dans lequel il s'engagea en rampant. Quelques mètres plus loin, une lueur. Ils étaient sortis par là ! Lui ne pouvait se faufiler dans le passage, ni l'élargir. Il devait donc continuer ce qu'il avait commencé en espérant que les chiens trouveraient pendant ce temps de quoi se nourrir. De toute façon, dans son état il ne leur serait d'aucune utilité.

Il aurait pu finir le jour même, mais il cassa le manche de la hache. Le temps qu'il en taille un autre dans un montant du traîneau, la nuit était tombée. Il dormit mal, hanté par des cauchemars où ses chiens affamés se faisaient attaquer par des loups. Au petit matin, dès les premières lueurs, il se remit au travail, et deux heures plus tard, sa hache creva le plafond de glace. Élargir le trou ne lui prit qu'une heure de plus et il sortit enfin, en s'aidant de son traîneau comme échelle.

Ohio resta un long moment immobile, clignant des yeux dans le soleil chaud de cet après-midi de printemps. Il voyait le paysage autrement, car il venait une nouvelle fois d'échapper à la mort. Comment avait-il pu vouloir abandonner ? Pour une jambe cassée ? Elle allait se remettre. Il sentait que l'os se ressoudait déjà. Dans une ou deux lunes il pourrait marcher, et alors il reprendrait sa route. Mayoké l'attendait.

49

— On va pouvoir appareiller, mon commandant.

Cooper ne put réprimer un grand sourire de satisfaction. Enfin ils partaient. Voilà des semaines qu'il piaffait d'impatience. Vingt fois, il avait vérifié l'arrimage dans les cales, compté et recompté les stocks de nourriture, ceux des cinquante-quatre hommes de son équipage, voiliers, mousses, cuisiniers et charpentiers mais aussi de ses chiens. Il avait chargé six tonnes de pemmican pour les douze huskies achetés à prix d'or à un Indien naskapis de Sept-Îles qui ne voulait pas s'en séparer car c'était l'un des attelages les plus rapides. Mais Cooper voulait celui-là et devant l'importance de la somme proposée l'homme avait cédé, conservant la femelle et un mâle pour se reconstituer un attelage. Cooper leur avait aménagé un bel espace sur le pont en arrière de la dunette, contre le mât d'artimon. Il avait fait construire des niches dans lesquelles ils pouvaient se protéger des embruns et des averses.

L'équipage était constitué d'une douzaine d'hommes qui avait voyagé avec lui depuis l'Angleterre à laquelle s'ajoutaient ceux qu'il avait recrutés à Québec. Cinq d'entre eux avaient déjà participé à des expéditions polaires et connaissaient l'entrée du détroit de Lancaster, dont le capitaine Melville et ses deux lieutenants, le jeune Loup Arkwight et Sedley Dekler, qui auraient pour mission de ramener le bateau en Angleterre lorsque Cooper le quitterait.

L'optimisme de Cooper et sa réputation dopaient les hommes, qu'il commandait avec une certaine bienveillance à condition qu'on aille droit, sans hésitation, et en mettant du cœur à l'ouvrage. Il était le contraire du capitaine Melville, taciturne et réservé, qui conservait toujours ses distances avec l'équipage, mais obtenait l'obéissance par le respect qu'il inspirait. Melville était ce qu'on appelait un homme de la mer. Depuis l'âge de douze ans, il sillonnait les mers et son expérience était incomparable. Assez svelte, les cheveux noirs et courts, la barbe et la moustache bien taillées, Melville apportait autant de soin à sa toilette qu'à étudier les cartes, mesurer le vent, faire le point au sextant ou examiner le bateau de fond en comble, ce qu'il faisait chaque jour, obligeant les hommes à ne rien négliger.

« Melville est un compagnon exécrable, mais c'est sans doute l'homme de mer le plus qualifié que je connaisse », disait de lui Cooper.

— Qu'on largue les amarres ! lança Cooper. Et prenez le commandement du bateau jusqu'au détroit de Belle-Île, dit-il à Melville. Je vais aller rassurer les chiens.

Il voulait surtout profiter du spectacle merveilleux qu'offrait la vue de Québec depuis la baie du Saint-Laurent. Le temps était magnifique et le soleil qui se hissait sur les eaux bleues du fleuve irisait la surface brillante des morceaux de glace à la dérive. Le printemps qui libérait la mer et les fleuves libérait aussi le cœur des hommes et Cooper était exalté. Il contempla extasié la toile qui se gonflait sous le vent arrière. Enfin, il voguait sur les eaux. Il soupira de bonheur lorsqu'il entendit le souffle du vent dans les drisses et le bruissement de l'eau que fendait maintenant l'étrave du navire. Il regardait avec un délicieux pincement au cœur les hommes se hisser souplement dans les voiles. Le capitaine allait et venait sur le banc de quart, jetant des ordres que le timonier répétait d'une voix claire.

— Carguez les huniers, halez le grand foc et bordez-le au vent, puis amenez la misaine goélette !

Les quais s'éloignaient. Une autre aventure commençait au bout de laquelle l'attendait Sacajawa, celle dont il n'osait encore prononcer le nom.

Cooper aspirait l'air à grandes goulées et s'étonna d'y trouver déjà l'odeur saumâtre, un peu iodée, de la mer. Longeant la côte, des oies blanches et des outardes volaient en tous sens, criaillant et mêlant leur vol aux milliers d'oiseaux qui arrivaient chaque jour du sud, pluviers, canards, eiders, chevaliers et bécasseaux. La sève montait dans les arbres, les fleuves se libéraient, les oiseaux arrivaient. Une sorte de frénésie emportait le pays.

Les chiens n'avaient pas peur. Montés à bord depuis cinq jours, ils s'étaient habitués au tangage, et même si celui-ci avait un peu augmenté depuis qu'on avait pris le large, ils s'en accommodaient fort bien. Ils avaient gagné au change : dès que la saison d'hiver se terminait, les Indiens nourrissaient mal les chiens. Or, Cooper les nourrissait bien, car ils avaient besoin de regagner un peu de poids. En quelques jours, il leur avait redonné de l'allure. Leur poil brillait et leurs côtes ne saillaient plus sous la peau.

— Mais pas trop, hein mes gaillards ! Je ne veux pas faire de vous des boules de gras incapables de courir !

Ce qu'il aimait le plus au monde, c'étaient la mer

et les chiens. Et il avait les deux. Il était persuadé qu'un passage existait au-delà du détroit de Lancaster et permettait de rejoindre l'embouchure du fleuve Mackenzie. Ses conversations avec les marins qui avaient exploré l'Arctique n'avaient fait que confirmer sa conviction. S'il ne s'était pas trompé, il irait vite. On était en mai, dans huit mois il pouvait être auprès de Sacajawa. L'équipage hivernerait quelque part pendant qu'il voyagerait avec les chiens, et repartirait au printemps pour annoncer à l'Angleterre la découverte du passage du Nord-Ouest. Une belle conclusion pour Cooper qui n'aspirerait, auprès de Sacajawa, qu'à couler des jours tranquilles dans les vallées sauvages des montagnes.

Il pensait à elle, bien sûr, mais il se refusait à imaginer les retrouvailles. Ohio affirmait qu'elle l'aimait encore. Que savait-il exactement des sentiments profonds de sa mère ? Elle était secrète, introvertie. Dix-sept ans maintenant ! Dix-sept ans ! Il n'avait d'elle qu'un souvenir confus. Il se rappelait ses cheveux, ses yeux, sa bouche, pratiquement chaque détail de son visage et de son corps, mais il ne parvenait pas à reconstituer l'ensemble. Oui, il revoyait nettement ses longs cheveux noirs aux reflets violets, presque bleus dans le soleil, sa peau douce, son odeur de fruit, ses lumineux yeux noirs striés de brun. Ses longues jambes fuselées et musclées brunies par le soleil et qui avaient enserré son corps.

Avec la tiédeur de cette matinée de printemps, Cooper se souvenait d'une de leurs étreintes, sur un col, dans la peau moelleuse d'une chèvre qu'ils avaient tuée là-haut. Le soleil chauffait le rocher au pied duquel ils s'étaient allongés. Le désir les avait submergés doucement alors que, enlacés, ils regardaient sous eux le spectacle féerique de la vallée envahie par les brumes et que le soleil dissolvait. Les écharpes de nuages s'accrochaient aux cimes rougeoyantes. Les pentes recouvertes de lichen et de myrtilliers, blanchies par le givre, brillaient, scintillaient, piégeant les rayons du soleil. Ils s'étaient aimés longtemps, s'arrêtant plusieurs fois pour reprendre leur souffle et mieux recommencer, jamais rassasiés l'un de l'autre…

Cooper ferma les yeux. Le désir montait en lui à la seule évocation de ce souvenir merveilleux. Comment avait-il pu se passer d'elle si longtemps ? Il se rendit à l'évidence. Il n'avait pas pu, tout simplement.

La membrure, les épontilles, les cloisons craquaient et crissaient sous l'effort du navire qui cinglait maintenant depuis deux jours dans la haute mer, remontant les côtes du Labrador. Le mât de misaine travaillait dans son emplanture et produisait un grincement que Cooper entendait depuis sa cabine située à l'arrière. Il se leva dans la nuit et héla un des hommes de quart qui revenait de la timonerie.

— Eh, toi !

— Mon commandant ?

— Va me chercher de la graisse et mets-en suffisamment pour que ce mât cesse de grincer.

— À vos ordres, mon commandant.

L'homme disparut aussitôt, longeant la rambarde de la dunette à laquelle il s'accrochait pour ne pas glisser sur le pont humide. Cooper rejoignit l'éperon du navire. Le bleu clair de ses yeux se teinta d'une lueur joyeuse lorsqu'il constata la vitesse à laquelle il avançait. Les hommes de quart avaient donné de la toile, et mis presque toutes les voiles dehors. Cooper resta longtemps sur le pont d'avant à contempler la masse sombre des eaux labourée par le navire. Une lune nimbée de brume déversait sur eux des larmes d'argent, irisant la crête des vagues qui s'incurvaient et se brisaient sur le bastingage avec un mugissement de révolte.

Il rejoignit Sedley Dekler à la barre. De petite taille, solidement charpenté, tout en muscle, Sedley grisonnait déjà, bien qu'il n'eût que quarante ans. Il avait un profil d'aigle avec des yeux noirs intelligents.

— Bonjour, mon commandant, vous ne dormez donc jamais !

— La haute mer m'exalte.

Ils ne se dirent rien de plus. Ils écoutaient le mugissement du vent dans la voilure. Le lieutenant s'appliquait car le bateau recevait parfois des successions de coups secs assenés par les vents arctiques, obligeant à donner de la barre pour rendre un peu de mou à certaines voiles.

— Faites amener les focs, décida Cooper. Je veux ménager la voilure et il y a des risques d'iceberg.

— Le capitaine a fait placer dans les hunes deux hommes qui n'ont pas les yeux dans leur poche.

— C'est parfait.

Sedley répercuta les ordres de Cooper. Chaque dalot, chaque sabord était employé à soulager le navire du poids de l'océan qui souvent le submergeait et les hommes bourlinguaient dur depuis qu'ils avaient pris leur quart, mais ils œuvraient avec courage. Tous étaient des marins et savaient que de la bonne exécution des ordres dépendait leur survie par gros temps. Ils affalèrent les focs, les uns après les autres, tandis que les couleurs de la lune s'affadissaient dans les nuages.

Cooper resta sur le pont jusqu'à l'aube où le capitaine Melville le rejoignit avant son quart. La mer grossissait. Un groupe d'icebergs fut repéré et les hommes s'attroupèrent à la rambarde pour observer les phoques qui, par centaines, s'étaient réfugiés sur ces gigantesques morceaux de glace entre lesquels le navire louvoya prudemment. Puis le vent baissa et Cooper, rassuré, alla prendre un peu de repos. Il s'endormit rapidement, bercé par le bruit de l'eau qui, par paquets, heurtait le flanc du navire et retombait sur le pont pour se déverser ensuite dans les dalots.

Abrutis par le roulis, les chiens restaient sagement dans le fond de leur niche garnie de paille alors qu'au-dehors les hommes allaient et venaient sur le pont dans la lumière argentée de l'aube.

50

Une fois affranchi de la terreur de voir mourir son maître, Torok se mit à errer au hasard en de longues courses à travers la toundra. Il fallait tuer ou être tué, manger ou être mangé. C'était la loi primitive, et toute la meute obéissait à cet ordre sorti des entrailles du temps.

Ils ne voyageaient que de nuit, sous la pâle clarté de la lune ou les feux des aurores boréales. Les cinq huskies suivaient leur chef à la queue leu leu. Oumiak, le ventre gros, fermait la marche, mettant très exactement ses pattes dans les empreintes de Kourvik, la queue basse, insensible au paysage morne et désolé qui s'étendait jusqu'à l'horizon. Les chiens avaient faim et leur peau collait à leurs côtes qui se dessinaient sous la fourrure misérable. Ils cheminaient tristement, tandis que Torok, les narines frémissantes, humait les senteurs de la toundra que ses yeux fouillaient attentivement jusque dans ses recoins les plus sombres.

Depuis cinq jours, ils erraient ainsi au hasard, ombres diaphanes qui se traînaient dans la toundra détrempée. Ils ne faiblissaient pas et avançaient sans relâche, leurs muscles d'acier répétant indéfiniment les mêmes gestes. En cinq jours, ils n'avaient trouvé que le squelette blanchi d'un renard polaire à se partager. Autant dire rien.

Mais ce soir Torok, puis Voulk et enfin tous les chiens redressèrent la tête et reniflèrent le vent avec insistance. Ils avaient décelé l'odeur très faible mais non moins réelle du gibier. Torok s'immobilisa, la queue haute, tous les sens en alerte, l'œil brillant, puis il leva son long museau et commença à hurler. Alors, l'un après l'autre, les chiens affamés pointèrent leur museau vers le ciel et joignirent à la sienne leur longue plainte de détresse, mélopée sauvage, hurlement de chasse qui plana comme un écho dans le silence de mort de la nuit.

Dès lors, l'attitude des chiens devenus loups changea. Ils trottèrent avec détermination et leur démarche se fit féline, prudente. Ils allèrent ainsi un long moment jusqu'à croiser des traces fraîches de bœufs musqués que Torok et Voulk étudièrent avec une excitation qui leur allumait des étincelles dans les yeux. Cette nuit-là, ils ne s'arrêtèrent pas, même quand l'aube teinta l'est de lueurs grises. Ils continuèrent à courir, seuls dans l'immensité plate de la toundra infinie, cherchant désespérément à rattraper les animaux dont ils avaient trouvé les empreintes.

Ils les virent soudain, au sommet d'une élévation de terrain, en même temps que l'odeur forte et chaude de leur présence parvenait jusqu'à eux. Ils étaient huit, pressés les uns contre les autres, flanc contre flanc, leurs grands yeux noirs émergeant de leur épaisse fourrure qui traînait jusqu'au sol et dont la teinte ombrée scintillait dans la lumière pâle de l'aurore. Ils regardaient les chiens, arrêtés à quelques dizaines de mètres avec circonspection. Les bœufs musqués, énormes animaux tout droit sortis de la préhistoire, humaient l'air, leurs larges naseaux noirs dilatés, grattant furieusement le sol de leurs sabots et soulevant la pointe sombre de leurs cornes incurvées. Planté fermement dans le sol dénudé, le plus imposant des taureaux inclina un peu sa tête massive, la crinière dressée, le cou gonflé, exagérant la taille de son poitrail, et s'avança, plein de défiance, frissonnant d'énergie.

Les chiens eurent un mouvement de recul mais l'animal s'immobilisa après s'être un peu détaché en avant du groupe, la bosse du dos haute et l'œil mauvais.

Torok étouffa un grognement et continua d'observer dubitativement ces animaux monstrueux qu'il ne connaissait pas. Il se méfiait, mais il était le prédateur et son instinct de chasseur lui fit prendre le parti qui s'imposait. Puisqu'ils ne pouvaient espérer sortir vainqueurs d'un combat de front, il leur fallait ruser et isoler un des jeunes veaux que le groupe abritait entre ses flancs. Pour cela, ils devaient user de patience, les épuiser, les harceler.

Les chiens se divisèrent et encerclèrent la petite harde qui pour se protéger se mit à tourner. Lorsqu'un chien s'avançait un peu trop, les adultes effectuaient de courtes charges, la tête baissée, les naseaux fumants et les yeux étincelants de haine et de colère. Mais les huskies étaient trop lestes pour se laisser embrocher et aucune des attaques ne porta, même si Narsuak échappa de peu à la charge terrible du plus gros taureau. Cela dura jusqu'au soir. Les bœufs, harcelés, tournaient, protégeant leur arrière-train sans cesse menacé. Acculés contre un amas de rochers, ils ne voulurent plus en bouger, collés les uns aux autres, flanc contre flanc, les jeunes veaux au centre. La nuit vint, claire et froide. Les chiens resserrèrent leur étreinte et continuèrent qui par la droite, qui par la gauche, d'attaquer, cherchant à mordre, ne laissant pas le moindre répit aux animaux dont les mouvements de colère devinrent plus lourds, moins coordonnés. Au milieu de la nuit, Torok parvint à se hisser sur les rochers, provoquant un mouvement de panique dans la harde qui s'écarta assez pour que Voulk avec Huslik s'interposent entre le monticule et elle. Dès lors, la harde ne disposant plus de cette défense naturelle dut se mouvoir encore davantage. Les veaux avaient soif et présentaient quelques signes de faiblesse, haletant et meuglant par intermittence. Si les chiens ressentaient eux aussi la fatigue, ils ne le montraient pas et redoublèrent au contraire de vigueur, conscients de livrer là un combat vital.

Aux premières lueurs, la harde commença à s'énerver et les trois taureaux se mirent à charger, n'hésitant plus à poursuivre les chiens, s'éloignant de la harde, alors que jusque-là ils se contentaient de foncer tête baissée sur quelques mètres. Puis Torok parvint à mordre le jarret d'un des veaux, pas assez profondément mais suffisamment pour provoquer la panique dans la harde qui s'ébranla tout à coup, quittant la proximité du monticule pour redescendre vers l'immense vallée. La harde manœuvra comme un seul animal, toujours flanc contre flanc, leur houppelande de poil traînant jusqu'au sol où, par endroits, un peu de neige subsistait. Un hurlement déchira le silence de l'aube. C'était le signal de la curée. Et Torok lançait cette clameur pour rassembler sa meute. Elle se rangea derrière son chef qui s'élança à la suite de la harde, harcelant le taureau qui fermait la marche et protégeait les veaux apeurés. Deux fois, ils parvinrent à le séparer du groupe, mais les vaches veillaient et ils ne purent attaquer.

Enfin, essoufflés et le poil mouillé, les bœufs musqués arrivèrent dans le creux de la vallée et voulurent s'approcher de l'eau mêlée à un reste de glace et de neige. La soif rendait les veaux imprudents et il fallait toute la vigilance des vaches et des taureaux pour les protéger. Torok avait déjà choisi sa victime. C'était le veau dont il avait mordu le jarret et dont il gardait dans la gueule le parfum chaud du sang. Mais il ne le montra pas, bien au contraire. Il contraignit la meute à se concentrer sur l'un des taureaux dont la robe claire détonnait, si bien que les autres relâchèrent peu à peu leur vigilance, certains que ces chiens maigres et efflanqués avaient fait le mauvais choix en choisissant cette énorme bête qui pouvait leur tenir tête.

Kourvik, Narsuak, Huslik redoublaient d'énergie et aboyaient furieusement, feignant d'attaquer, de mordre le taureau qui chassait l'air de ses naseaux en de terribles halètements. Cela dura longtemps. Quand la harde eut fini de boire, elle commença à s'impatienter, voulant rejoindre les hauteurs et quitter cet endroit spongieux où l'énorme masse de leur corps enfonçait. Oumiak, éreintée, s'était assise et regardait d'un air détaché, les yeux lourds de fatigue.

Aucun des chiens ni des taureaux ne vit l'attaque fulgurante que Torok lança, au péril de sa vie, jouant le tout pour le tout. Il avait guetté le moment où la harde se mettrait en mouvement pour rejoindre le taureau blond et traverserait un des bras du petit ruisseau où elle avait bu. Pour cela, les bêtes devaient emprunter une à une un lit de cailloux entre deux plaques de glace. Torok qui poursuivait le grand mâle avait suivi du coin de l'œil le manège et attendait que le veau s'engage. Puis il avait bondi. Sans plus se soucier de rien, d'aucune vache, d'aucun taureau, concentré vers un seul but : le veau. Le jarret du veau. En quelques formidables sauts, il était sur lui, plantait ses crocs et déchirait, sectionnait les tendons de la pauvre bête affolée qui se mit à meugler désespérément. Torok aurait été tué sur le coup par un formidable coup de tête si les chiens, se ruant avec lui, n'avaient détourné sur eux la charge du chef de la harde. Il eut le temps d'esquiver, mais pas assez pour éviter totalement la corne qui lui ouvrit le flanc en brisant l'une de ses côtes. Voulk s'élança à son secours et mordit la bête à la cuisse, ce qui laissa à Torok le temps de s'éloigner.

C'était l'affolement, la débandade. En l'espace de quelques secondes, l'enfer s'était déchaîné. Les bêtes meuglaient, soufflaient, labouraient le sol de leurs sabots et sciaient l'air avec leurs cornes. L'effroi se lisait dans leurs yeux exorbités alors que le goût du sang faisait flamboyer ceux des chiens affamés maintenant rassemblés à quelque distance de la harde qui se reconstituait peu à peu autour du grand taureau et du pauvre veau assis sur son arrière-train. Oumiak s'était approchée de Torok et lui léchait le flanc. Lui, hiératique mais le corps tendu comme un arc, fixait posément la harde que les huskies s'étaient remis à harceler, réclamant leur dû : ce veau qu'ils avaient condamné en le réduisant à l'immobilité. Il était tombé au bon endroit, dans le ruisseau où les autres bœufs musqués ne pourraient pas le protéger longtemps. Narsuak, endiablé, réussit à le mordre encore à deux reprises. C'était l'hallali et la harde le savait qui, au terme d'une heure de vaines tentatives pour relever le veau, l'abandonna à ses bourreaux. Alors les chiens l'égorgèrent et aussitôt les crocs se plantèrent dans la viande pour détacher, écraser, déchirer les muscles sanguinolents.

La meute allait continuer à vivre. C'était la loi de la toundra. Ils venaient de s'offrir une vie en échange de la leur.

51

Les journées d'Ohio étaient aussi monotones que le paysage alentour. Il s'était traîné en claudiquant jusqu'à un élargissement de la rivière où il pêchait du matin au soir, attrapant quelques petites truites qui lui permettaient de survivre. Mais un matin, alors que l'aube le tirait d'un sommeil lourd et inconfortable, il entendit enfin la musique qu'il attendait : celle des oies qui, par milliers, allaient s'abattre dans la toundra et lui sauver la vie. Il avait plusieurs fois recompté ses boîtes de munitions. Il en avait six de trente balles chacune. De quoi tuer assez d'oies pour se nourrir pendant des mois. Mais il ne parvenait pas à s'enthousiasmer de cette manne venue du ciel.

Ses chiens étaient partis depuis cinq jours et ne revenaient pas. Or il avait entendu à plusieurs reprises, la longue plainte des loups vibrant dans le silence ouaté de la toundra. Les loups étaient les ennemis héréditaires des chiens, comme si les frères sauvages ne leur pardonnaient pas l'avilissement dont ils avaient fait preuve en s'associant à l'homme.

Chaque fois que les hurlements avaient résonné dans les ténèbres, Ohio avait tressailli de peur pour ses chiens. Et cette peur, au fil des jours, se transformait en une terrible angoisse.

Pour la première fois de sa vie, il se surprit à parler tout seul. Devenait-il fou ? Il s'en fichait.

— Je n'aurais pas dû les laisser tous libres. J'aurais dû en attacher un ou deux, garder Voulk ou Torok, les autres ne seraient pas partis aussi loin.

Puis il secouait la tête.

— Mais non ! Tu dis n'importe quoi ! Tu as vu comme ils étaient maigres ? Leur seule chance de survivre était de se débrouiller seuls. Ils sont peut-être partis loin, à la recherche de caribous ou sur la piste de bandes de lièvres.

Mais il ne parvenait pas à se rassurer.

— Plus ils seront allés loin, plus ils auront de risques de croiser des loups qui leur feront la peau.

C'était vrai et cette pensée l'effraya, le poursuivant tout le jour.

Il avait confectionné une cache avec des branchages, et attendait les oies. Elles ne vinrent pas, se contentant de passer au-dessus de lui, se posant toujours plus haut ou plus bas, notamment sur la rive où il avait installé son précédent campement mais où la pêche ne donnait rien. Il retourna là-bas au crépuscule et tenta d'approcher un groupe, mais sa jambe raide ne lui permettait pas de ramper ni d'épouser le terrain et les bernaches s'enfuirent bien avant qu'il puisse tirer. Il se coucha le ventre vide sous l'une des peaux qu'il avait heureusement traînée avec lui car il plut une bonne partie de la nuit. Le lendemain, le ciel était couvert et pas un seul vol ne fit son apparition. En fin de journée, il tenta de pêcher, mais il n'attrapa rien et il se coucha une nouvelle fois le ventre vide, faible et déprimé.

Sa nuit fut habitée de cauchemars et il se réveilla dans un état somnambulique, ne sachant plus très bien où était la réalité, si bien que lorsqu'il vit devant lui toute une bande de bernaches, il mit un certain temps à réagir. Elle s'était posée sur la plage de sable où subsistaient des restes de glace, des blocs échoués là qui n'avaient pas encore fini de fondre.

— Ohio ! Les oies, chuchota-t-il.

Il se réveilla tout à fait. Il n'avait même pas besoin de se déplacer. Il épaula, visa là où la densité d'oiseaux était la plus forte et tira. Un coup de tonnerre qui déclencha un criaillement de panique. Les oies battirent l'air de leurs longues ailes dans un désordre indescriptible et s'envolèrent. Il en restait deux sur la plage, dont une pas tout à fait morte qu'Ohio s'empressa d'aller achever d'un coup de bâton.

— Maintenant j'ai des appelants ! dit-il avec un accent de triomphe.

Il ouvrit les deux oies et détacha les filets qu'il mangea crus, sans attendre. Un feu aurait éloigné les éventuelles oies qu'il pouvait maintenant attirer. Avec de la boue, des cailloux et du charbon de bois, il confectionna plusieurs formes et mit les deux vrais oiseaux avec elles, en leur redressant le cou avec des petites baguettes de saule pour qu'ils aient l'air vivants. Et il resta en poste toute la journée. Les oies passaient toujours, mais si haut. Le soir venu, enfin, un vol atterrit, puis un autre. Il tua trois oies qui, s'ajoutant aux deux premières et aux formes, commençaient à former un bel ensemble. Ohio se servait là du grégarisme des oies, irrésistiblement attirées par leurs congénères. Au crépuscule, deux autres vols se posèrent encore, mais gêné par la pénombre Ohio ne tua qu'une oie de plus. Il avait de quoi manger et de quoi en appâter d'autres le lendemain.

Il se leva aux aurores et confectionna des collets avec le fil de pêche en soie tressée qu'il s'était procuré à Québec. Il les posa entre les formes et au bord de la rivière, à l'endroit par où les oies s'échapperaient quand il tirerait. Il terminait lorsqu'il entendit un bruit de galop. Un animal se frayait un passage dans les broussailles bordant la rivière ! Il eut à peine le temps de se relever. Déboulant sur la plage, Voulk lui sauta littéralement dessus et il manqua tomber à la renverse.

— Voulk, mon Voulk !

Il cherchait à le faire taire et lui musela la gueule pour écouter mais le chien continuait de gigoter et de manifester sa joie en gémissant bruyamment. Il vit avant de les entendre Huslik, Narsuak et Kourvik.

— Et Torok ? Oumiak ?

Il les félicitait, les embrassait, les caressait, remarquant leur ventre rond, mais l'inquiétude le gagnait. Qu'était-il advenu de Torok et d'Oumiak ? Ils auraient dû se trouver avec eux. À quelles sortes d'animaux s'étaient-ils mesurés, des loups, un ours, un carcajou, un élan ? Ah ! si seulement Voulk pouvait parler, lui raconter…

Il les attacha aux câbles, assez loin de la rivière, et continua de chasser pour lui et pour eux. La journée était magnifique. Un véritable soleil d'été s'était hissé au-dessus de la ligne d'horizon et réchauffait la toundra qui fumait comme un linge humide. Les chiens fatigués par leur longue course se prélassaient sous les rayons bienvenus.

Les oies continuaient de passer, mais le ciel bruissait de la migration de centaines d'autres oiseaux, eiders, canards, bruants, grèbes, huarts, chevaliers et pluviers, et l'air était empli de leurs chants. Une fête à laquelle participait aussi toute une myriade d'insectes nouvellement éclos.

Ce jour-là, Ohio tua plus de trente bernaches, mais ce succès ne lui arracha pas un seul sourire.

— Torok, Oumiak, où êtes-vous donc ?

Il ne dormit pratiquement pas de la nuit. Une nuit lumineuse, emplie du chant de l'été, avec le criaillement des oies, la stridence des huarts, le sifflement des pluviers.

Il s'apprêtait à aller se laver dans la rivière lorsqu'il vit trotter vers lui Oumiak, et plus loin Torok qui portait au bout d'un os un gros morceau de viande.

— Torok ! Oumiak !

Ses yeux s'embuèrent de larmes de joie et d'émotion.

— Mon Torok ! Mais tu es blessé !

Il regarda la viande et le poil qui y était encore accroché.

— Un bison ?

Non, le poil était trop long, différent.

— Quelle sorte d'animal avez-vous donc déniché ?

Il examina la blessure. Elle n'était pas belle. Il palpa et s'aperçut que les côtes du chien avaient été touchées. Et malgré elle Torok avait porté à travers des kilomètres de toundra, sans doute pendant des jours, de la viande à son intention ! Était-il capable, lui, de tant d'amour, le méritait-il ?

Il mit de l'eau à chauffer, nettoya très soigneusement la plaie, puis se servit d'un peu de glace pour anesthésier les chairs avant de les retailler et de les recoudre. Torok gémit à plusieurs reprises, mais le laissa faire. Il désinfecta puis lui fit une sorte de cataplasme avec de l'argile qu'il conservait dans une poche de cuir. Tout à son affaire, il ne vit pas Oumiak s'éloigner silencieusement, furtivement, à la recherche d'un endroit tranquille. Il était temps. Les premières contractions venaient. La vie, partout, reprenait le dessus.

52

La mer, entre la terre du Groenland et l'île de Baffin, prenait des tons plombés et grossissait de plus en plus. Tout le monde était sur le pont du *Farvel*, les deux équipes, les deux lieutenants, le capitaine et Cooper, surveillant les manœuvres et en dirigeant certaines depuis le bastingage où des vagues se brisaient avec un mugissement terrible.

Le vent ouest-nord-ouest les poussait vers les côtes du Groenland. Dès le matin, les hommes de quart avaient repris presque toute la toile, ne gardant que les flèches et le clinfoc qui permettaient au navire de conserver son cap au milieu du détroit.

C'était une tempête sans pluie, seule la violence du vent faisait tourbillonner dans l'air des gouttelettes qui retombaient sur les hommes dont les pantalons en cotonnade et les chemises en lainage s'imbibaient d'eau malgré les cirés.

En milieu de journée, l'œil de la tempête passa sur eux et cinq voiles pourtant ferlées et amarrées furent arrachées des vergues.

— Mon commandant, l'eau… de l'eau, sur le gaillard d'arrière !

Le mousse fut projeté sur la coursive par un coup imprévu dans ce roulis colossal. Cooper vola à son secours et le remit debout en s'appuyant à la rambarde de la dunette.

— Merci, mon commandant..

— Tu ne t'es pas fait mal ?

Le jeune mousse secoua la tête pour chasser l'eau de sa chevelure blonde qui encadrait un visage rond et enfantin hâlé par le soleil et le vent.

— Le gaillard d'arrière est complètement submergé…

Cooper héla deux hommes qui recouvraient et liaient des voiles à l'abri du râtelier.

— Allez percer des trous dans le bastingage. Il faut soulager le pont du poids de l'eau. Et toi, dit-il au mousse, va voir comment vont les chiens.

Les deux marins s'empressèrent de s'exécuter. Le mousse fila avec eux.

L'étrave du *Farvel* s'élevait vers le ciel lorsque la poupe plongeait dans une mer bouillonnante. Cooper n'avait encore jamais vu le bateau aller si vite. Le peu de voilure était gonflé et tendu jusqu'à avoir la dureté de l'acier sous la pression du vent. La tempête hurlait dans les étais, mugissait dans les haubans, alors que des rouleaux lents et majestueux se formaient sous le vent en montagnes écumeuses.

Cooper restait confiant, le navire exécutait encore ce qu'il lui ordonnait, mais il fallait rejoindre l'abri de la côte de Baffin, à plus de cinquante milles à l'ouest, car on n'attendait pas d'amélioration et les hommes fatiguaient. Il fit appeler son capitaine et ses deux lieutenants, Loup Arkwight et Sedley Dekler. Il y avait de l'eau absolument partout. Le vent cinglait l'étroite passerelle où Melville apparut, empreint d'une sérénité qui rassura Cooper.

— J'ai fait percer des trous dans le bastingage arrière, lui dit Cooper en guise de préambule.

— Le *Farvel* gîte drôlement, constata Melville, il faudrait peut-être réduire encore.

Cooper n'était pas de cet avis. Il voulait aller se mettre à l'abri de la côte de Baffin au plus vite.

— Gardez-les tant que vous pourrez tenir le bateau, et dites à l'homme de barre de serrer au plus près le vent.

— C'est Kindsom, mon capitaine, précisa Loup Arkwight qui dirigeait la première équipe.

— Un bon marin, ajouta Melville.

Le roulis fit embarquer des tonnes d'eau qui passèrent dans une embardée par-dessus le bastingage bâbord.

— Allez tous à vos postes, je vais rester sur le gaillard d'arrière. Prévenez-moi au moindre problème, commanda Cooper.

Melville se retira en donnant des ordres à ses deux chefs d'équipe. Il voulait que le cuisinier prépare de la soupe au lard et la tienne au chaud pour que les hommes puissent aller se rassasier. Puisqu'ils ne pourraient pas dormir, il fallait au moins les nourrir.

— Et qu'il la fasse grasse, chaude et en quantité, précisa le capitaine avant de passer à tribord pour remonter vers le mât de beaupré sur lequel un dernier foc résistait.

À l'arrière, Cooper, fasciné, contemplait les éléments déchaînés avec un certain détachement. D'une certaine manière, la tempête le grisait plus qu'il ne la redoutait. La mer livrait là un combat où elle donnait le plus grand d'elle-même, tel un boxeur au faîte de sa gloire sur le ring. Il était déjà passé au travers de multiples tempêtes et celle-ci n'était pas plus redoutable qu'une autre. Si l'équipage tenait bon, et il tiendrait, le *Farvel* ne sombrerait pas.

— Mon commandant ?

Le mousse revenait faire son rapport.

— Les chiens sont à peu près au sec, mon commandant, peut-être un peu malades mais ça va.

— Tu as bien vérifié l'arrimage des niches ?

— Pas une ne bougera, mon commandant, j'en réponds.

— Merci, retourne à ton poste. J'irai voir les chiens tout à l'heure.

— À vos ordres.

Le navire cingla plein ouest une bonne partie de l'après-midi dans une mer déchaînée. Puis le vent tomba d'un coup et ils aperçurent la côte déchiquetée de l'île de Baffin au loin.

Melville fit affaler toutes les voiles, ne conservant que la voile basse qu'il fit hisser par la deuxième équipe. Cooper, qui ne comprenait pas, quitta le gaillard d'arrière et se dirigea vers la dunette où Melville surveillait la manœuvre. Il entendit les ordres que le timonier répétait à l'homme de barre et comprit.

— Les glaces !

Du gaillard d'arrière, il n'avait pas pu les apercevoir. Un homme grimpa dans les haubans du grand mât. Cooper s'arrêta pour l'observer. Avec une agilité surprenante, il se jouait du roulis et montait, montait. Arrivé en haut, il scruta l'horizon et rendit compte au capitaine.

— Glace partout, à tribord, à deux milles et droit devant !

— C'est la tempête qui l'a accumulée là, supposa Cooper en entrant dans le poste de commandement où Melville et Arkwight consultaient une carte.

— On est piégés, mon commandant !

— L'entrée du détroit est à peine à deux cents milles plein nord. Il faut essayer de remonter le long de la glace au vent arrière, avec le minimum de voile, et plonger dans le premier couloir.

— Si on en a le temps !

Arkwight se rua vers l'avant du navire et Melville commanda la manœuvre de l'arrière en criant des ordres au second qui les répercuta tout au long du pont.

— Attention ! Amenez la barre toute ! À fond toute ! ordonna le capitaine au timonier de sa voix toujours égale.

Mais on ne manœuvrait pas un tel navire comme une simple goélette et il devint bientôt évident que le *Farvel* allait heurter le banc de glace.

— Réduisez ! Réduisez !

Un silence de mort suivit ce dernier ordre. Emporté par sa lancée, le navire chassait vers les glaces, véritables récifs contre lesquels explosaient des vagues d'écume.

L'étrave du *Farvel* pénétra dans la banquise avec un bruit effrayant mais ne se brisa pas. Effilée, la proue s'enchâssa dans la glace dont l'épaisseur n'atteignait pas deux mètres. Le navire fendait sa surface et l'écrasait de sa masse, toute sa coque craquant et crissant avec des bruits terribles. Soudain, il y eut un choc et le navire s'immobilisa tout à fait. La coque du *Farvel* venait de heurter un iceberg pris dans la banquise disloquée.

— Voie d'eau ! Voie d'eau !

Cooper s'élança vers l'avant et sauta par une des écoutilles. Il dégringola au bas de l'échelle, courut dans le couloir situé sous la coursive du gaillard d'avant et descendit sous les cabines des voiliers, dans la cale. Les deux charpentiers y étaient déjà et hurlaient des ordres aux hommes qui arrivaient.

— Rendez compte ! ordonna Cooper.

Un des charpentiers se redressa alors que l'autre, à la hache, dégageait l'ouverture béante par laquelle des flots d'eau entraient.

— Une mauvaise brèche, mon commandant, il faut amener toute la voile pour alléger l'avant. Si ça tient, on devrait pouvoir réparer.

Melville arrivait.

— Faites amener toutes les voiles, vite.

— La seconde équipe restera ici, aux ordres des charpentiers et d'Arkwight qui fera transborder l'arrimage à l'arrière.

Les hommes se croisaient dans l'escalier. Cooper cria pour qu'on laisse ceux de la première équipe sortir et attrapa Sedley Dekler qui allait rejoindre Melville.

— Il faut les amener toutes en même temps, pour provoquer un choc !

— Je transmets.

Il était déjà parti. Cooper entendit Melville répartir ses hommes dans les différentes voilures que le vent continuait de gonfler, ce qui avait fait piquer du nez le navire.

Si le *Farvel* n'était pas trop encastré dans la banquise, la proue se relèverait dès que l'on amènerait la voilure. Sinon, il faudrait aussitôt organiser son abandon. Cooper préparait déjà cette éventualité. Il pensait à la nourriture, aux chiens, au bois qu'il faudrait emporter…

Ensuite on verrait. Si le navire tenait bon, on tenterait de le renflouer, mais il n'y croyait pas, comme il doutait de leurs chances de survie sur ces morceaux de banquise dérivante. À moins qu'ils puissent rejoindre la côte dans les chaloupes ?

Cooper attendait.

La voix de Melville restait calme et claire.

— Larguez tout !

Les voiles s'affalèrent. Le navire hésita un instant et, dans un craquement sinistre, se releva. Dans la cale, les deux charpentiers maîtrisaient déjà la voie d'eau. Le navire ne coulerait pas. Maintenant tous les visages se détendaient. Le *Farvel* était certes prisonnier des glaces, mais ils allaient vivre.

53

La mort rôdait autour d'eux, menaçante, planant sur leurs têtes, tel un oiseau de proie. En dernier recours, pour survivre, ils avaient tué trois chiens qui de toute façon mouraient de faim et n'avaient donc plus que la peau sur les os, et ils s'apprêtaient à en tuer un autre. Depuis dix jours qu'ils chassaient dans le marais d'Isotia, ils n'avaient attrapé que cinq lièvres, et les galettes de lichen que Sacajawa confectionnait avec les quelques myrtilles qu'elle trouvait nourrissaient mal.

Ils s'affaiblissaient de jour en jour. Oujka, résigné, restait maintenant avec Ulah dans le tipi, économisant le peu d'énergie qu'il leur restait. Nutak et Sacajawa, Banks dans son dos, essayaient encore et cherchaient sous la neige des myrtilles. Ils pêchaient aussi au filet sous la glace qui commençait à fondre. Sacajawa ne partageait plus ses prises. Elle nourrissait Banks et se servait ensuite quand il en restait, mais les truites étaient minuscules et rares. Une ou deux par après-midi de pêche où elle posait le filet et rabattait les poissons en tapant sur la glace avec un gourdin. Pendant ce temps-là, Nutak relevait ses collets, mais avec peu de succès car sur la neige croûteuse de printemps, les lièvres allaient partout.

Ils n'utilisaient plus les pistes qu'ils entretiennent en hiver dans la neige profonde et où l'on peut colleter avec le maximum d'efficacité. Et quand Nutak en prenait un, il le mangeait pour se payer de l'énergie qu'il dépensait.

Puis les chiens affamés s'échappèrent. Ulah n'avait rien entendu. Il dormait comme Oujka, prostré dans le tipi, dans un état semi-somnambulique.

Nutak, découragé, cessa de poser des collets et se mit à mâchouiller des lanières de cuir. Sacajawa continuait à se battre, pour Banks, et parce que c'était dans sa nature. Elle pêchait du matin au soir malgré son état de faiblesse et ses maux d'estomac dus à la consommation excessive de lichen. Puis un matin, elle entendit enfin ce qu'elle attendait depuis des jours.

— Banks, les oies ! Les oies, mon bébé ! On est sauvés ! Sauvés !

L'enfant lui souriait. Il ne comprenait pas, bien sûr, mais la joie de sa mère était communicative. Cela faisait si longtemps que son visage amaigri ne s'était pas éclairé d'un sourire. Alors il se mit à rire, son premier rire d'enfant, une voix de crécerelle haut perchée. Un adorable petit rire qui l'étonna lui-même et qui fit pleurer d'émotion sa mère. Elle se mit à danser avec lui et il riait maintenant aux éclats, et elle riait aussi.

— Les oies ! Les oies !

Oui, dans les montagnes, c'était encore un peu l'hiver, mais plus bas, dans les grandes plaines, régnait déjà le printemps, et les oies s'étaient mises en marche. Elles arrivaient. Sacajawa ne rangea même pas son filet. Elle ne le réutiliserait plus jamais. Il était trop usé et elle voulait oublier.

Elle était trop loin du tipi pour avertir les autres, alors elle alla directement se poster là où elle avait préparé, depuis des jours, des appelants faits avec des pierres et des morceaux de bois carbonisé. Elle attendit jusqu'au soir le premier vol. Pendant deux heures, un flot ininterrompu d'oies vint se poser dans le marais et autour de ses formes. Dans son dos, le petit Banks babillait en ouvrant de grands yeux ronds quand un oiseau arrivait en criaillant et en battant des ailes. Lorsque la nuit tomba, Sacajawa en avait tué treize. Treize avec vingt et une flèches. Une lune généreuse inondait le marais de sa clarté laiteuse. Sacajawa fit aussitôt cuire l'une de ses victimes et dans un bol de bois hacha la viande qu'elle mélangea à du bouillon pour Banks. C'était si bon de le voir se gaver !

Elle arriva au campement au milieu de la nuit. Les hommes dormaient. Elle alluma un feu et fit cuire trois oies. Nutak sortit le premier de sa torpeur, saisi par l'odeur de la cuisson.

— Sacajawa... Qu'est-ce que c'est ?

Il balbutiait, faible, les yeux hagards, se demandant s'il continuait de rêver ou non.

— Les oies, Nutak ! Elles sont arrivées. Nous sommes sauvés. Mange.

Il se rua sur la nourriture. Ulah et Oujka demeuraient immobiles. Sacajawa les secoua. Ulah grogna mais Oujka ne bougeait pas. Se pouvait-il qu'il soit mort ? Elle n'éprouvait aucune tristesse, aucun remords. Après tout, il s'était laissé mourir et dans cette lutte opiniâtre qu'elle avait menée seule contre la mort, le lien fragile qui existait entre eux s'était brisé. Mais il était le père de Banks.

— Oujka !

Elle prit son pouls. Il battait encore faiblement. Elle le fit boire puis lui donna un bouillon de viande, le même que celui préparé pour son fils. En le voyant rouvrir les yeux, elle fut prise d'un élan de tendresse pour cet homme à qui elle avait décidé d'unir sa vie et s'en voulut de son intransigeance.

Toute la journée du lendemain, elle s'occupa de lui comme d'un enfant, le faisant boire et manger alors que Nutak était déjà sur pied, à la chasse aux oies avec Ulah. Il fallait en profiter. Dans les Montagnes, elles passaient pendant cinq ou six jours, puis c'était fini.

Quelques jours plus tard, c'était la débâcle sous un haut soleil qui inondait les vallées de sa luminosité et de sa chaleur. Une grande quantité de viande séchait sur les claies de branchages et Oujka était debout. Tous reprenaient des forces et s'apprêtaient à marcher jusqu'au village.

— Les chiens ne reviendront pas, dit Ulah, dépité. Ils nous ont vu tuer les leurs et les loups sont partout aux alentours.

— De toute façon, ils connaissent le chemin. Ils retrouveront le village.

Mais personne n'était dupe.

Ils regagnèrent le fleuve Stikine en passant par les hauts plateaux d'Isotia qui leur évitèrent une marche pénible dans les marais détrempés. Ils portaient les charges sur leur dos, une lanière de cuir passée sur le front, et effectuaient de petites étapes car ils n'avaient pas encore recouvré toutes leurs forces. Trois jours plus tard, ils atteignirent le fleuve. Il était complètement libre et il ne subsistait sur les berges que de petites plaques de neige et de glace, protégées dans des anses ou des bras morts. Ils étaient convenus d'attendre là le passage d'un canoë plutôt que d'essayer de suivre le fleuve par les berges encombrées d'aulnes. Ils n'eurent pas à patienter longtemps. Le lendemain, alors que Sacajawa jouait avec Banks, elle vit apparaître au loin toute une flottille de canoës !

— Oujka ! Regarde ! Est-ce les tiens ?

Oujka observa les canoës qui descendaient la rivière.

— Non, et ce ne sont pas non plus ceux des Tsimshians ni des Tsetsauts.

— Qui alors ?

Elle eut soudain un mouvement de recul, et Oujka put clairement lire l'effroi qui l'avait saisie.

— Des Blancs !

— Et des Indiens, rectifia Nutak.

En une seconde, Sacajawa avait repris la maîtrise d'elle-même et la lueur dorée qui avait un instant brillé dans ses yeux disparut de ses prunelles sombres. Sept canoës à six places, lourdement chargés, fendaient les eaux brunes de la Stikine et manœuvraient maintenant pour s'échouer à contre courant sur la plage. Il y avait plusieurs Blancs, au moins un par canoë, parfois deux et des Tagishs.

— Mayok !

— Oujka !

Les deux amis se frappèrent les paumes de la main qu'ils posèrent ensuite sur leur poitrine.

— Qu'est-ce que tu fais ?

— J'accompagne cette expédition.

— Et le village ?

Sacajawa ainsi qu'Ulah et Nutak restaient en retrait et écoutaient la conversation. Sacajawa respirait mieux maintenant qu'elle avait vu tous les Blancs. Elle n'en connaissait aucun.

Les neuf Blancs et les Tagishs profitaient de la halte pour se dégourdir les jambes et jetaient des regards distraits sur le petit groupe.

— J'ai de mauvaises nouvelles pour toi, Oujka.

Oujka attendait.

— La famine..., commença Mayok, en a tué beaucoup. Ta mère, Inlenta, est morte, et Ti-len aussi, et d'autres encore.

Sacajawa s'approcha d'Oujka, lui prit la main. Elle faisait face maintenant aux Blancs qui s'étaient approchés. Elle les regardait avec des yeux noirs.

— Heureusement, ils sont arrivés, continua Mayok en montrant les Blancs et ils nous ont apporté…

— Ils n'ont rien apporté d'autre que la famine !

Sacajawa avait crié. Les hommes sursautèrent.

— C'est leur faute si les Indiens sont partis trapper plutôt que de chasser et si nos mères et nos enfants sont morts ! Comment oses-tu dire que grâce à eux…

La colère l'empêchait de continuer. Elle avait envie d'étrangler cet imbécile et surtout ces Blancs qui la regardaient d'un air amusé, comme on regarde un chiot montrant les dents avant de l'envoyer balader d'une pichenette sur le derrière.

— Mais ils ont apporté de la nourriture et des tas d'autres choses. Regarde dans les canots !

— Tu ne comprends donc pas ?

Elle criait toujours, le visage décomposé.

— Calme-toi, Sacajawa !

Un des Blancs, un homme à la figure et au cou disparaissant sous la broussaille d'une énorme barbe noire, large d'épaules et de poitrine, s'avança. Il y avait dans le moindre de ses mouvements quelque chose de décisif, où se trahissait une force indomptable. Il s'adressa avec brusquerie à l'un des Tagishs qui observaient la scène.

— Il veut savoir ce qui se passe, traduisit ce dernier. C'est leur chef, il s'appelle Hump.

— Ce qui se passe ? Je n'en sais rien. Qu'il m'explique ce que ces Blancs font ici.

Mayok, après avoir reçu l'assentiment de ce Hump, expliqua.

— Tout cela n'aurait jamais dû se produire. Les Blancs ont envoyé ce qu'ils avaient promis mais Klawask a été attaqué et des Tsetsauts ont tout dérobé. C'est pour cela que les approvisionnements ne sont pas arrivés. Il y avait quatre traîneaux pleins, deux pour notre village et deux pour le vôtre... C'est la faute des Indiens, pas des Blancs.

Sacajawa le laissa continuer. Décidément cet ami d'Oujka était idiot et ne comprenait rien !

— Alors les Blancs du comptoir de Fort Senlik ont décidé de venir en établir un ici, poursuivit Mayok avec un sourire d'enfant à qui on donne son premier arc. Ainsi nous aurons tout sur place. Le comptoir sera ravitaillé plusieurs fois par saison et à la condition que nous trappions assez de fourrures, nous ne manquerons plus de rien, et...

— Ça suffit ! J'en ai assez entendu.

Elle se détourna du Tagish et planta ses yeux dans ceux du Blanc qui la regardait toujours avec autorité.

— Écoute bien, Mayok. Dis-lui ceci : je suis Sacajawa. Nos villages nahannis et chipewyans dont les territoires commencent ici et vont jusqu'aux grandes montagnes de l'Ours, à plus de quinze jours de canoë, se sont réunis et m'ont choisie. Je suis désormais leur chef auprès des Blancs qui auraient quelque demande à nous faire.

Mayok traduisait. Une légère rougeur transparut sous le teint bronzé du dénommé Hump qui considéra Sacajawa d'un air soupçonneux.

Derrière elle, Oujka, Ulah et Nutak retenaient leur souffle et dévisageaient les Blancs avec un mélange de crainte et de curiosité. Sacajawa, tout d'abord étonnée par sa propre audace, soutenait le regard du Blanc qui la sondait, indécis.

Il parla d'une voix tranchante. Mayok traduisit.

— Nous détenons par décret l'autorisation exclusive du négoce sur tous les territoires que drainent les fleuves de la Stikine, de la Spatizia et bien d'autres encore.

— Vos conceptions de Blancs n'ont pas cours ici. Vous êtes des nouveaux venus dans notre pays et vous ne comprenez pas encore les lois qui le régissent. Je suis là pour vous les faire comprendre. Vous devrez vous y soumettre ou retourner chez vous.

Hump semblait abasourdi. Il se mit à rire nerveusement.

— Est-ce… une menace ? demanda-t-il par l'intermédiaire de Mayok.

— Je n'ai aucune raison de vous menacer pour l'instant. D'après ce que j'ai compris, vous avez des propositions à nous faire. Nous allons nous rendre dans notre village et en discuter.

La longue chevelure de Sacajawa qu'elle n'avait pas eu le temps de tresser accrochait le soleil et retombait en cascade sur ses épaules hâlées. Le visage sévère de Hump se détendit. Dans ses yeux verts, à la fois dominateurs et séducteurs, un désir ardent transparaissait sur lequel on ne pouvait se méprendre.

— Il accepte ton invitation, traduisit Mayok, et te propose une place dans son canoë.

— Dis-lui que j'accepte à la condition d'y voyager avec mon compagnon Oujka et notre fils.

Hump ne put réprimer une moue de déception.

54

Grâce à l'attelle, l'os s'était bien ressoudé et la plaie avait complètement cicatrisé. Depuis quatre jours, Ohio marchait sans béquilles et ne boitait plus. Il allait enfin pouvoir reprendre son voyage. À partir des peaux de caribou qui composaient son tipi, il confectionna plusieurs paires de sacs de bât. Seul Torok, qui avait encore besoin d'une dizaine de jours pour se remettre de sa blessure, ne porterait rien. Oumiak avait mis bas quatre chiots mâles qu'Ohio allait installer sur le dessus de son sac, allégé des charges qu'il répartirait entre ses chiens : de la nourriture surtout, quelques outils, l'or de Cooper et des ustensiles de cuisine.

Il marcha trois jours plein sud en effectuant de multiples détours pour éviter les lacs et marais. Dans son dos, emmitouflés dans sa veste en cuir de caribou, les chiots, bercés par le balancement de son corps, dormaient, roulés en boule les uns contre les autres, et tétaient leur mère aux étapes. Oumiak, confiante, restait près d'Ohio, heureuse de reprendre de l'exercice après ces quinze jours d'inactivité. Le reste de la meute avançait en file indienne derrière eux, le poids et l'encombrement des bâts leur ôtant toute velléité d'aller gambader à droite ou à gauche sur une piste d'animal.

Au-delà des marais qui marquaient la limite entre les terres stériles du Nord et les territoires boisés du Sud, Ohio chemina sur l'arête de collines de plus en plus boisées où il découvrit deux cabanes inhabitées mais qui avaient dû être occupées durant l'hiver. Il coucha dans l'une d'elles et, au matin, comptabilisa dans un charnier situé à une centaine de mètres de la cabane, plus de deux cent cinquante cadavres de castors ! Lui-même n'en avait vu que quelques-uns, bien qu'il ait longé de multiples lacs où de vieilles huttes et des barrages témoignaient d'un temps où ils pullulaient.

— La saison prochaine sera mauvaise !

Et qu'adviendrait-il lorsque ces trappeurs auraient attrapé tous les castors ? Les arbres envahiraient les berges des lacs et des marais et les combleraient peu à peu. Il y aurait de moins en moins de canards et d'oies. Les élans ne trouveraient plus ni aulnes et ni saules, qui poussent dans les clairières ouvertes par les castors… Le paysage serait modifié.

Ce soir-là, dans l'ombre chaude du crépuscule, Ohio fut soudain pris d'une profonde angoisse.

« Est-ce que l'homme de ce territoire a pris conscience des bouleversements que sa trappe excessive va engendrer ? » Il en doutait. « L'Indien des comptoirs n'a d'yeux que pour les merveilles qu'ils recèlent : les bouteilles d'alcool, les armes et tout le reste. Pouvons-nous échanger les animaux de notre environnement contre de telles denrées ? Que font les peuples de la forêt de la sagesse du passé, de cette sagesse née de notre intimité avec la terre, celle qui a accueilli les cendres de nos ancêtres et où poussent les arbres dont se nourrissent les castors ? Cette terre est enrichie de la vie de nos races. Les castors sont un peu de nos ancêtres, ils sont nos frères. Dans les arbres coule la sève de leur sang, dans le vent souffle l'air que nous transmettrons à nos enfants. Le vent qui a donné à nos ancêtres leur premier souffle a aussi reçu leur dernier soupir. »

L'insouciance et l'aveuglement de son peuple le frappèrent. D'où lui venaient cette clairvoyance et ce discernement qu'il ne voyait pas, ou si peu, chez les peuples de la forêt, de la toundra et des hauts pays de l'Arctique ? Le sang à demi blanc qui coulait dans ses veines lui donnait-il cette vision de l'avenir ?

— Oui, la sagesse de notre passé doit peser sur notre avenir.

Alors que la nuit tombait sur le paysage nimbé de la lueur irréelle d'une lune cachée par quelques nuages transparents, il eut soudain l'écrasante et lourde conviction qu'il aurait un rôle à jouer pour que cette pensée devienne collective. La survie de son peuple en dépendrait.

Il s'endormit en proie à de multiples incertitudes, jaloux de tous ces hommes qui ne souffraient pas de la même vision noire que lui, et il se rappela les propos de Keshad, le vieux chaman du clan kaska :

« Un grand danger menace tous les peuples qui habitent le vaste pays sillonné par nos frères les caribous, et ce danger vient de là où tu te dirigeras. Le reste, tout ce que j'ai en moi, tout ce que je pourrais te révéler ne servirait à rien car tu n'as pas encore les oreilles pour l'entendre. Mes paroles seraient comme le silence, alors va, Ohio et reviens-nous un jour. Je t'attendrai… »

Ces paroles étaient maintenant claires comme l'eau d'un lac, mais Ohio n'en était pas apaisé pour autant. Il se sentait investi d'une mission qui le dépassait.

— Je n'aspire qu'à retrouver Mayoké et à vivre avec elle une existence libre et sauvage. Je ne veux rien d'autre !

Il croisa d'autres cabanes, vides encore, et ne vit personne sur la rivière Patlachik qu'il longea. Durant dix jours il marcha doucement car il sentait que la rééducation de sa jambe cassée nécessitait qu'il ne force pas. Il pleuvait sans interruption, mais Ohio continuait. Il chassait en route les perdrix et le soir laissait les chiens poursuivre les lièvres et les gélinottes pendant qu'il leur pêchait des truites. Enfin il atteignit un petit camp d'été où s'élevaient trois tipis. Il s'en approcha avec prudence. Aucun bruit, pas de feu !

Derrière lui, Torok s'était mis à grogner, mais comme Ohio n'entendit pas d'aboiements en retour, il ne comprit pas. Il s'approcha encore et se figea. Deux ours noirs, dressés, humaient l'air apportant son odeur et celle des chiens qui se mirent à gronder, puis à aboyer. Les ours s'enfuirent. Le camp était donc désert ! Plusieurs corbeaux s'envolèrent et se posèrent sur les branches hautes d'un tremble. Le campement sentait la mort. Depuis l'orée de la clairière, Ohio observait. Les chiens derrière lui grondaient encore, le poil hérissé sur le dos et la queue entre les jambes.

— Sage, hein ! Sage !

Il les débarrassa des sacs de bât puis s'approcha d'un tipi aux pans arrachés. Des occupants, il ne restait que des squelettes rongés par les ours et les corbeaux, des os éparpillés, un peu partout, dans les tentes et autour… De petites vertèbres prouvant que des enfants étaient morts, eux aussi.

— Encore un massacre ?

Pourtant, il y avait ici des armes, deux carabines, de nombreuses munitions, deux canoës, et beaucoup d'objets que n'importe quel assaillant aurait emportés avec lui. Ohio fouilla en vain tout le campement de pêche à la recherche d'un indice qui puisse l'éclairer sur les circonstances de leur mort. Alors il entassa dans le plus grand des deux canoës tout ce qui pouvait lui servir, des peaux, les ustensiles de cuisine, les armes, puis il aménagea de la place à l'avant et à l'arrière pour les chiens, et installa Oumiak avec ses chiots dans une sorte de niche au milieu, dans les peaux. Ensuite, il quitta au plus vite cet endroit à l'odeur pestilentielle car des carcajous avaient uriné partout sur les sacs de farine éventrés.

Il navigua sur les eaux calmes de la rivière jusqu'au soir. La pluie avait complètement cessé et le soleil qui par moments perçait entre les nuages allumait d'or les feuilles mouillées des trembles penchés sur les eaux. Les chiens restaient calmement couchés au fond de l'embarcation. Seul Torok, à la proue, surveillait les berges et humait l'air parfumé des senteurs de l'été. Ohio approchait du grand lac. D'après ses estimations, il ne se trouvait plus qu'à deux ou trois jours de canoë. Il ignorait sur quelle rivière il progressait exactement, mais ici, elles se jetaient toutes dans le grand lac qui irriguait la grande plaine jusqu'à des centaines de kilomètres vers le nord. À deux reprises, il dut effectuer des portages pour éviter des zones de rapides. Les sentiers ne semblaient pas avoir été utilisés depuis longtemps, ni les perches qui servaient à monter les tipis au début et à la fin des portages.

Un soir enfin, Ohio arriva au grand lac. Il n'avait toujours pas croisé un seul être humain.

— C'est comme si le pays était mort… !

Il campa sur la rive, incapable de trouver le sommeil à la perspective d'atteindre d'ici un à deux jours le village de Mayoké. Mais encore une fois il dut attendre, car le lendemain une tempête se leva de l'ouest et souleva sur le lac déchaîné des vagues écumantes. Dans la nuit, elle se calma aussi soudainement qu'elle était apparue, alors Ohio, n'y tenant plus, embarqua. Au lever du jour il aperçut enfin, longeant la berge au nord, un canoë avec à son bord deux Indiens qui relevaient un filet. Mais dès qu'ils le virent, ils commencèrent à gesticuler dans tous les sens, puis alors qu'il approchait encore ils le mirent en joue avec leur arme en l'interpellant.

— Arrête-toi ! Arrête !

Ohio immobilisa son canoë à bonne distance du leur.

— Qui êtes-vous ? Vous venez de Fort Résolution ?

Les deux hommes échangèrent quelques propos qu'il n'entendit pas.

— D'où viens-tu ?

— De la baie d'Hudson.

Ils semblèrent rassurés et baissèrent leurs armes.

— Mais ton canoë est celui d'un Chipewyan ?

— Je l'ai trouvé dans un campement abandonné, plus haut sur la rivière.

— Quelle rivière ?

— Celle qui se jette dans l'anse en forme de lune, là-bas, répondit-il en indiquant le sud-est.

Les Indiens parlèrent entre eux quelques secondes.

— Êtes-vous de Fort Résolution ?

— Non. Il n'y a plus personne.

— Pourquoi ?

— Tu n'es donc pas au courant ?

Le sang se glaça dans les veines d'Ohio. Il s'entendit demander.

— Qu'est-ce qui s'est passé là-bas ?

— Une épidémie de variole. Presque tout le monde est mort.

— La variole ? Qu'est-ce que c'est ?

— Une maladie qui sème la mort partout où elle passe.

C'était donc ça !

— Est-ce… Est-ce que vous connaissez Mayoké ? demanda Ohio, le visage livide.

Ils firent un signe de tête négatif.

— Nous travaillons pour le comptoir de Rae, au nord. On ne connaît pas ceux de Résolution et on ne tient pas à les connaître. Ils transportent avec eux la maladie.

— Comment est-elle arrivée ?

— Avec le père Rubliard.

— Un Blanc ?

— Un prêtre fou qui pêche nos âmes comme nous pêchons le poisson.

— Mais à Fort Résolution, il n'y a vraiment plus personne ?

— On n'en sait rien et on ne veut pas le savoir. Le comptoir n'est plus ravitaillé. Personne ne veut plus y aller.

— Si. Moi.

55

Peu lui importait de mourir de cette variole, car sans Mayoké son cœur sécherait tel un poisson hors de l'eau.

Ces Blancs ! Non seulement ils provoquaient des batailles sanglantes et massacraient aveuglément les animaux, mais voilà qu'ils répandaient la maladie. La mission secrète de ces missionnaires qui cherchaient les âmes n'était-elle pas d'exterminer les Indiens qui refusaient de se convertir à leur Dieu ?

Oui, le Blanc était assez machiavélique pour agir de la sorte, et il ne doutait pas que ceux-ci disposent des moyens de semer une maladie qui touche les insoumis.

— S'ils ont tué Mayoké, je les tuerai tous, les uns après les autres !

Il mit deux jours à couvrir à la pagaie l'énorme distance qui séparait l'extrémité ouest du lac du village de Résolution. Un village de mort où régnait un silence effrayant, seulement troublé par le croassement des corbeaux. Ohio n'entra dans aucune des cabanes et se dirigea immédiatement vers un tipi dressé un peu à l'extérieur du village d'où montait une petite colonne de fumée blanche. À l'intérieur, il découvrit une vieille femme couverte d'ulcères, cadavérique, le corps sous une couverture grise de vermine. Ohio s'approcha et se pencha au-dessus d'elle, se protégeant instinctivement le nez et la bouche pour ne pas inhaler les odeurs pestilentielles de la mourante.

— M'entends-tu ?

La vieille femme se tourna vers lui. Elle pouvait encore parler d'une voix rauque, gutturale mais assez nette.

— Qui es-tu ?

— Je m'appelle Ohio. Je cherche Mayoké.

— Mayoké ? Elle est partie avec un Indien de passage il y a bien longtemps de cela !

Ainsi elle était vivante. Les yeux d'Ohio flamboyèrent dans la pénombre.

— Quand ? Avec qui ? Dans quelle direction ?

— C'était il y a deux hivers, après les grands froids.

Quel idiot !

— C'était moi, Ohio, avec qui elle est partie !

— Ah !

Elle respirait avec peine et son visage se contractait sous l'effort.

— Elle n'est pas revenue ?

— Non… je ne crois pas. Je l'aurais su… Ils sont presque tous morts.

— Ce sont les Blancs ?

— Une de leurs maladies.

— Mais il ne reste aucun survivant ?

— Ils sont à Fort Providence… avec le père Rubliard… qui en a soigné et sauvé quelques-uns.

— Et toi ?

— Regarde-moi ! Trop vieille. Je n'aurais pas supporté le voyage.

Ohio en savait assez. Il se releva.

— Qu'est-ce que je peux faire pour toi ? Tu as faim, soif ?

— Un peu de thé… Oui, un peu de thé.
Il le prépara et le posa à côté de sa paillasse.
— Mayoké… Pourquoi la cherches-tu ? N'était-elle pas avec toi ?
— Nous nous sommes séparés.
Elle fit un gros effort pour se relever un peu. Ohio se refusait à l'aider, ce qui aurait impliqué de la toucher. Elle le regardait intensément.
— Je te souhaite de la retrouver.
— Si elle est vivante, je la retrouverai.
— J'en suis sûre.
Les chiens, attachés à l'ombre d'un bouquet d'aulnes, l'attendaient en bâillant paresseusement, écrasés de chaleur. Des nuages de moustiques brillaient dans l'air immobile. On entendait parfois le bruit d'eau que faisait une truite en gobant un moucheron et la grande nappe miroitante du lac était constellée de points éphémères comme des étoiles clignotant dans un ciel de crépuscule.
Ohio rama une bonne partie de la nuit, et presque tout le jour. Il vit deux fois, au loin, des canoës mais préféra se diriger droit vers Fort Providence.

Sur la plage, des Indiens ouvraient des poissons à la lueur d'un feu autour duquel de nombreux enfants jouaient. Ohio accosta un peu plus loin et attacha ses chiens avant de se diriger vers eux. Deux hommes qui avaient aperçu les huskies vinrent vers lui, intrigués.
— Qui es-tu pour voyager en été avec tes chiens ?
Il entrait maintenant dans un territoire où il n'avait pas que des amis et il préféra taire son nom.
— Je m'appelle Tinks, je cherche quelqu'un.
— Qui donc ?
— Mayoké, une Chipewyan de Résolution.
— Ils sont presque tous morts de la variole et ceux qui ont survécu sont ici. Il n'y a pas de Mayoké. Nukiak te le dira.

Ils lui montrèrent un jeune homme qui réparait un filet auprès du feu. Ohio s'avança vers lui, le cœur battant la chamade.

— Bonjour Nukiak, je cherche Mayoké, commença-t-il.

— Elle n'est pas rentrée au village. Elle a croisé un groupe de chasseurs de bisons qui l'ont dissuadée de revenir, à cause de la maladie.

Ohio buvait ses paroles, les yeux brillants, vibrant d'émotion.

— Où ? Où cela ?

— Au sud du lac Athabasca, à la fin de l'hiver.

— Elle était seule ?

— Avec des chiens et son bébé.

Bien sûr ! Elle transportait le corps de Mudoï ! Le regard d'Ohio se voila d'une indicible tristesse. Comment, mais comment avait-il pu la laisser partir seule ?

— Il devait naître à la fin de l'été. Elle a dû rejoindre un endroit sûr, loin de la maladie…

— Naître ? Mais… mais de qui, de quoi parles-tu ?

— Du bébé. Elle attendait un enfant lorsque le groupe l'a croisée.

— Tu en es sûr ?

— Certain.

Le sang se retira du visage d'Ohio. Il en resta sans voix, incapable de mettre un peu d'ordre dans ses idées. Il ne pouvait pas s'agir de Mayoké. C'était impossible. Impossible !

— Dee faisait partie de ce groupe. Il lui a conseillé d'aller au sud du lac Buffalo, dans le village des Castors. Il n'y a pas de variole là-bas et c'est à l'écart des bagarres.

— Des bagarres ?

— La guérilla a tué autant que la variole cet hiver.

Ohio s'en fichait.

— Combien de temps pour aller là-bas ?

— Il faut remonter la rivière Hay. Le courant est faible sauf sur la fin. Au deuxième portage, tu dois quitter la rivière par un sentier qui suit le ruisseau. À deux jours de marche tu trouveras le village des Castors.

— Combien de jours sur la rivière ?

— Ça dépend comment tu pagaies, trois ou quatre. Pourquoi tiens-tu tant à la retrouver ?

Mais Ohio répondit par une autre question, celle qui maintenant lui brûlait les lèvres.

— Elle était seule, dis-tu ? Et le père de ce… de cet enfant ?

Nukiak haussa les épaules. Il n'en savait rien et s'en fichait.

Ohio avisa les claies sur lesquelles séchaient de nombreux poissons.

— Vous utilisez de l'argent, ici ?

— Depuis que Mike est arrivé.

— Qui est Mike ?

— Celui qui a remplacé Densson au comptoir.

— Alors je t'achète, à toi ou à celui à qui elles appartiennent, cent de ces truites séchées. Donne-moi ton prix.

Ohio lui donna le double de ce qu'il demandait, chargea les poissons dans le canoë et alla voir ce Mike auquel il donna une belle somme en lui demandant de la remettre à Hans en échange des fourrures qu'il n'avait pas pu livrer.

— Je vérifierai, lui dit Ohio.

— Tu peux avoir confiance. Je ne suis pas un voleur et je connais Hans.

L'homme était jeune et son regard ne fuyait pas. Ohio, rassuré, retourna près de ses chiens et se coucha au milieu d'eux.

Il se leva en même temps que les pêcheurs qui s'en allaient relever leur filet sur le grand lac et prit la direction du sud. Le vent d'ouest soulevait par rafales de courtes vagues qui faisaient tanguer le canoë, mais la pluie le chassa. Ohio pagaya toute la journée sous les averses, insensible à cette eau qui ruisselait sur son visage et imbibait ses vêtements. Il avait étalé sur les chiens les peaux de caribou, mais l'eau entrait partout et ils se mirent à bouger, puis à gémir lorsque Ohio leur ordonna durement de se tenir tranquilles.

Il fit plusieurs haltes, pour les chiens et pour délier les muscles gourds de sa jambe, mais il ne s'arrêta vraiment qu'à la nuit.

Le lendemain, il quitta le grand lac et commença de remonter le cours tranquille de la rivière Hay. Le ciel restait désespérément chargé de nuages bas qui déversaient des trombes d'eau et Ohio aménagea pour les chiens une sorte de tente sous laquelle ils purent s'abriter tant bien que mal. Et cela trois jours durant, jusqu'au premier portage où il se mit à tomber un mélange de neige et de pluie. Ohio continuait, la tête vide, incapable de penser. Il avançait, c'était tout. Et dans cette obstination puérile, il trouvait une forme particulière de soulagement. Il se punissait. Cette marche forcée était un exutoire à sa peine.

Au second portage, il dut défendre sa cargaison de poisson séché qu'un ours noir tenta de voler dans la nuit. Il le tua d'une balle en pleine tête et distribua sa viande aux chiens.

Puis le vent du nord chassa les nuages, le soleil lourd de l'été revint, et avec lui des milliers de moustiques. Ohio étala sur son visage et ses mains une couche d'argile qui en séchant formait une croûte protectrice. Les moucherons, moustiques et maringouins trouvaient cependant toujours un morceau de peau où sucer le sang, et ses mains et son visage se couvrirent vite de petites blessures, de croûtes et de rougeurs. On était au pic des éclosions et durant cette période, comme en hiver durant les deux ou trois grands coups de froid, les Indiens évitaient de voyager. Ils restaient dans les tipis où la fumée d'un feu approvisionné en bois vert éloignait les nuées d'insectes. Mais pour Ohio, pas question de s'arrêter.

Arrivé au sentier indiqué, il retourna son canoë sur deux trembles couchés par des castors, enterra l'argent de Cooper sous une souche et se mit en marche, les chiots sur le dos, après avoir de nouveau réparti de la nourriture et quelques bagages dans les sacs de bât soigneusement équilibrés des chiens. Le sentier longeait le petit affluent, contournant les marais. Mais l'eau était partout et Ohio comme les chiens enfonçaient dans le sol spongieux, imbibé d'eau de fonte. Ses mocassins en cuir, distendus, ramollis par l'humidité, se déchirèrent et il continua pieds nus, s'écorchant les talons et les orteils sur les cailloux qui saillaient par endroits. Les orages se succédaient et entre les averses des milliers d'insectes l'assaillaient. Il était quasiment méconnaissable quand il arriva enfin en haut de la petite colline surplombant le village des Castors, niché à l'entrée d'une vallée qui s'ouvrait comme une brèche dans le massif Caribou.

Alors il s'arrêta et observa longuement le paysage.

« Elle attend un enfant ! »

Il répétait ces quatre mots qui s'enfonçaient dans sa chair comme des poignards. Et cet enfant n'était pas de lui ! Un homme s'était couché sur elle, et lui avait fait l'amour. Ohio imaginait le corps de sa Mayoké tordu par le plaisir qu'un autre lui avait donné, les caresses échangées, leurs peaux, leurs sexes, et il eut envie de hurler, de tuer, de mourir.

Il manquait de courage. Il se sentait tout à coup bien incapable de la revoir car il ne faisait plus aucun doute qu'elle était là, devant lui, quelque part dans ce paysage. Il le sentait.

Les chiens couchés autour de lui se levèrent tout à coup et aboyèrent, sans grande conviction, juste pour avertir Ohio que quelqu'un approchait. Il le vit bientôt. Un adolescent qui, un panier sur le dos, montait tranquillement vers lui.

Ohio n'était pas prêt. Il aurait aimé attendre encore avant d'affronter la vérité. Il voulait s'imprégner de ce paysage et s'accorder une pause dans cet instant de coupable perplexité car il avait conscience de jouer là une partie de sa vie. Être sûr de lui pour être prêt à affronter les incertitudes.

— Bienvenue, étranger.

— Que les esprits soient avec toi. Je m'appelle Ohio.

— Je suis Wik.

Son visage était déformé par une cicatrice qui partait de la commissure des lèvres et fendait son visage jusqu'au coin de l'œil droit, mais son regard tendre et profond l'adoucissait.

— Cette colline qui surplombe notre village s'appelle Oisak. C'est le nom d'un géant qui est tombé amoureux d'une jeune femme de notre village il y a bien longtemps. Mais celle-ci l'a repoussé car elle le trouvait trop grand. Alors, plein de regrets, il s'est allongé là et son corps a formé la colline.

— Pourquoi me racontes-tu cela ? dit Ohio troublé.

— Parce que tu es assis là et qu'un voyageur fatigué et saigné par les moustiques ne s'arrête généralement pas ici, mais dévale le sentier pour rejoindre au plus vite le village.

— Ce village n'est pas ma destination.

— Quelle est-elle alors ?

— Elle s'appelle Mayoké.

Ohio, retenait son souffle, s'attendant à ce qu'il réponde aussitôt, mais Wik l'observa attentivement avant de lui dire :

— Tu vois cette saillie rocheuse de la forme d'une grande plume ?

Ohio fit un signe de tête affirmatif. Il se sentait soudain incapable de maîtriser son émotion.

— Un ruisseau coule en bas de ce rocher. Suis-le jusqu'à un petit lac que surplombe le versant de la montagne. Elle est là et attend quelque chose.

— Je sais qu'elle attend un enfant.

Le regard de l'adolescent qui le fixait avec intensité le troublait et il ne savait dire si la déformation de son visage en était responsable. Sans rien ajouter, Wik se leva pour aller caresser les chiens qui attendaient paresseusement alors que le soleil perçait entre les nuages et éclairait par taches mordorées la montagne en face. Puis il s'éloigna sans se retourner. Ohio ne chercha pas à le retenir.

Rarement Ohio avait vu un paysage empreint d'une telle sérénité. De grands pins d'une tendre couleur verte se miraient dans les eaux calmes d'un petit lac ceint d'une couronne de roseaux dorés. Contre le rocher qui le bordait, sur un petit monticule, s'élevait le tipi. Les cuirs graissés de ses flancs brillaient dans le soleil.

Ohio était seul. Il avait déposé les chiots contre Oumiak et attaché le reste des chiens dans la forêt sur une ligne tendue entre deux sapins. Il observait maintenant le campement où un feu fumait, signe d'une présence. Mais durant tout le temps où, submergé par l'émotion, il se sentait incapable du moindre mouvement, il ne vit personne. Alors il commença à monter lentement la pente jusqu'au tipi.

C'était bien elle. Il reconnaissait ses affaires, son odeur, sa façon de ranger. Elle était seule. Aucun signe d'une autre présence. Il sortit du tipi et s'assit sur un rocher dans la pente, le souffle court, comme après une longue course. Une multitude d'oiseaux gazouillait dans la forêt que le campement surplombait. Il écoutait cette musique apaisante lorsque tout à coup, il tendit l'oreille. Au milieu des chants, s'unissant à eux, il venait de reconnaître la voix de Mayoké.

Alors tous ses doutes et ses incertitudes disparurent et il se mit à courir en criant, incapable d'attendre plus longtemps.

— Mayoké ! Mayoké !

Elle était là, figée, immobile au centre de la clairière, une grande brassée de bois mort dans les bras.

— Mayoké !

Bouleversé, il était incapable de prononcer autre chose. Il s'était arrêté à quelques mètres d'elle et la regardait. Il cherchait dans le regard pénétrant de la jeune femme un encouragement, mais la lueur qui brillait au fond de ses yeux était indéfinissable. Elle faisait penser à un animal blessé, pris au piège, qui regarde l'homme venir vers lui avec peur et résignation. Et soudain il fut saisi d'angoisse. Il se souvenait de ce regard. Elle avait ces yeux-là lorsqu'elle s'était réveillée après l'évanouissement provoqué par la découverte d'un charnier de bisons, un massacre perpétré par des Blancs.

Ohio s'avança. Le bois mort tomba aux pieds de Mayoké et découvrit son ventre rond. Ohio baissa les yeux et lorsqu'il les releva vivement, Mayoké avait fermé les siens et attendait, coupable, les lèvres parcourues d'un tremblement incontrôlé, tout le visage contracté par la douleur.

— Mayoké ! Mayoké, je t'aime… Je t'aime tant. Pardonne-moi…

Il fit encore un pas et l'entoura de ses bras, plongeant sa tête dans sa longue chevelure. Elle pleurait maintenant et s'abandonnait dans ses bras, le corps secoué de soubresauts.

— Ohio !

— Oui, Mayoké ! Je suis là ! Je suis là, maintenant… je te l'ai déjà dit mais je t'en supplie, crois-moi encore une fois… Je ne te quitterai plus jamais, plus jamais !

Elle avait besoin de pleurer et Ohio la laissa épuiser ses larmes dans ses bras. Il était déjà fou de désir pour ce corps qu'il sentait abandonné et il l'embrassait, laissant ses lèvres courir dans son cou, sur sa gorge, sur sa bouche où il essuya des larmes salées avec sa langue. Ce ventre gros dans lequel vivait un enfant qui n'était pas le sien ne le gênait plus. Il aimait Mayoké et cette certitude écrasait tout. Il voulut le lui dire, mais elle le devança et ce qu'il apprit le bouleversa.

Trois Blancs l'avaient arrêtée en chemin, puis l'avaient violée avant de l'abandonner à moitié morte.

Le coupable, c'était lui. Il avait tué Mudoï à cause de son insouciance et condamné Mayoké à subir la plus horrible des tortures en la laissant partir seule.

— C'est ma faute… Tout cela est ma faute !

C'était son tour de pleurer, sans honte ni retenue car la vie punissait trop sévèrement ceux qu'il aimait. Ils restèrent ainsi un long moment sans pouvoir parler, puis Ohio s'écarta un peu de Mayoké pour qu'elle le voie bien. Sur son visage boursouflé par les piqûres d'insectes, les larmes avaient rouvert des plaies où le sang mouillé se mêlait, mais ses yeux brillants d'amour illuminaient ces traits ravagés par les épreuves et la souffrance.

— Mayoké, ce petit bébé n'y est pour rien. Il est vivant et il sera à nous. Il deviendra le frère de ceux que nous ferons ensuite, ensemble.

Elle le regardait avec une sorte d'étonnement décontenancé.

— Dis-moi quelque chose, Mayoké…

Ses yeux s'allumèrent.

— Je t'aime, Ohio. Je n'ai jamais cessé de t'aimer.

56

Plusieurs expéditions s'étaient ainsi retrouvées bloquées dans les glaces, contraintes d'hiverner là où le destin les avait amenées. Le couloir d'eau se trouvait à deux milles à peine et une bonne tempête du sud aurait suffi à le rendre accessible. Mais les vents tenaient au nord et accumulaient des blocs de glace dérivants, les emprisonnant plus encore dans la frange qu'ils avaient heurtée. Après plusieurs tentatives pour rejoindre l'eau, toutes vaines, Cooper fut contraint d'attendre. L'inactivité le rendait irascible et taciturne tandis que ses ambitions et certitudes l'abandonnaient peu à peu. Il restait de longues heures dans sa cabine, incapable de lire ni d'écrire, à l'inverse de Melville et de ses lieutenants qui écumaient la volumineuse bibliothèque du navire.

Il avait bien essayé de descendre du navire, mais la glace était instable, pleine de pièges et d'irrégularités, et il avait failli perdre l'un des hommes qui l'accompagnaient. Il ne pouvait espérer atteindre la terre. Pourtant elle était là, à une dizaine de milles à peine. Une terre où il aurait pu tromper l'attente en allant à la recherche de viande fraîche. Cette sensation d'emprisonnement lui était insupportable, alors que le reste de l'équipage ne s'en formalisait pas et s'occupait en entretenant le navire et en jouant, qui aux cartes, qui aux dominos ou au poker.

Mais un feu brûlait en Cooper que rien ne pouvait éteindre. Il tournait comme un ours en cage sur ce bateau qu'il se mit à haïr. L'été passait et l'automne viendrait, trop court pour espérer trouver le passage, l'emprunter et enfin rejoindre la terre. Il fulminait.

« Qu'est-ce qui m'a pris de me lancer dans cette aventure incertaine ? J'aurais dû prendre des chiens et suivre Ohio. Cette voie-là était sûre. Aujourd'hui, je serais au pied des montagnes. »

Oui, mais sa conviction de marin était qu'un passage existait et il existait sûrement. Il pensait atteindre l'ouest beaucoup plus rapidement qu'avec des chiens, tout en menant à bien ce pourquoi il avait rassemblé si vite un équipage et un navire pour quitter Londres. Et, pouvait-il s'en cacher, l'oublier, cette aventure l'avait exalté. Découvrir le passage du Nord-Ouest. C'était l'un de ses vieux rêves. Mais où était l'essentiel ?

Sacajawa. Elle et elle seule, et la distance qui les séparait encore lui était insupportable.

— Mais qu'est-ce que je fous dans ce bateau à la recherche de ce fichu passage ? Mais je n'en ai rien à foutre de ce passage. Rien !

Que représentait cette découverte de plus à mettre à son actif, lui, l'aventurier encore auréolé de la gloire de ses expéditions d'antan ? Il s'en voulait. Il s'en voulait tellement ! Qu'espérait-il encore prouver ?

À toutes ces questions, une seule réponse.

Sacajawa. C'était elle son bonheur, sa destinée, son avenir. Le reste n'était que chimère.

Enfin une certitude. Il fit immédiatement appeler le capitaine Melville et l'attendit, les bras croisés sur son bureau.

Un peu plus tard, des bruits de pas résonnèrent dans le couloir en parquet mal joint.

— Entrez, capitaine.
— Mon commandant.
— Acceptez-vous le commandement de ce bateau ?
— …
Il lui expliqua. À la première occasion, il rejoindrait la terre et irait là où il devait aller. On ne le reverrait pas. Il laisserait une grosse somme d'argent, à charge pour Melville de la distribuer équitablement entre les deux lieutenants et l'équipage. Melville pouvait décider de continuer ou de rentrer. Lui-même ne donnerait aucun ordre, aucun conseil.
— Je n'en ai pas besoin, mon… mon commandant.
— C'est-à-dire ?
— Nous avons des vivres pour encore un an et je n'abandonnerai pas maintenant. Je ne suis pas venu ici pour vous, mon commandant, mais parce que moi aussi la passion de l'aventure m'anime. J'irai jusqu'au bout de cette aventure.
— Je vous souhaite du fond du cœur de réussir, Melville.
Il se leva pour lui serrer la main. Ces deux hommes ne s'aimaient pas, mais le profond respect qu'ils avaient l'un pour l'autre compensait largement.
— Puis-je reproduire cette conversation dans le journal de bord et vous demander de la signer en présence des deux lieutenants ? s'enquit Melville qui attachait beaucoup d'importance au règlement.
— J'allais vous le proposer.
Ils ne furent pas étonnés, surtout Sedley Dekler avec qui Cooper avait eu quelques conversations à propos des chiens et de ce qu'il voulait faire avec eux. Le soir même, Cooper convoqua l'équipage sur le pont. Beaucoup d'hommes s'y trouvaient déjà et admiraient la féerie du crépuscule. C'était comme une lutte entre la lumière et l'espace, un spectacle

qui exaltait les émotions des hommes. Les brumes de la mer libre, au loin, s'enroulaient autour des icebergs que des flots de lumière rougeoyante faisaient flamboyer. Des mouettes tridactyles, des guillemots à miroir et des pétrels glacials tournoyaient et voltigeaient, en apesanteur au-dessus de la glace, et le doux vrombissement de leurs ailes emplissait l'air immobile et transparent. Au couchant, la couronne du soleil, au fond du monde, resplendit au-dessus de la ligne d'horizon troublée par les brumes. Une soirée magique.

— Mes amis, je voulais vous informer de ma décision d'abandonner au capitaine Melville le commandement du navire dès aujourd'hui.

Une rumeur parcourut l'équipage suspendu à ses lèvres.

— J'espérais atteindre les territoires du haut Mackenzie à l'automne pour rejoindre ensuite les montagnes Rocheuses avec les chiens que nous avons à bord.

Une autre rumeur, admirative celle-là, suivit ses paroles.

— Or nous nous sommes fait prendre par la glace. À l'automne, les vents vont tourner, qui nous libéreront, mais trop tard pour que je puisse respecter mon programme car la banquise nous reprendra dès la fin du mois de novembre et pour tout l'hiver. Un hiver que moi, je compte bien utiliser pour couvrir de grandes distances. Alors dès que je pourrai gagner une terre, je débarquerai. Une grande aventure m'attend. Elle vous attend, vous aussi, car je suis sûr que vous trouverez le passage et que vous reviendrez au pays en héros. Quant à moi, quelque part au fin fond des Montagnes, j'ai une femme et un fils. C'est vers eux que dorénavant mon cœur est tourné. Que Dieu vous garde !

Ils restèrent bloqués encore vingt jours durant lesquels Cooper, avec l'aide d'un des charpentiers, fabriqua son traîneau. Les voiliers lui cousirent une vingtaine de harnais sur mesure et tressèrent une ligne de trait. Il avait une tente conique supportée par un piquet central et un petit poêle à bois en tôle d'acier plié pour la chauffer. Il était prêt.

Au début du mois de septembre, une grosse tempête disloqua enfin les glaces retenant le *Farvel*. Ils rejoignirent le chenal. Une semaine plus tard, ils cinglaient dans le détroit de Lancaster par un bon vent régulier d'est-sud-est, accompagnés par des bandes de narvals qui roulaient leur dos noir au-dessus des flots argentés et crevaient l'écume de leurs épées torsadées. Ils firent halte sur l'île Devon pour se réapprovisionner en eau douce et rencontrèrent un groupe d'Eskimos. Ils leur échangèrent des peaux, des objets en ivoire de morse, des figurines taillées dans de la pierre, contre des ustensiles de cuisine et des couteaux... Contre le prêt d'une femme aussi, ce qui donna lieu à une altercation, les marins se disputant la même, une jeune Inuit de seize ans qui était au goût de tous.

Ils remontèrent au vent pendant une semaine et furent bloqués une première fois dans les glaces qui commençaient à se former. Dès qu'ils furent libérés, Melville donna l'ordre de cingler plein sud pour aller chercher le long de la péninsule de Boothia un lieu d'hivernage. Il était temps.

Dans la nuit du 11 novembre, le thermomètre chuta brusquement et le *Farvel* trouva un endroit sûr où mouiller. Deux jours plus tard, la couche de glace qui l'encerclait était assez épaisse pour que les hommes puissent marcher dessus. Alors avec des cordes prévues à cet effet, ils amarrèrent solidement le bateau. Ce travail les occupa trois jours durant, puis une tempête de neige succéda au froid, recouvrant toutes les terres d'un épais linceul.

— L'hiver, murmura Cooper avec un immense soupir de satisfaction. Même s'il n'était pas aussi loin qu'espéré, il avait tout de même couvert par la mer une distance qu'il n'aurait pas pu couvrir par la terre dans le même temps. Trois mille kilomètres, peut-être moins, le séparaient maintenant du grand lac de l'Ours qu'il pouvait prétendre atteindre en deux mois de marche, trois au maximum.

Il commença aussitôt l'entraînement des chiens. Au cours d'une de leurs longues courses, il rencontra deux Inuits. Avec les quelques mots d'inuktitut qu'il connaissait, il réussit à se faire indiquer plus ou moins précisément sur une carte leur village et un autre plus au sud par lequel il voulait passer. Eux avaient déjà vu des Blancs, car un bateau suédois avait hiverné non loin de là, quatre ans plus tôt, mais les Inuits assurèrent que les villages au sud du leur ignoraient les *Kablouna*, les « gros sourcils ». Cooper leur proposa une visite du navire et leur donna de nombreux cadeaux en échange de renseignements.

Le plus jeune des deux Inuits, Afognak, lui proposa de l'accompagner jusqu'à Naknek, à dix jours de traîneau, car il avait là-bas des parents à visiter et peut-être, dit-il dans un grand sourire, une fiancée à trouver.

Cooper accepta l'offre avec enthousiasme. Le départ fut fixé au lendemain de la pleine lune. Afognak viendrait le chercher avec ses chiens. La chance tournait.

Sacajawa se rapprochait.

57

L'été était passé sur eux comme une caresse puis l'enfant était né, au moins une lune avant son terme. Un garçon chétif qui vomissait le peu de lait qu'il buvait. Ohio fit venir le chaman des Castors. Après l'avoir ausculté, l'homme lui donna à boire du jus de potentille dans lequel il avait fait bouillir des racines de chryzeitas des marais, mais le bébé ne digérait toujours pas et mourut quelques jours plus tard. Ohio et Mayoké ne le virent pas comme un signe des esprits. Un bébé sur deux mourait dans sa première année. La vie éliminait les faibles. C'était dans l'ordre des choses.

La blessure qui en résulta n'était rien au regard de celle que le viol avait laissée à Mayoké. Une blessure profonde. Elle voulut tout savoir du voyage d'Ohio, de sa rencontre avec son père et de Québec, cette ville où les cabanes de pierre sont aussi hautes que des grands pins. Son propre voyage, elle l'avait effacé de sa vie ou cherchait à le faire en s'imaginant que son agression disparaîtrait de sa mémoire avec lui. Il n'en était rien. Et Ohio se sentait impuissant. Aux premiers jours de leurs retrouvailles, lorsqu'il avait promis de débusquer à l'automne les auteurs de cette ignominie, Mayoké s'était emportée :

— Qu'est-ce que tu veux, te venger, toi ? Et moi, qu'est-ce que tu fais de moi ?

— Mais c'est pour toi, pour nous, que je...

— N'en fais rien. Que ce soit la dernière fois que nous parlons de ça !

Elle n'avait rien ajouté et Ohio avait ravalé sa haine, multipliant les efforts pour l'entourer de toute la tendresse dont il se sentait capable. Il lui demanda seulement ce qu'était devenu le corps de leur fils. Elle lui avait choisi une demeure éternelle, non loin des montagnes Caribou. Elle n'en avait pas dit plus.

Les premières fois qu'ils avaient refait l'amour, Ohio avait ressenti le combat intérieur qu'elle livrait pour s'ouvrir à lui. Elle ne supportait plus de partager les plaisirs dans l'obscurité. Elle insistait pour qu'il se place au-dessus d'elle et qu'elle puisse le regarder, cherchant dans ses yeux le réconfort qu'il lui fallait encore pour l'aimer. Durant les dernières semaines de sa grossesse, Ohio ne pouvait plus lui faire l'amour qu'en se plaçant derrière elle. Elle ne le supporta pas et ils cessèrent de partager les plaisirs pendant un temps qu'Ohio trouva interminable tant il éprouvait de désir pour cette femme blessée qu'il aimait et contre laquelle il ne pouvait s'empêcher de coller, la nuit, son corps fou de désir.

Mais cette période d'abstinence forcée agit comme un remède et, quelque temps après la mort du bébé, le soir des premières neiges, Ohio eut pour la première fois la sensation qu'elle s'abandonnait totalement dans ses bras. Ils avaient envie d'un enfant et l'amour qu'ils mettaient à le faire ensemble dépassait l'acte lui-même, la recherche du plaisir. Ils s'unissaient dans le désir de créer une vie qui leur ressemble, de concevoir un fruit de leur amour qui atteignait son paroxysme dans cet accomplissement.

Autour d'eux, avec eux, les chiens grandissaient. Ohio avait donné aux jeunes le nom de ceux qui avaient disparu : Nome, empoisonné par le chaman de son village ; Eccluke, tué par les loups dans les montagnes Rocheuses, puis Gao et Aklosik, noyés lorsque la glace s'était brisée sous le traîneau. Un accident dont, par un accord tacite, Ohio et Mayoké n'avaient jamais reparlé. À quoi bon ? Ils se tournaient maintenant vers leur avenir.

Pour ses chiens, Tagush, Buck, Oukiok et Wabuck, Mayoké avait construit un petit enclos en bas de la pente, près du ruisseau. Ils étaient devenus magnifiques, avec leur poitrail épais et leurs muscles fermes roulant sous une fourrure lustrée et brillante.

— Je prendrai neuf chiens et le gros de la charge, décida Ohio. Tu prendras Voulk et Nanook avec les quatre autres.

— Avec ces six-là, je pourrai prendre un peu de charge moi aussi !

— Nous doserons pour que nos vitesses soient les mêmes.

Les deux attelages fonctionnaient parfaitement. Voulk s'imposa naturellement en tant que chef de la petite meute constituée avec l'attelage de Mayoké. Dès lors Torok, délivré de sa concurrence, retrouva toute sa gaieté et se consacra avec une certaine indulgence à l'éducation des jeunes. Séparées dans le travail, les deux meutes l'étaient aussi au repos et s'ignoraient superbement lorsqu'elles se retrouvaient côte à côte sur la piste.

Nanook secondait parfaitement Voulk dans son rôle de chien de tête et Ohio voyait déjà en lui le digne successeur de Torok.

Au cours de leurs randonnées d'entraînement, ils se rendirent plusieurs fois au village des Castors pour acheter ou plutôt commander un peu de matériel et quelques ingrédients à celui qui se chargeait d'effectuer les aller et retour vers le comptoir le plus proche, à deux jours de traîneau. Ohio trouva le système excellent. Ainsi, les Castors commandaient ce dont ils avaient réellement besoin, plutôt que de succomber à la tentation que représentaient l'alcool et les nouveaux objets, le plus souvent inutiles, judicieusement exposés sur les étagères.

Puis, après le premier vrai coup de froid, ils s'en allèrent plein nord vers le lac des Esclaves. À partir de là, ils emprunteraient le *Loyukinuh*, le « Grand Fleuve », qu'un Blanc avait baptisé de son nom, le Mackenzie, ce qui exaspéra Ohio.

— Mais pour qui se prennent-ils, ces Blancs qui veulent donner leur nom à nos fleuves qui portent nos canoës depuis la nuit des temps !

Il était scandalisé par leur irrespect, par leur égocentrisme. Ces hommes qui violaient les femmes, massacraient les animaux, répandaient les maladies, changeaient les noms, qu'allaient-ils encore inventer ?

— Bientôt, ils vont changer le nom de nos enfants !

Il avait dit cela par provocation, sans même l'imaginer possible. Et pourtant, dans le village de Kaspuskasi qu'ils atteignirent huit jours plus tard, Ohio apprit qu'un envoyé du Grand Dieu blanc rebaptisait les enfants. Et les Indiens, sous le joug de ces prêtres autoritaires et vindicatifs envers les insoumis, laissaient faire.

Ohio en eut le souffle coupé. Ces hommes étaient le mal et il ne laisserait pas le peuple des Montagnes sombrer dans leur folie. Il ne connaîtrait pas de repos tant qu'il n'aurait pas fait comprendre aux siens quelle menace ils représentaient et trouvé les moyens de s'en prémunir. Cooper l'aiderait-il dans cette tâche ? Lui qui, tel le vieux Keith, savait que l'homme appartient à la terre et non l'inverse. Lui qui savait que chaque reflet dans l'eau claire d'un lac parle d'événements et de souvenirs de la vie d'un peuple.

Il était temps, grand temps, qu'il retrouve Cooper et rentre chez lui.

58

Ainsi que Cooper s'y attendait, Afognak ne revint que cinq jours après la date fixée, au lendemain de la pleine lune. Un matin, il était là, jovial, riant de ses chiens qui, tous crocs dehors, défiaient ceux de Cooper. Les reproches n'auraient servi à rien, l'Inuit n'avait pas la même conception du temps que l'homme blanc.

— Bienvenue, Afognak.

L'Inuit, sa face extraordinairement mobile toute ruisselante de sueur, riait de bon cœur.

— *Qraslounaqs, ayorpok!* répétait-il, mais Cooper qui ne connaissait que quelques mots d'inuktitut ne comprenait pas.

— Que dis-tu ?

Alors l'Inuit, le pantalon d'ours serré à mi-hanche, hilare, se tapa les cuisses en avalant la morve qui coulait, verdâtre et gluante, de son nez mangé par les gerçures. Il expliqua que le voyage serait long et lorsque Cooper lui rappela leur conversation où il prétendait que le village de Naknek n'était qu'à dix jours de traîneau, il répondit que la distance avait changé. Peu importait, Cooper voulait partir.

Mais l'Inuit demanda à monter à bord du *Farvel*

et à parlementer. Au bout de deux heures de conversation, aidés par un marin qui parlait assez bien l'inuktitut, ils comprirent enfin ce que voulait Afognak : un fusil avec lequel il achèterait la fille du chef du village de Naknek !

— Dis-lui que c'est d'accord, consentit Cooper maintenant impatient de partir. À condition de quitter cet endroit immédiatement, ajouta-t-il comme pour lui-même.

Le voyage dura deux semaines. Le soleil baissait un peu plus chaque jour sur l'horizon et bientôt ne réapparaîtrait plus. Cooper se laissait guider par l'Inuit dans ce dédale de banquise, d'îles et de fjords. Il leur fallut plusieurs fois franchir des amoncellements de glace soulevés de la banquise par la pression. Les deux attelages avançaient à peu près à la même vitesse. Le soir, ils dormaient dans un igloo hâtivement construit. Les deux hommes s'observaient et Cooper aurait été bien incapable de dire ce qu'Afognak pensait de lui. Lorsqu'ils érigèrent le premier igloo et que Cooper lui montra qu'il savait tailler les blocs et les placer, il se contenta de sourire en haussant les épaules. Sur la piste, c'était la même chose. Pas moyen d'établir avec lui le moindre contact hors de l'accomplissement des tâches quotidiennes. Ils essuyèrent un léger blizzard alors qu'ils longeaient une côte lugubre puis traversèrent durant tout un jour et une partie de la nuit un fjord à la banquise crevassée où le traîneau de l'Inuit manqua de sombrer. Mais ces épreuves surmontées ensemble ne déridaient pas Afognak, de plus en plus taciturne. Cooper interprétait cela comme de la méfiance.

L'arrivée à Naknek fut bruyante et provoqua une rumeur flatteuse. De tous côtés, femmes et enfants accoururent. Derrière, les hommes dans leurs vêtements d'ours s'approchaient doucement et observaient les nouveaux arrivants sans manifester le moindre étonnement, comme il se doit. Pourtant, même si certains chasseurs avaient eu le privilège de monter en été sur un bateau mouillé dans une baie où ils pêchaient, la plupart voyaient un Blanc pour la première fois.

Dès lors, Afognak changea du tout au tout, et il n'était pas un igloo où Cooper ne dût l'accompagner. Il exhibait avec fierté ce Blanc qui était son compagnon et devenait, grâce à lui, un personnage important, celui qui avait amené un *Kablouna*, un « gros sourcils », en cet endroit où on n'en avait encore pas vu. Grâce à la présence de Cooper, Afognak allait sans doute pouvoir demander l'épouse convoitée. Il était heureux et le montrait.

Les igloos, ici, n'étaient pas des constructions provisoires en glace, mais des monticules de tourbe et de pierres de forme oblongue. On y entrait par un boyau de tourbe dans une petite pièce piriforme, éclairée par une lampe de pierre noire remplie d'huile de phoque où trempait une mèche en bourre de bœuf musqué. La lumière était jaune et hésitante, l'air empli d'une forte odeur urique, d'huile rance et de terreau. Une plate-forme unique de couchage, couverte de peaux, occupait la moitié de la pièce où s'entassaient pêle-mêle viande et objets, enfants aux cheveux luisants de graisse et visiteurs.

Les hommes se passaient des morceaux de viande, les découpant au ras du nez avec leur couteau sanguinolent tandis que les femmes, dans l'ombre, attendaient qu'ils aient fini en mâchouillant des peaux pour les assouplir. Entre chaque morceau, les hommes dépoitraillés se nettoyaient les ongles avec leur couteau, crachaient et buvaient. Puis, rassasiés, ils rotaient en se frappant le ventre pour remercier leurs hôtes et commençaient à parler à mi-voix.

Cooper connaissait un peu le mode de vie des Inuits et ne disait rien. Il souriait, mangeait sans grimacer et montrait seulement qu'il avait du plaisir à être là, parmi eux. C'était ainsi qu'il aurait une chance de forcer leur sympathie encore rétive, tout en sachant qu'ils lui resteraient toujours masqués. La mentalité des Inuits était beaucoup plus éloignée des Blancs que celle des Indiens et il n'avait pas la prétention de les connaître assez pour percer leur intimité. Il tentait simplement de se faire accepter parmi eux, et le plus simple pour cela était de parler de chiens et de chasse, comme un langage universel. Son vocabulaire et sa prononciation déclenchèrent l'hilarité dans l'igloo de pierre et de tourbe, et détendirent l'atmosphère : Cooper riait lui aussi de bon cœur, et les Inuits n'appréciaient rien plus qu'un homme capable de se moquer de lui-même.

Le soir venu, comme de coutume, Killerak, le chef du village, proposa à Cooper une jeune fille de dix-huit ans, Tuksauoioak. Comme il ne pouvait pas refuser et qu'en outre il en avait envie, il passa la nuit avec elle, étouffant des soupirs de plaisir sous les peaux dans le grand igloo de Killerak où dormaient une douzaine d'adultes et d'enfants. Dans l'igloo, l'Inuit partageait tout.

Le lendemain, Killerak lui-même proposa de l'accompagner jusqu'à Nerrivok, le village suivant, à une dizaine de jours de traîneau. Il repérerait les traces d'ours polaires à l'aller et, s'il en trouvait un de bonne taille, le chasserait à son retour.

Il fallait passer par les terres car le long de la côte, des courants disloquaient la banquise et la rendaient impraticable. Ils croisèrent de nombreuses traces d'ours polaires mais c'étaient essentiellement des femelles et Killerak ne chassait que les grands mâles. Il en avait déjà tué sept dont un qu'il avait suivi pendant plus de vingt jours. Dans la bagarre, cet ours lui avait cassé une jambe et arraché un beau morceau de chair sur la cuisse juste avant de s'effondrer, une lance plantée dans la poitrine. Killerak exhibait cette cicatrice comme la marque de son courage.

Le ciel restait clair, sans que la température descende trop bas, et ils progressaient vite. Cooper essaya de montrer à Killerak le fonctionnement de son précieux thermomètre, protégé dans une boîte de bois, mais le chef ne manifesta aucun intérêt pour l'engin, lui préférant le fusil qu'Afognak lui avait donné en échange de sa fille.

À deux jours de traîneau du village, ils rencontrèrent un groupe de chasseurs qui s'en allait avec trois traîneaux chasser le bœuf musqué à l'intérieur des terres. Bien que la rencontre ait eu lieu au milieu de la matinée, ils décidèrent d'établirent un campement et érigèrent trois igloos à l'intérieur desquels ils parlementèrent pendant des heures sans accorder la moindre importance à Cooper qui cachait mal son impatience. Le lendemain, Cooper voulut s'enquérir de l'heure de départ et se vit répondre que cela dépendrait du temps. Le ciel était pourtant parfaitement calme. En milieu de journée, Cooper n'y tenant plus réitéra sa demande et pour une fois comprit la réponse de Killerak.

— Nous partirons quand je l'aurai décidé, pas aujourd'hui, peut-être demain ou après..

Ce qui déclencha un grand éclat de rire mais Cooper ne l'entendait pas ainsi et réussit à articuler une réponse.

— Moi, je partirai demain.

— Alors tu ne trouveras pas le village, répondit sèchement Killerak avant de se désintéresser de lui.

Le lendemain, lorsque Cooper prépara ses chiens, il vit que l'ensemble des chasseurs et Killerak préparaient aussi les leurs. Il crut que Killerak s'apprêtait à l'accompagner, mais celui-ci quitta l'endroit dans la direction opposée, avec à sa suite les trois autres traîneaux, sans même lui souhaiter un bon voyage ni lui indiquer où se situait exactement Nerrivok.

« Quel peuple étrange ! L'aurais-je offensé sans le vouloir ? » Cooper avait beau se remémorer les dernières journées de leur voyage, il ne voyait rien qui justifiât un tel revirement.

Il n'était pas inquiet. Le village était sûrement niché au fond de l'une des innombrables baies de la région et pour le trouver, il lui suffirait de suivre à contre-sens les traces laissées par les chasseurs.

59

Sur *Loyukinuh*, le « Grand Fleuve » qu'Ohio se refusait à appeler Mackenzie, Mayoké et Ohio avancèrent vite car il y avait peu de mauvaise glace. L'embâcle s'était faite d'un coup cette année, et même dans les hauts-fonds, de grandes zones de belle glace uniforme permettaient une progression rapide. De nombreux attelages sillonnaient le fleuve et il ne se passait pas une journée sans qu'ils croisent des Indiens allant sur leur territoire de trappe ou ravitaillant les comptoirs qui refaisaient leurs stocks en ce début d'hiver. Ils rencontrèrent aussi de nombreux Blancs, des coureurs des bois français, anglais, ou irlandais, travaillant ou non pour les compagnies, mais ils les ignoraient le plus souvent, tout comme les Indiens d'ailleurs.

Ohio était pressé et filait sur la piste, emmené par les deux meutes auxquelles il accordait le repos nécessaire pour que les jeunes se mettent dans le rythme sans s'éreinter à suivre le train d'enfer de leurs aînés. Ils apprenaient vite, et bientôt ils purent réaliser des étapes de plus de soixante kilomètres avec un arrêt d'environ deux heures à la mi-journée.

Ils atteignirent Fort Simpson puis, environ deux semaines plus tard, Mininsk qui avait doublé d'importance depuis le passage d'Ohio deux ans et demi plus tôt. C'est avec une certaine appréhension qu'il pénétra dans ce village où il craignait les mauvaises rencontres, car il n'avait pas quitté ici que des amis. Il s'était échappé de justesse du petit village de Nukah, qui se situait à peine à deux jours de traîneau de Mininsk, au bord du Grand Fleuve. Mais Ron, le propriétaire du comptoir de Nukah, avait été tué au cours d'un des multiples affrontements entre Peaux de lièvre et Esclaves. À Mininsk, la seule personne qu'il reconnut fut la jeune Naona qui avait fui le village de Nukah avec lui. Elle lui avait appris les premiers mots de cette langue des Chipewyans qu'il maîtrisait maintenant si bien. Depuis, elle avait eu un enfant et en attendait un second. Il la félicita mais Naona, troublée par la beauté de Mayoké et par Ohio qu'elle avait du mal à reconnaître, écourta leur conversation. En parcourant le village, Ohio fut vite convaincu qu'il ne risquait rien. Tout avait changé. Ce n'était pas trois années qui le séparaient de son dernier passage. La transformation que le village et ses habitants avaient subie ne pouvait se compter en années.

— Deux mondes ! Et l'un qui a mangé l'autre, murmura Ohio en observant les cabanes, toutes équipées maintenant de fenêtres et de poêles en acier ou en fonte.

Mais le jeune homme en avait trop vu pour se laisser surprendre par de tels changements. Il savait que les Indiens buvaient, s'entretuaient et changeaient de nom, et avec lui de visage. Ici, il ne pouvait et ne voulait rien d'autre qu'obtenir les renseignements qui l'intéressaient : avait-on entendu parler de l'installation de comptoirs dans les Montagnes, de l'ouverture d'une piste pour les franchir ou de quoi que ce soit d'autre qui laisserait entendre que les Blancs envahissaient aussi le territoire des Nahannis ? Et la seconde question : Cooper était-il arrivé ?

Il fut rassuré sur le premier point. L'un des deux Blancs qui tenaient le grand comptoir lui affirma que personne, à sa connaissance, n'avait franchi les Montagnes. En revanche, les trappeurs s'enfonçaient de plus en plus pour traquer les animaux à fourrure qui venaient à manquer aux alentours et il était sûr que certains s'étaient rendus très loin, peut-être jusqu'au village d'Ohio que personne ne connaissait.

Et Cooper n'était pas là.

— Tu as l'air inquiet ? lui demanda Mayoké.

— Cooper pensait arriver avant l'embâcle sur les terres qui touchent les mers du nord et rejoindre le grand lac de l'Ours par voie d'eau ou plus tard en traîneau. Si tout s'était passé comme prévu, il devrait être ici, dit Ohio le visage grave.

— Beaucoup de choses peuvent retarder un voyage aussi audacieux. Ne m'as-tu pas dit qu'il était le premier à rechercher ce passage ?

— D'autres avant lui l'ont cherché sans le trouver. S'il existe, il serait le premier à le franchir.

— Et s'il n'existe pas ?

— Alors il aura débarqué et entrepris de venir ici avec les chiens.

— Il ne peut se rendre jusqu'à ton village par une autre route ?

— Impossible.

— Dans ce cas, attendons-le ici.

Ohio, songeur, acquiesça silencieusement. Oui, Mayoké avait raison. C'était ce qu'il y avait de mieux à faire : attendre, mais il ne pouvait se défaire d'un sentiment de malaise.

Ils s'installèrent dans une cabane qu'un Chipewyan leur ouvrit moyennant de l'argent. Où était passée la légendaire hospitalité de ce peuple qui maintenant la vendait ? Ohio, écœuré, ne marchanda même pas la somme que l'homme obséquieux leur proposa.

Ohio ne put trouver le sommeil et quand il y réussit enfin de terribles cauchemars le réveillèrent. L'angoisse était là, tenace, envahissante, qui lui vrillait le ventre et ne le lâchait plus.

À l'aube, attiré par la lumière grise derrière la fenêtre pleine de givre, il regarda l'étendue blanche du lac qu'un léger vent du nord balayait, taillant des vagues de neige effilées. Puis il le vit. Un harfang des neiges volait en direction du nord et disparut dans la profondeur du ciel, noyé dans les brumes sombres de l'aube. Alors il sourit. Le vieux chaman Keshad ne l'avait pas abandonné et lui envoyait le signe. Il lui fallait reprendre la route du nord et aller à la rencontre de Cooper. Il ne pouvait attendre, ni rentrer chez les siens sans lui, comme il l'avait un moment envisagé. Tous ses doutes l'avaient quitté. En lui, la voix de l'impétuosité et celle de l'instinct disaient la même chose. Il n'était plus tiraillé, et c'est pourquoi il souriait.

Mayoké s'éveilla et vint se blottir contre lui. Elle remarqua son visage détendu et serein.

— Tu veux partir, n'est-ce pas ?

— Mais… mais comment as-tu…

— Je te connais, Ohio, puisque je t'aime.

Il la prit dans ses bras. Mayoké l'entraîna dans le coin de la cabane où ils avaient dormi sur des peaux de caribou et ils s'aimèrent passionnément, longtemps, sûrs d'eux et de leur plaisir. Alors, enfin, Ohio s'endormit en paix. Mayoké quitta la cabane sans faire le moindre bruit et alla s'occuper des chiens attachés non loin de là, derrière la cabane, chaque meute sur une ligne tendue entre des arbres. De nombreux Indiens allaient et venaient avec des chiens et des luges autour du comptoir, et plusieurs s'approchèrent pour demander à Mayoké si elle échangeait ou vendait des chiens. Ceux-ci manquaient pour le transport des peaux et des marchandises d'un comptoir à un autre et les Blancs payaient bien pour ce travail, mieux que pour les fourrures, de plus en plus difficiles à se procurer. En plusieurs endroits, les castors avaient totalement disparu et l'on trouvait de moins en moins de traces de lynx tandis que les populations de lièvres explosaient. Il en résultait une consommation excessive de bourgeons de saules et d'aulnes, laquelle modifiait les zones d'hivernage des élans qui s'en nourrissaient aussi. Ainsi tout changeait. Les villages, les hommes, et même les animaux et le paysage. Un vent mauvais soufflait sur les pays d'en haut.

Ils repartirent plus vite que prévu du village car une épidémie de scrofule et de phtisie commençait ses ravages, atteignant de nombreux Indiens. La traversée sud-nord du lac, véritable mer d'eau douce, devait leur prendre environ huit jours mais une tempête les chassa sur l'une des rives qui s'avançait en pointe vers le milieu du lac. Ils y restèrent trois jours, bloqués dans un abri de fortune. Les arbres chétifs n'offraient pas une protection suffisante pour qu'ils puissent monter le tipi. Il aurait été emporté par le vent. Blottis l'un contre l'autre, Mayoké et Ohio laissaient la tempête hurler au-dessus d'eux et s'oubliaient dans de longues étreintes passionnées.

— Cette tempête annonce *chilhkwayik*, le grand froid.

— Et nous allons bientôt quitter les arbres, s'inquiéta Mayoké.

— Je sais maintenant construire l'igloo, il nous protégera du froid et des tempêtes.

— Mais pour nous chauffer ?

— Une bougie suffit à élever la température dans

un igloo. Tu verras, Mayoké, c'est une invention merveilleuse.

Elle avait confiance et, de toute façon, elle était prête à tout du moment qu'ils restaient ensemble, même à aller au-dessus de la ligne des arbres, cet endroit que son peuple appelait le *kawayquitam,* « le pays d'où l'on revient différent ».

60

Le vieux chaman des Kaskas n'avait pas été le moins du monde étonné lorsque, au cours de l'été, était arrivé un Nahanni envoyé par Sacajawa. Il savait. Dans ses songes, Keshad l'avait vu venir à lui.

Toosego, l'ami d'Ohio, qui avait succédé au chef Raï, s'était immédiatement rendu auprès du vieux chaman et Adawa, envoyé par Sacajawa, leur avait délivré son message.

Keshad, aveugle et depuis peu secoué de quintes de toux, trouva cependant l'énergie de s'asseoir. Un long silence succéda à l'énumération des faits. Keshad ferma ses yeux malades et entra dans une profonde méditation que ni Toosego ni Adawa ne troubla. Enfin, il rouvrit les yeux.

— J'attendais et redoutais ce moment, dit-il en prenant le temps entre chaque phrase de puiser au fond de lui la force de parler. Ainsi les Blancs arrivent sur notre territoire, non pas comme les caribous ou les oies, en grand nombre, mais perfidement, un groupe puis un autre… et bientôt ils seront partout comme des loups qui poursuivent une harde, fatigant leurs proies dans le but d'isoler les plus faibles et de les encercler…

La tête du vieux chaman allait d'avant en arrière en un lent mouvement régulier. Il laissa le temps à chacun de bien enregistrer ses paroles.

— Sacajawa n'a pas outrepassé ses pouvoirs en disant qu'elle nous représentait auprès des Blancs, Toosego. Ce pouvoir est en elle car je le lui ai donné et elle était destinée à le recevoir.

— Mais… pourquoi elle ?

Keshad leva faiblement sa main décharnée et tremblante pour signifier qu'il ne fallait pas l'interrompre.

— Tu n'es pas l'ami du fils de Sacajawa, Toosego. Tu es plus que cela, car Ohio est celui qui incarne la puissance que nous tenons de la terre et que ces Blancs chercheront à détruire en nous proposant la leur. Or leur puissance est éphémère, elle n'a aucune racine pour aller puiser l'énergie que la terre transmet à ceux qui vivent en harmonie avec elle.

Ces mots, Toosego se jura de ne pas les oublier. En son for intérieur, sans connaître exactement la teneur de la menace pesant sur son peuple, il sentait qu'ils étaient la force et la sagesse. Ces mots étaient une montagne. Toosego comprenait et n'oublierait pas.

— Que dois-je faire, Keshad, toi qui vois si loin avec tes yeux aveugles et qui entends ce que le vent raconte ?

— Tu es notre chef, Toosego, pose les mains à plat sur notre terre et écoute sa respiration. Qu'elle te donne sa puissance et sa sagesse. Que pas un homme ne foule cette terre où reposent les cendres de nos ancêtres s'il n'est pas capable de l'embrasser et de comprendre sa respiration… Pas un homme. Sinon cette terre deviendra une terre inconnue, pleine d'effroi, où la flamme de nos morts n'éclairera plus la vie de nos enfants.

Et Keshad retomba sur sa banquette, mort.

Dans la main gauche fermée du vieux chaman, Toosego trouva des plumes de harfang des neiges, qu'il déposa à ses côtés dans sa demeure éternelle, tout en haut du grand rocher qui surplombait leur village.

Puis Toosego chargea Adawa de dire à Sacajawa qu'elle avait les pleins pouvoirs du peuple kaska pour négocier avec les Blancs. Il envoya dans plusieurs villages, jusqu'à dix jours de canoë du sien, des messagers pour convaincre leurs chefs d'agir de même. Il leur demandait de rendre compte au plus vite auprès de celle que le grand esprit leur avait envoyée pour endiguer cette menace.

Mais plusieurs de ces villages étaient déjà sous l'emprise des Blancs et dépendants de leurs marchandises, de leurs armes, de leur alcool qui procurait des sensations extraordinaires.

Les clans nahannis, kaskas, quelques Chipewyans et Sekanis se rassemblèrent pourtant derrière Sacajawa, qui, après avoir reçu et écouté le Blanc Hump et les siens dans son village, lui avait demandé de revenir à l'automne pour lui faire connaître sa décision.

Hump ne revint qu'au tout début de l'hiver, avec un autre responsable de la Compagnie du Nord-Ouest qui s'intéressait au plus haut point aux fourrures du bassin de la Stikine, des peaux de lynx aux dimensions et aux poils incomparables.

Ils ne purent négocier.

Aucun cadeau, aucune promesse, aucun mensonge ne pouvait faire changer d'avis Sacajawa. Sa décision, née d'une profonde réflexion, était un rocher qu'on ne bougeait pas d'un cheveu.

— Voilà ce que j'ai décidé, leur dit-elle. Un comptoir sera installé ici, dans le village des Nahannis.

Les trois Blancs qui étaient là et qu'accompagnaient quatre Indiens tagishs ne purent réprimer un sourire de satisfaction. Aucun Indien, fût-ce cette Indienne impossible à corrompre, ne pouvait résister.

— Ce comptoir, construit par nos soins, abritera les marchandises que nous vous commanderons deux fois par an, à l'automne et à la fin de l'hiver, quand nous vous remettrons les fourrures que nous récolterons.

Le Blanc voulut intervenir mais Sacajawa l'arrêta de sa paume levée, lui signifiant qu'elle n'entendait pas être interrompue.

— Lorsque vous êtes venus en été, j'ai patiemment écouté vos arguments. Alors, écoutez-moi car vous n'avez que cela à faire. Mes conditions ne sont pas négociables.

Ils secouèrent la tête pour montrer leur agacement.

— Ce comptoir, puisque vous les appelez ainsi, sera le seul, je dis bien le seul endroit où s'effectueront les échanges sur toute la rivière Stikine et les ruisseaux qui s'y jettent, depuis la montagne de l'Ours jusqu'aux chutes Helenka. Si un Blanc ou un de ses représentants, même indien, venait à effectuer un échange hors de ce comptoir sur ce territoire, nous reconsidérerions nos accords et deviendrions immédiatement propriétaires sans contrepartie de toutes les marchandises qui s'y trouveraient à ce moment-là.

Hump laissa échapper un murmure de protestation.

— Ce comptoir sera tenu par l'un des nôtres, sous ma responsabilité.

Cette fois, les deux Blancs ne purent se contenir. Hump leva les yeux au ciel en riant nerveusement.

— Sous la responsabilité d'un Indien !

Le regard noir de Sacajawa se planta dans le sien et ce que Hump y lut l'effraya. Il bredouilla des excuses. Sacajawa se retira. Elle leur donnait une journée pour réfléchir.

D'abord, ils refusèrent, puis, voyant que leur manœuvre désespérée ne fonctionnait pas, ils finirent par accepter. Un document écrit fut établi, que Sacajawa signa de son empreinte au nom de tous les villages qu'elle représentait.

Alors seulement, elle montra l'ensemble des fourrures que les siens avaient récoltées au cours de l'hiver précédent et qu'ils avaient soigneusement conservées, gelées dans le permafrost. Les Blancs admirèrent, soupesèrent, évaluèrent puis Sacajawa demanda à voir les marchandises qu'ils avaient apportées.

— Cet hiver, prévint-elle, il y aura moins de fourrures, car nous irons d'abord à la chasse. La saison sera donc plus courte. D'autre part, les territoires les meilleurs ne seront pas trappés, car ils l'ont été l'hiver dernier. Ils doivent se reposer jusqu'à ce que les populations d'animaux se reconstituent.

— C'est ridicule ! Les territoires sont illimités et les animaux en tellement grand nombre qu'il faudra plusieurs générations pour les exterminer.

— Nous pensons, nous les Indiens, aux enfants de nos enfants.

Vaincus, ils s'en retournèrent vers le comptoir de Fort Serlik. Là-bas au moins, ils pouvaient écouler leur alcool, profiter des jeunes Indiennes et dicter leur loi. Une loi que le temps étendrait jusqu'aux plus reculées et irréductibles tribus. Ils en étaient certains. Il suffisait de semer et d'attendre.

61

À la frontière fluctuante des lueurs et des ombres, Torok apercevait en filigrane, à travers ses cils givrés par le froid intense, la piste vernie de lumière froide que la tempête avait presque effacée.

Il s'ébroua lorsque, sous la claie de branchages, il entendit Ohio et Mayoké se lever et allumer un feu. Le vent était tombé et le grand froid s'était installé.

L'aube était déjà bien avancée, rose et cendrée lorsqu'ils se remirent en route. Sur le lac, la neige dure, compacte, dessinait de longues vagues au sommet desquelles volait une poussière miroitante, qui se carmina lorsque le soleil se hissa au-dessus de l'horizon, rouge sang.

Ohio et Mayoké avaient botté les chiens avant de partir car le froid acéré rendait la neige coupante. Le froid tenait et Ohio savait qu'il se maintiendrait jusqu'à la nouvelle lune. Alors ils avançaient lentement. Le givre les enveloppait complètement, recouvrant leurs vêtements de fourrure et auréolant leur visage, transformant les chiens en buissons blancs derrière lesquels s'étirait, dans l'air immobile, une longue colonne de fumée neigeuse.

Ils progressèrent ainsi trois jours durant, dans le

froid absolu, et atteignirent enfin l'extrémité nord du lac. Ohio observait Mayoké dont le courage l'impressionnait. Pas une fois elle ne s'était plainte, et pourtant cette histoire n'était pas la sienne. Il regardait ce visage sourire malgré la gangue de glace qui l'étreignait et son cœur se soulevait tel un canot sur une vague trop haute pour lui et qui le submergeait.

Ils rentrèrent dans la forêt. Ohio marchait devant, sur ses raquettes qui n'enfonçaient pas beaucoup dans la neige épaisse compactée par le froid. Il allait à travers la forêt clairsemée, la hache à la saignée du bras, son arc à la main droite, cherchant les perdrix qu'il abattait d'une flèche au bout arrondi. Il en tua sept puis rangea son arc alors que les ombres s'allongeaient dans cette froide et courte journée de janvier. Plus ils avançaient vers le nord, plus la forêt s'éclaircissait. La végétation de moins en moins haute se faisait également moins régulière.

Le lendemain, ils évitèrent des bas-fonds trop boisés où les aulnes et les sapins rabougris s'entremêlaient, formant une barrière végétale presque infranchissable. Puis ils rejoignirent enfin la rivière Porcupine sur laquelle la progression était facile.

— Qu'est-ce qui te dit que Cooper empruntera cet itinéraire ? Il pourrait arriver par le nord ou l'est, nous contourner alors que nous croyons aller vers lui.

— Non, regarde, Mayoké, répondit Ohio en étalant une carte. Cette rivière est la voie royale pour accéder au grand lac de l'Ours, il l'empruntera forcément. Au village inuit, à l'embouchure, on nous dira de toute façon s'il est passé ou non.

— Mais s'il est allé encore plus à l'ouest avec son bateau ? Peut-être a-t-il carrément contourné toute la région ?

— Dans ce cas, de deux choses l'une, soit il aura quitté le navire avant pour arriver par ici car c'était son plan, soit il est passé en haut, par la mer au cours de l'été, mais il serait déjà au grand lac de l'Ours.

Tout paraissait trop simple. Mayoké n'osa pas évoquer toutes les hypothèses qui lui traversaient l'esprit. Il pouvait arriver tant de choses à un homme seul lancé dans un aussi périlleux voyage à travers la terre sans arbre.

— Je devine tes pensées, Mayoké, dit Ohio d'une voix grave un peu chevrotante car le froid ne lui permettait que d'entrouvrir la bouche. Mais un lien invisible me relie à ce chaman dont je t'ai parlé. Je n'ai aucun doute.

Le froid ne relâchait pas son étreinte et Ohio réduisit le rythme. Les chiens consommaient une énergie largement supérieure à l'habitude. De petites engelures apparaissaient sur la peau fragile du nez et des pommettes de Mayoké. Ohio les soigna avec une pommade constituée d'un mélange de sève d'épinette, de jus de potentille et de graisse de castor. Sur la rivière, ils croisèrent de nombreuses traces de caribous puis de loups mais n'en virent aucun.

— Le froid a figé le paysage. Les animaux bougent le moins possible pour s'économiser.

Ils quittèrent les derniers arbres, des petits sapins chétifs qui de loin en loin se recroquevillaient près de la rivière, tels des hommes blottis autour d'un feu. Maintenant, c'était le paysage immobile et infini de la toundra, un peu effrayant par son austérité. Ohio avait emporté une assez grande provision de bois, mais ils n'en avaient pas suffisamment pour chauffer un tipi. Ils se contentaient d'allumer un petit feu, le soir, pour faire fondre de la neige, cuire de la viande et sécher quelques affaires. Puis ils dormaient dans l'igloo qu'ils construisaient dès qu'ils arrivaient à la fin de l'étape, un peu avant le crépuscule. Bientôt, ils ne virent qu'une moitié de soleil se hisser péniblement vers midi au-dessus de l'horizon, puis plus du tout. Ne subsistait qu'une lueur un peu rose, parfois mauve qui, à l'est, peignait l'horizon.

— Je ne savais pas que la terre sans arbre était aussi une terre sans soleil, dit Mayoké avec une lueur d'effroi dans ses yeux auréolés de givre.

— Et des hommes vivent ici, fit remarquer Ohio non sans une certaine admiration.

Deux jours plus tard, ils trouvèrent les traces d'un traîneau, qui les conduisirent directement au village de Nirpiktut, une vingtaine d'igloos de pierres entrelardées de tourbe. La plupart des hommes étaient à la chasse au phoque et ils furent accueillis par les enfants qui les aidèrent à dételer les chiens puis à les nourrir. Une Inuit connaissait la langue algonquine et leur dit qu'aucun Blanc n'avait été aperçu dans le secteur, à l'exception de celui qui venait ici une fois par an, à la fin de l'hiver, pour échanger des fourrures.

— Que vous donne-t-il en échange ?

Elle exhiba fièrement des ustensiles de cuisine, un couteau, du thé, des allumettes. Comment résister à ces merveilles, eux qui allumaient leur lampe à huile avec des silex ?

On les installa dans le plus grand des igloos, double, où les murs tapissés de peaux de caribou s'éclairaient de deux fenêtres en intestin de phoque. La femme du chef les invita à se dévêtir pour accrocher leurs vêtements humides de transpiration sur un séchoir en lanières de cuir, au plafond. Puis ils mangèrent.

Mayoké observait avec une certaine circonspection l'organisation de leur habitation. « Comment peut-on vivre si haut dans le Nord, dans le froid et la nuit, sans bois pour se chauffer ? » Elle se sentait si vulnérable ici, dans ce monde qui n'était pas le sien. Elle était une Indienne de la forêt. Jamais, elle ne pourrait vivre dans le monde des Inuits.

Ohio, lui, prenait conscience de la distance qui séparait ce peuple de celui des Blancs dont il avait pu, à Québec, constater la puissance. Il mesurait tout à coup l'ampleur et la profondeur des modifications qu'ils pouvaient imposer au pays d'en haut. Dans l'inconfort de cet igloo froid, mal éclairé et malodorant, Ohio se mit à réfléchir sur l'étrange évolution de ces Blancs. Cooper lui avait dit que son peuple, il y a bien longtemps, avait été lui aussi un peuple de la forêt, qui vivait avec elle dans des huttes de bois et dans des grottes. Les Blancs, autrefois, étaient des chasseurs comme eux, allumant des feux à la manière inuit en frappant deux silex l'un contre l'autre. Mais l'Inuit était resté le même et n'avait pas changé alors que les Blancs s'étaient mis à traverser les mers, à fabriquer des armes à feu, des miroirs et des vitres, des allumettes, des objets en acier et des bateaux incroyables. Pourquoi ? Dans quel but ? Quelle était la finalité de tout cela ? Ohio devait en saisir le sens profond. Il devait étudier l'empreinte que l'homme blanc avait laissée en écrivant sa propre histoire, comprendre ses hésitations, ses doutes, ses espoirs, ses aspirations. Peut-être pourrait-il alors trouver comment limiter cette effroyable irrévocabilité du progrès.

Les hommes rentraient de la chasse et apportaient un élément de réponse à Ohio. Le bonheur. Rien que lui. Il se lisait sur leur visage. N'était-il pas la seule piste à suivre, le bonheur ?

Ils riaient car ils avaient abattu deux grands phoques barbus. La chasse sur la banquise, au bord de la mer libre, avait été belle, riche d'émotions qui font vibrer le cœur des hommes vivant pleinement chaque moment de leur existence, effrayant ou sublime. Ils étaient heureux et ce bien-être était la réponse à toutes les questions.

« Mais suis-je capable de me contenter de ce bonheur là ? » se demanda Ohio qui aidait les hommes à haler les deux grands phoques sur la grève. « Ne suis-je pas malheureux, inquiet, à l'idée de manquer d'allumettes ? » « Ne me faudra-t-il pas des vitres pour la grande cabane que je veux construire à Mayoké, un poêle, des ustensiles de cuisine en acier ? »

Ce soir-là, il confia ses doutes à Mayoké.

— C'est dans la nature des hommes de grandir et de progresser. Ne m'as-tu pas dit que tu avais inventé de nouveaux pièges que d'autres avaient repris ? Il en est ainsi depuis la nuit des temps. Nous léguons à nos enfants ce que nous avons construit au cours de notre existence. Cherche quel est ton bonheur.

— C'est toi, Mayoké.

— Moi, ton pays et ce qui le constitue : ses animaux, ses paysages, ses silences et ses lumières. Garde-les.

— Pour te garder, je n'ai qu'à t'aimer. Pour conserver notre pays, il faudra sûrement se battre.

— Se battre pour ce que l'on aime, cela en vaut sans doute la peine…

— Il y a des jours où j'aimerais être un loup. Rien qu'un loup. Ne pas penser, ne pas craindre l'avenir. Avancer avec toi, côte à côte dans les grandes et riches vallées de nos Montagnes… c'est tout.

— Ne repartons-nous pas demain, tels des loups, dans les grandes étendues glacées ? Contentons-nous de ce bonheur-là.

Ohio et Mayoké se tenaient debout, main dans la main, face à la baie qui s'ouvrait entre deux collines aux flancs rocheux, au bas desquelles s'amoncelaient des icebergs pris dans la banquise. Ils regardaient l'étendue grise enveloppée par la nuit polaire. Ohio se sentait aspiré par cette immensité, pénétré par le flux d'énergie de la mer que l'on entendait respirer sous la glace. Il n'était plus sûr d'être capable de retrouver Cooper, seulement persuadé qu'il fallait le rechercher.

62

Le vent s'était levé par le sud-est puis avait tourné au nord et Cooper comprit que le temps allait changer. Il se mit à courir derrière les chiens qu'il harangua pour qu'ils accélèrent. Mais on ne gagne jamais contre la tempête et lorsqu'elle se leva, il n'avait toujours pas rejoint le village. Pourtant, il continua encore un peu, tant qu'il put suivre les traces gravées sur le sol compact. Mais le vent forcit encore et il sut qu'il n'atteindrait pas le village. Cooper ne céda pas à la panique. Il chercha un endroit où construire un igloo et, lorsqu'il vit la neige adéquate, s'arrêta. Une heure plus tard, il était à l'abri dans un petit igloo de fortune.

À la tempête, qui dura trois jours, succéda le froid. Le grand froid. Cooper sortit de son igloo et, dans la lueur incertaine de la nuit polaire, se mit à la recherche des traces. Elles avaient été complètement effacées. Plusieurs fois, il crut les avoir repérées, mais ce n'étaient que des stries laissées par le vent. Alors il alla plein nord jusqu'à la mer en se servant de sa boussole, puis longea la côte. Il n'avait plus de nourriture pour ses chiens et presque plus pour lui. Il ne lui restait que quelques livres de farine, un peu de lard et deux livres de viande de phoque. Il devait trouver le village.

Il ne le trouva pas, ni ce jour-là, ni le lendemain. Pensant l'avoir dépassé sans le voir durant la journée qui avait précédé la tempête, il revint sur ses traces et chercha encore deux jours dans l'autre sens, dans un froid extrême. Son thermomètre marquait moins cinquante et il n'ignorait pas qu'à ces températures-là, il ne devait pas forcer. Mais il n'avait pas le choix. La faim le condamnait encore plus sûrement que le froid.

Les chiens commençaient à donner des signes de fatigue lorsqu'il reprit délibérément la direction de l'ouest, le long de la mer gelée. Il laissait au sud, à quelques kilomètres à peine, le village inuit, situé le long d'une rivière qu'il avait traversée par deux fois, trop loin pour l'apercevoir.

Il ignorait à quelle distance était le village suivant et il estimait à plus de quinze jours de traîneau l'embouchure de la rivière Coppermine par laquelle il savait pouvoir redescendre vers le grand lac de l'Ours. À cette longitude, ses cartes imprécises ne lui donnaient pas d'autres indications. Les tracés de la côte étaient flous et s'achevaient en pointillés car aucun cartographe ne s'était rendu si loin au nord. Cooper ignorait même si, en suivant la côte, il atteindrait ce point, car on ne savait pas où s'achevaient les terres. Des marins avaient fait état de nombreuses îles et la carte en indiquait quelques-unes. Ensuite, le tracé devenait confus, puis s'interrompait et on lisait le mot « *Unknown* ». Cet inconnu qui avait tant de fois fait vibrer l'âme d'aventurier de Cooper l'effrayait aujourd'hui.

Il aurait tant aimé lire un tracé exact, l'emplacement rassurant de quelques villages. Mais, dans ce désert de blancheur où, l'hiver, la terre et l'eau se confondent, qu'est-ce qu'une carte aurait pu lui indiquer d'autre que ce vide ? Cet endroit était le néant. Un autre part sans nuit, ni jour. Un ailleurs sans couleur ni odeur. Une sorte de fin du monde.

Il avançait, mais les kilomètres qu'il parcourait dans cette immensité lui paraissaient dérisoires. Et toujours pas un seul animal, pas un homme, ni même une trace, un bout de traîneau, une simple lanière de cuir qui lui aurait prouvé qu'un jour un être humain était passé par là. Puis les chiens s'arrêtèrent et refusèrent d'avancer plus. Le lendemain, il les réattela mais trois d'entre eux se laissaient traîner par les autres qui marchaient encore, si lentement. Il les tua et, gelés, les donna à manger aux autres. Il progressa ainsi encore deux jours et tua deux autres chiens. Il ne lui en resta bientôt plus que cinq, alors que lui-même n'avait plus que deux livres de farine pour toute nourriture.

— C'est la fin !

Cooper, étonné par le son de sa propre voix, essaya de réfléchir mais c'était simple, si simple. Il marcherait encore un jour ou deux, construirait un igloo et mangerait les derniers chiens en attendant un miracle, qu'un animal ou un homme passe. Un rire nerveux le secoua.

— Rien ! Il n'y a rien dans ce foutu désert blanc !

Il s'était cru plus fort que tous, capable de braver les immensités et de les traverser dans tous les sens. Il avait joué et il avait perdu. Il ne reverrait pas Sacajawa, ni Ohio. Mais il se battrait jusqu'au bout.

Le froid n'augmentait pas mais il en souffrait plus, par manque de nourriture. Le thermomètre marquait toujours entre moins quarante cinq et moins cinquante-cinq. Il commençait à souffrir d'engelures sérieuses au nez et aux joues. Le soir, il ne parvenait pas à élever la température au-delà de moins vingt dans l'igloo chauffé par une seule petite bougie sur laquelle il faisait fondre un peu de neige dans une casserole.

Il tua encore un chien. Le lendemain, les autres s'étaient échappés. Du sang dans la neige montrait qu'ils avaient rongé les câbles en acier pour les sectionner.

— Pauvres chiens !

Il était presque soulagé qu'ils se soient enfuis. Même si leur chair le maintenait en vie, cela le répugnait.

Maintenant, c'était une question de jours. Il marcha jusqu'à la côte et trouva une sorte d'épaulement de terrain qui lui convenait. Il y érigea un igloo et posa dessus, en équilibre, son traîneau dont il défit un patin qu'il planta comme un mât au sommet de l'édifice de neige. Puis il transborda son matériel et se coucha sous les peaux. Il mangea le reste de viande de chien en découpant à la manière inuit des lamelles gelées avec son couteau. Il avait froid et il alluma deux bougies au lieu d'une. Il ne lui en restait plus que trois.

La fin.

Dans la pénombre de sa tombe de neige, Cooper se mit à rêver de cette chaude soirée d'été où Sacajawa et lui s'étaient baignés dans un petit lac puis séchés au soleil en faisant l'amour sur le rocher tiède qui le surplombait.

Le lendemain, il erra un peu au bord de la mer avec sa carabine à la recherche de gibier, mais par un froid pareil, tout se terrait sous la neige. Il trouva sur la glace de la banquise quelques aglous, ces trous que les phoques font et entretiennent durant tout l'hiver pour respirer, et il attendit, mais rien ne vint. Il y retourna le lendemain. Il se traînait plus qu'il ne marchait et ne pouvait plus rester bien longtemps dans le froid. Pourtant son thermomètre marquait moins quarante, mais il ne sentait pas la différence, au contraire. Enfin, en rentrant à l'igloo, il tua un renard polaire qui fouinait là, à la recherche de quelques restes. Il le mangea aussitôt, avant qu'il ne gèle. Le goût était exécrable et la chair maigre, mais cela lui permit de retourner le lendemain sur la banquise à la chasse aux phoques. Il ne tint pas longtemps dans le vent qui s'était levé, signe que le temps allait changer. Ses forces l'abandonnaient. Il sentait qu'il s'éloignait de la réalité et, hagard, se retrouva plusieurs fois dans un état de semi-somnolence durant lequel il divaguait. Dans l'igloo, il ne put allumer la bougie. Les doigts de sa main gauche étaient en train de s'engourdir comme l'avaient fait ceux de sa main droite. Depuis le matin déjà, il ne pouvait plus s'en servir. Pourtant il avait essayé des battements des mains et des bras, mais aucune sensation de vie n'était réapparue. Ses mains ne lui étaient plus d'aucune utilité. Il avait simplement l'impression d'avoir deux poids lourds au bout des bras. Alors seulement, l'appréhension de la mort s'empara de lui. Il se coucha en tremblant, signe que le corps se défendait encore contre ce froid qui s'insinuait partout en lui et contre lequel, faute de carburant, il ne pouvait plus rien, sinon abandonner certaines parties du corps pour en sauver d'autres, essentielles. Il était comme sa maison à Londres, trop grande l'hiver pour la chauffer toute et dont il condamnait certaines pièces, jusqu'au printemps. Mais Cooper n'atteindrait pas le printemps. Il imagina le squelette que les Inuits retrouveraient peut-être, un été, et l'effroi le saisit. De toutes ses forces, il repoussa cette idée, s'imposant de penser à autre chose.

Le lendemain, il ne se leva pas, tout simplement parce qu'il ne le pouvait pas. Cooper ne grelottait plus. Recroquevillé sous les peaux qui maintenaient le peu de chaleur encore produite par son corps, il commença à aller et venir entre conscience et inconscience. Entre la vision affreuse de sa propre mort et celle délicieuse du corps chaud de Sacajawa contre le sien.

63

— Nous n'allons pas là-bas, dit l'Inuit de Nirpiktut. Pas de gibier là-bas, pas de lichen, seulement des rochers et la mer pas assez profonde près des côtes. Peu de phoques.

— Mais alors, il n'y a pas de village ?

— Loin, très loin.

Ohio se procura auprès des Inuits une grande quantité de viande de phoque qu'il échangea contre la toile de sa tente, un couteau et des allumettes car les Inuits n'avaient que faire de son argent. Puis ils repartirent, plein est.

Le froid était retombé et, dans le ciel, un voile de nuages gris s'étendait sur l'horizon blafard alors qu'un léger vent d'ouest se levait.

Mayoké ne disait rien mais plus ils avançaient, moins elle croyait probable de retrouver Cooper dans cette immensité. Ce territoire excluait la vie. Il n'était rien. Un recommencement de blanc, aussi vide qu'un ciel, froid comme la mort. Rien à quoi accrocher le regard. Pas une piste, pas un mouvement.

Les chiens allaient à un bon rythme sur la croûte durcie de la neige arctique. Torok menait l'attelage, tantôt sur la côte, tantôt sur la banquise, au sommet de son art, aussi précis qu'une flèche, anticipant les ordres, interprétant les mouvements du terrain, appréciant l'épaisseur de la glace, négociant le long des berges les dévers et les zones de glace concassée.

Derrière, en tête du petit attelage de Mayoké, Voulk n'avait qu'à suivre, aussi le faisait-il en économisant ses forces, sans marquer d'hésitation, laissant un peu de distance entre le traîneau d'Ohio et lui.

L'Inuit, imprécis, hésitant, avait parlé de vingt jours de traîneau pour rejoindre le prochain village, sur les bords d'une rivière facilement reconnaissable car elle se jetait en face d'une île. Ohio comptait l'atteindre en moins de dix jours. Là-bas, il reposerait les chiens et reconstituerait ses provisions de viande. Si les habitants n'avaient pas vu ou entendu parler de Cooper, il ferait demi-tour et retournerait vers le grand lac de l'Ours. Il n'irait pas plus loin. Du moins était-ce ce qu'il avait dit à Mayoké, persuadée du contraire.

— C'est effrayant, cet endroit, avoua-t-il au bout de quatre jours. Nous n'avons rien vu. Rien. Pas une plume, pas même un os.

— Cooper n'est pas passé par là. Il aura piqué vers le sud, vers les arbres, vers la vie.

Elle avait raison. Qu'est-ce qui aurait poussé quelqu'un à traverser un tel endroit ?

Au soir du cinquième jour, ils aperçurent au large quelques reliefs qui brisaient la monotonie de l'horizon, puis le temps se gâta et ils essuyèrent une tempête de neige. Mais ils continuèrent d'avancer.

— Regarde !

Ils les avaient vus ensemble : trois loups maigres et efflanqués, qui les observaient avec circonspection. Des loups ici ! Ils s'approchèrent alors qu'Ohio et Mayoké s'étaient arrêtés.

— Mais ce sont des chiens ! Des chiens qui ne sont pas eskimos !

Ils n'avaient plus que la peau sur les os et s'étaient immobilisés à une vingtaine de mètres des deux traîneaux. Ohio leur lança à chacun un morceau de viande qu'ils dévorèrent en un seul claquement de mâchoire.

— Ils sont complètement affamés. Je ne peux pas les nourrir sans épuiser nos provisions !

Il s'approcha de celui qui paraissait le moins peureux, et observa son collier de cuir.

— Je suis certain que ce sont les chiens de Cooper, dit Ohio, la voix tremblante, submergé par l'émotion.

— Qu'est-ce qu'on va en faire ?

— S'ils sont capables de nous suivre jusqu'à un endroit où on pourra les nourrir...

— Ça m'étonnerait.

— Je ne peux pas les nourrir plus, Mayoké.

Elle le savait.

Ohio était inquiet. Son visage s'était fermé et de la poussière de givre tombait de ses sourcils froncés qui lui dessinaient de petites rides au coin des yeux. Mayoké s'approcha de lui.

— Ça ne veut rien dire, Ohio.

Mais il en doutait.

Ils se remirent immédiatement en route et les chiens suivirent, à quelque distance derrière eux, gênant ceux de Mayoké et d'Ohio qui se retournaient sans cesse, puis ils s'habituèrent.

Ils construisirent un igloo à quelques centaines de mètres de celui de Cooper qu'ils ne virent pas dans l'obscurité. C'est au petit matin qu'Ohio le repéra, en allant calmer les chiens qui aboyaient après un renard polaire longeant la zone concassée de la banquise.

— Mayoké ! Mayoké ! Un igloo !

Il se mit à courir. Pourtant, une fois devant l'igloo, il s'arrêta. C'était Cooper, puisque le traîneau était celui d'un Blanc. Mais ce qu'il vit surtout, c'était l'absence de trace autour du campement.

— Cooper !

Il avait appelé faiblement, sans attendre de réponse. Il savait déjà et il vacilla, incapable d'entrer. Finalement, il contracta ses muscles, retrouva son équilibre et se pencha pour entrer en rampant dans la petite ouverture. Il avait prié pour trouver l'igloo vide mais il aperçut au premier regard le corps gelé de Cooper étendu sous les peaux. La force lui manqua, il ressortit aussitôt et se laissa tomber dans la neige, le corps agité de sanglots. Mayoké le rejoignit à ce moment-là et ne dit rien. Elle se contenta de se lover contre lui et de lui caresser le visage.

— Je suis là, Ohio. Je suis là !

— On est arrivés trop tard ! Trop tard ! répétait-il.

Il se calmait peu à peu. Mayoké avait raison. Elle était là, et lui avait une vie à vivre.

— On va le ramener, décida-t-il brusquement. Le ramener à Sacajawa.

Une grande paix se fit en lui.

— Si tu veux, Ohio. Si tu veux…

Elle le laissa et pénétra dans l'igloo.

Un cri retentit, qui fit brusquement se propulser Ohio sur ses jambes.

— Il vit ! Ohio, il respire ! Ohio !

Il se rua à l'intérieur. Mayoké, l'oreille sur la poitrine de Cooper, écoutait battre son cœur. Ohio regardait le visage gercé, les mains bleues, et ne pouvait y croire. Pourtant, elle avait raison. Un peu de vie restait dans ce corps partiellement gelé, presque mort. Dès lors il ne perdit pas une seconde. Il monta, en se servant de son traîneau et de celui de Mayoké, un petit tipi dans lequel il fit un feu avec le bois récupéré sur celui de Cooper. Le poêle qu'il avait emporté éleva immédiatement la température et ils purent déshabiller Cooper, constatant avec effroi son état de maigreur. Il restait inconscient. Ils le rhabillèrent avec les vêtements de rechange d'Ohio, et Mayoké prépara en hâte un épais bouillon de viande.

— Cooper ! Cooper !

Dans la chaleur qui montait, Cooper bougea faiblement les paupières et murmura des mots incompréhensibles. Mayoké l'assit et le fit boire tout doucement. Une gorgée puis une autre, en lui mettant un doigt dans la bouche pour le forcer à déglutir et avaler.

— Regarde ses doigts.

Ils noircissaient en dégelant.

— Ils sont morts, dit Mayoké. Il va les perdre. Les doigts de ses pieds aussi.

Toute la nuit et le jour suivant, ils se relayèrent pour le faire boire et manger. Cooper commença doucement à émerger de son état léthargique alors que les provisions de bois s'épuisaient et qu'une odeur putride se dégageait de ses doigts.

— Il va falloir enlever les doigts et toutes les chairs mortes, constata Ohio.

— Tu sais comment procéder ?

— C'est facile mais je n'ai pas de quoi empêcher la gangrène de se propager.

— Qu'est-ce que c'est ?

— Il reste un peu de sang dans les veines et artères des doigts et des chairs mortes. Ce sang pourri risque de tout infecter.

— Mais…

— Il faut rejoindre au plus vite ce village. En espérant que le chaman connaisse le pouvoir des plantes.

Ohio commençait à imaginer comment transporter Cooper jusqu'au village lorsqu'ils virent deux traîneaux, au loin. En rentrant de la chasse, le groupe d'Inuits, constatant que Cooper ne s'était pas arrêté au village, avait décidé de venir faire un tour par là. Killerak n'ignorait pas que les provisions de Cooper étaient pratiquement épuisées et qu'il ne tuerait pas de gibier. Dénué de remords, mais intéressé par les chiens et tous les trésors que le Blanc transportait avec lui, Killerak avait décidé deux Inuits à le rechercher, sachant pertinemment qu'il avait une chance sur deux de le retrouver mort de faim et de froid. Aussi furent-ils surpris et un peu désappointés en trouvant Ohio et Mayoké auprès de celui qu'ils espéraient détrousser. Mais Killerak était ainsi fait qu'il changeait d'avis comme le vent tourne sur son territoire et ils se démenèrent pour le ramener au plus vite au village, distant d'à peine un jour et demi de traîneau.

Là-bas, le chaman assisté d'Ohio amputa tous les doigts des deux mains, certains à la première phalange, d'autres entièrement, puis il en fit de même aux pieds, moins gravement touchés. Enfin il cautérisa, puis soigna toutes les engelures du visage sur lesquelles il appliqua un baume cicatrisant. Il lui donna à boire une décoction de plantes aux pouvoirs antibiotiques en prévenant Ohio qu'il lui donnait une dose qui le tuerait ou le soignerait.

La fièvre monta et Cooper râla deux jours entiers en se tordant de douleur sur le lit de mousse dans l'igloo de pierres et de tourbe que le chaman avait réchauffé avec plusieurs lampes à huile. Mayoké et Ohio restaient auprès de lui et lui parlaient beaucoup.

— Il faut que tu vives, Cooper. Sacajawa t'attend. Dès que tu seras guéri, nous partirons là-bas. Elle t'attend, Cooper.

Il ouvrait un peu les yeux et répétait en la cherchant autour du lit.

— Sacajawa... Sacajawa...

Mayoké et Ohio se regardaient, émus par la tendresse avec laquelle il prononçait ce nom.

Puis la fièvre baissa. Le chaman recoupa quelques chairs pourries et Cooper commença à articuler quelques mots et à reconnaître Ohio. Il lui expliqua tout. Cooper observa longuement Mayoké et lui demanda de s'approcher. Il prit sa main entre ses moignons bandés et l'embrassa.

— Ma petite Mayoké ! Tu es encore plus belle qu'Ohio me l'avait dit.

Elle lui souriait.

— Il faut te reposer. Prendre des forces. La route est longue encore.

Il s'endormit, serein, le sourire aux lèvres malgré les souffrances qu'il endurait. Ses plaies aux mains et aux pieds suppuraient. Le chaman changeait chaque soir ses pansements en peau de lièvre et faisait tremper ses moignons dans un mélange de plantes bouillies dans de l'eau additionnée de sel. Plus de douze jours après être arrivé au village, Cooper put enfin se lever. Il demanda à voir Killerak mais celui-ci était déjà reparti, avec les trois chiens qu'il estimait être à lui puisqu'il les avait nourris et réengraissés. Cooper s'en fichait. De toute façon, il ne pourrait plus conduire d'attelage. Mais il ne s'apitoya pas pour autant sur son sort. Pas une seule fois Ohio et Mayoké ne l'entendirent se plaindre, regretter ses doigts. Au contraire, il remerciait pour les soins qu'on lui prodiguait, insista pour que l'on donne certains des équipements dont il ne pouvait plus se servir aux chefs du village et au chaman, et se montra ingénieux. Sa capacité à imaginer des systèmes pour remplacer ses mains surprenait les Inuits que l'on impressionnait pourtant difficilement tant ils étaient habitués aux événements tragiques.

Plus d'un mois s'était écoulé depuis leur arrivée dans le village. Ohio avait participé à plusieurs séances de chasse au phoque sur la banquise, s'attirant des compliments pour son habileté. L'hiver tirait à sa fin et une grande fête salua le retour du soleil. Ce soir-là, Mayoké se colla contre Ohio avec sur les lèvres un immense sourire.

— Ohio, il faudra que nous atteignions ton village avant l'automne.

— Pourquoi ?

— Parce que je veux que notre enfant naisse chez lui.

Bouleversé, Ohio la prit dans ses bras et l'embrassa longuement, puis courut annoncer la bonne nouvelle à Cooper qui eut bien du mal à dissimuler son émotion.

Deux jours plus tard, ils quittaient le village.

64

Au mois de mars, les jours rallongent à toute vitesse dans l'Arctique alors que le soleil grimpe un peu plus chaque jour au-dessus de l'horizon. Sur la banquise, les phoques montent sur la glace et se chauffent au soleil, se prélassant durant des heures en se tournant et se retournant, piégeant la chaleur des rayons dans l'épaisseur de leurs poils noirs. Les ours polaires en profitent pour les chasser. Soit ils les attendent au bord des aglous, soit ils les approchent en glissant silencieusement sur la poitrine et les pattes avant, en utilisant tout ce qui peut leur permettre de se dissimuler. Puis, avec la soudaineté de l'éclair, ils leur sautent dessus et leur fracassent le crâne avant qu'ils aient esquissé un mouvement. À la chasse, les ours font preuve d'autant d'ingéniosité que les Inuits qui les vénèrent et souvent les imitent. Pour tuer un phoque, un ours est capable de gratter la glace au-dessus d'un aglou jusqu'à ce qu'il n'en reste qu'une mince couche et de s'allonger dessus pour que le phoque, de l'eau, croie que l'épaisse couche de glace est intacte. Il est aussi capable de construire un abri de neige pour se cacher derrière, ou encore de se laisser dériver dans l'eau à la manière d'un glaçon pour aller fracasser la tête d'un phoque barbu allongé sur un bloc de glace.

C'est *Tornarssuk*, le grand chasseur, celui qui donne la puissance et fascine par son intelligence et sa patience à la chasse.

Au mois de mars, les oursons nés au cours de l'hiver sortent enfin de leur antre, généralement creusé à la fin de l'automne contre une élévation de terrain, là où la neige s'accumule. L'ourse est aussi pointilleuse sur la qualité de la neige sélectionnée pour creuser sa tanière que l'Inuit lorsqu'il fabrique son igloo. Ainsi, un soir où Ohio avait choisi un endroit semblable pour construire leur igloo, il vit à la tombée de la nuit une ourse et deux petits oursons s'extraire de leur antre creusé à deux cents mètres à peine du campement.

— Regardez !

Cooper, qui aidait Mayoké à soigner la meute, se retourna tout en essayant de faire taire les chiens. L'ourse se dressa sur ses pattes arrière et considéra un long moment les intrus avant de s'en aller avec nonchalance, flanquée de ses deux oursons qui, turbulents, s'amusaient à se dépasser et à se bousculer, envoyant rouler tous les blocs de glace qu'ils rencontraient pour s'amuser à les poursuivre. Ils dévalèrent la grève pour rejoindre la glace de la mer gelée en se laissant glisser sur le ventre et en freinant avec leurs griffes.

Le jour se mourait en un long et rougeâtre crépuscule lorsque les ours en chasse se mirent lentement en marche vers le large, louvoyant entre les blocs de glace concassés par l'effet de la marée. Ohio, Mayoké et Cooper les regardaient s'éloigner silencieusement, absorbés par l'impression forte de vie qui se dégageait de cette scène.

Ce furent les seuls animaux qu'ils virent durant

tout le temps que dura leur voyage jusqu'au village situé à l'embouchure de la rivière Porcupine.

— Tu vois, Ohio, depuis que j'ai quitté mon bateau, j'ai toujours longé la mer, ce qui prouve qu'un passage existe.

— Tu m'as dit toi-même que les hauts-fonds ne permettraient pas à un grand bateau de passer entre la terre et certaines îles ?

— Oui, des îles, donc de la mer au-delà !

— Ou encore de la terre !

— Je suis intimement convaincu qu'il existe un passage permettant aux bateaux d'aller depuis l'Atlantique jusqu'au Pacifique par le nord.

— Le *Farvel* réussira peut-être.

— Nous le saurons un jour.

Au village régnait une activité inhabituelle : quatre attelages de chiens chargés de marchandises avaient, comme les deux années précédentes à la même date, effectué le voyage depuis le comptoir le plus proche pour venir échanger les fourrures récoltées par les Inuits durant l'hiver : des milliers de renards polaires, quelques loups et des peaux de phoque, ainsi que des défenses de narval et des dents de morse.

Ohio, Mayoké et Cooper ne s'éternisèrent pas dans le village. Dès qu'ils eurent reconstitué leurs stocks de nourriture, ils reprirent la piste damée par le passage de ces quatre traîneaux en direction du grand lac de l'Ours qu'ils atteignirent au tout début du mois d'avril, après avoir essuyé une terrible tempête de neige. La dernière de l'hiver, car dans les jours suivants, le thermomètre passa au-dessus de zéro et la neige se mit à fondre sur les toits du village.

Ils s'installèrent avec les chiens dans une cabane de pêcheur, un peu isolée. Cooper boitait légèrement, gêné par les doigts qui lui manquaient aux pieds mais il ne se plaignait pas. Au contraire, il remerciait la vie du cadeau qu'elle lui avait fait en lui envoyant son fils. Les deux seules phalanges qu'il lui restait au pouce et à l'auriculaire de la main gauche lui permettaient tout de même de pincer et il progressait dans cet exercice de jour en jour. Il ne subsistait qu'une longue cicatrice sur l'arête de son nez et le soleil printanier gommait sur ses joues et son menton les dernières traces d'engelures. Il acheta à un Indien quatre chevaux qu'il préférait à ceux trop fragiles que lui proposait un métis travaillant pour le compte de la Compagnie du Nord-Ouest, et il montra à Ohio comment les monter, les bâter et les harnacher.

— Ils ne seront pas trop chargés, dit Ohio. Les chiens peuvent porter eux aussi.

— Nous n'avons pas besoin de grand-chose. Les chiens chasseront et nous trouverons aisément dans les lacs et les rivières de quoi nous nourrir.

C'est avec une certaine fébrilité qu'ils préparaient leur expédition, dans l'attente de la débâcle. Ohio et Mayoké, parfois accompagnés de Cooper, partaient souvent à la tombée de la nuit pour de longues chevauchées au bord du lac. Ohio apprenait à conduire un cheval et s'étonnait de sa docilité, à condition de le mettre en confiance, car il découvrit que rien n'était plus peureux que ces grands animaux.

Un soir, en rentrant d'une de ses balades, Cooper eut la surprise de découvrir, assis devant leur cabane, Cliff, l'un de ses anciens coéquipiers. L'émotion des deux hommes qui se retrouvaient après une si longue séparation était palpable. Les yeux clairs de Cliff brillaient et il restait debout, face à Cooper, incapable d'articuler un mot. Ils tombèrent dans les bras l'un de l'autre et demeurèrent ainsi un long moment.

— Ce bon vieux Cliff ! répétait Cooper.

Il s'écartait pour mieux le regarder et retombait dans ses bras en lui donnant de grandes bourrades amicales dans le dos. Cooper le présenta à Ohio et à Mayoké.

— Je le savais ! Je le savais que tu reviendrais un jour !

Cooper et lui restèrent jusqu'au petit matin ensemble, à fumer la même pipe qu'ils se passaient devant le poêle sur lequel reposait une casserole pleine de thé, mais c'était du whisky qu'ils buvaient en se racontant et en évoquant le bon temps.

Puis ce fut la débâcle, immense, terrifiante et sensationnelle sur le Grand Fleuve. Cliff resta avec eux tout ce temps et Ohio put constater combien ce Blanc, comme Keith, faisait partie du pays, le comprenait, l'aimait, le respectait.

— Si seulement tous les Blancs pouvaient être comme toi, lui dit-il au moment de le quitter.

— Alors peut-être que tous les Indiens seraient comme toi, répliqua-t-il avec cette douceur qui le caractérisait.

Les chevaux étaient harnachés et le bac attendait, qui allait leur faire traverser le fleuve avec leurs chiens.

— Tu es sûr de ne pas vouloir venir avec nous ? recommença Cooper.

— Je ne regretterai qu'une seule chose dans ma vie qui s'achève, Cooper.

Il eut un sourire lumineux.

— J'aurais aimé être là quand Sacajawa et toi...

Mais la voix de Cliff se brisa d'émotion. Cooper et lui se regardèrent une dernière fois.

— Merci, Cliff. Je suis sûr que Sacajawa se souviendra de toi.

Puis ils montèrent sur le grand bac que manœuvrait une dizaine d'Indiens. Lorsqu'ils se retournèrent, Cliff avait disparu. En rentrant à la cabane, il trouverait ce que Cooper avait acheté pour lui : deux chevaux harnachés et dans leurs bâts tout ce qu'un prospecteur voulait se procurer, une tente, des pioches, des pelles, des tamis, une bonne arme et des munitions, du matériel de pêche et bien d'autres choses encore.

— Tu crois qu'il découvrira cette chose dont vous parlez avec tant de fascination ?

— De l'or ? Oh, tu sais, Cliff s'en fiche. Ce n'est qu'un prétexte pour aller vivre dans ces montagnes.

— Mais s'il n'en trouve pas, il devra de nouveau trapper pour se procurer ce dont il a besoin.

— Dans la forêt, Cliff n'a besoin de rien et, s'il lui venait l'envie de se procurer quelque chose, il n'aura aucun mal avec la bourse que j'ai laissée au fond du bât.

Ils échangèrent un clin d'œil complice et se rapprochèrent des chevaux, nerveux, qui raclaient les rondins de bois avec leurs sabots alors que le bac atteignait le premier tiers du fleuve, là où le courant était le plus fort.

65

Cooper avait emmené avec lui ses carnets de voyage qui lui permettaient, notamment grâce aux dessins qu'il avait faits, de reconnaître presque vingt ans plus tard les passages. Ohio avait davantage de mal à s'y retrouver, ayant traversé ces paysages en plein hiver.

Plus de huit cents kilomètres de montagnes, de vallées et de canyons les séparaient encore de la Stikine et ils espéraient couvrir cette distance en un peu moins de deux mois.

— Combien de temps as-tu mis la dernière fois ? demanda Ohio.

— Plus de quatre mois, mais nous nous sommes égarés plusieurs fois dans des vallées qui nous conduisaient dans des canyons infranchissables. Nous avons dû contourner des fleuves à la recherche de gués. Cela n'arrivera pas.

— Tu es sûr ?

— Avec ce carnet et toutes ces notes, je ne peux pas nous perdre.

Une fois de plus, Ohio admira l'écriture fine et complexe qui permettait tant de choses. Alors Cooper lui montra la dernière page où le botaniste et médecin de son expédition avait réalisé une esquisse de Sacajawa. On la reconnaissait très bien, même si le dessin qui avait beaucoup vieilli n'était fait que de quelques coups de crayon, car l'artiste avait saisi l'expression du visage, la douceur et la gravité de ses yeux.

— Si tu savais, Ohio, combien de fois j'ai pleuré sur ce dessin.

Il était assis au bord du feu, la carabine, dont il avait retaillé la crosse pour pouvoir épauler et tirer malgré son handicap, posée à côté de lui. Les chiens s'étaient couchés à l'extérieur du cercle de lumière. Mayoké, fatiguée, dormait déjà. On entendait sonner dans l'alpage, au-dessus de la rivière, les cloches des chevaux entravés aux antérieurs.

Deux jours après, Cooper vit au loin la « montagne aux deux cimes » qu'il avait escaladée. Ohio reconnut les parois du grand canyon qu'il avait suivi presque cinq ans plus tôt et un peu plus tard la cabane vide du trappeur qui, le premier, lui avait fait découvrir l'usage d'une arme à feu et des allumettes. Ohio et Mayoké s'habituaient aux chevaux, commençaient à comprendre leurs réactions, à anticiper certains mouvements. Le plus difficile était de conduire les deux chevaux bâtés, chargés de quatre-vingts kilos de bagages dans de gros sacs de toile fixés de part et d'autre d'une selle spéciale, à l'armature en bois. Il fallait équilibrer rigoureusement les deux sacs en plaçant les affaires les plus molles contre le flanc du cheval pour éviter qu'un objet dur ne le blesse. L'ensemble était protégé de la pluie par une tarpe de toile et maintenu en place à l'aide d'une corde attachée à une sous-ventrière. Si la corde était trop lâche, la charge roulait sur le dos ou tombait, si elle était trop tendue elle coupait la circulation. Ce poids mort équilibré sur le dos du cheval ne réagissait pas du tout comme un cavalier qui accompagne le mouvement de sa monture. Dans les dévers, les descentes, après chaque traversée de rivière, il fallait vérifier l'arrimage des sacs.

Ils n'avaient pas chargé les chiens et ceux-ci, ivres de leur liberté, baguenaudaient dans les vallées que les trois cavaliers suivaient, chassant les lièvres, plus rarement des mouflons ou des chèvres, la plupart du temps cantonnés dans des secteurs trop escarpés pour eux. C'était un véritable plaisir de voir les deux meutes, l'une dirigée par Torok et l'autre par Voulk, déambuler autour d'eux, galoper dans les alpages et à travers les forêts qu'ils traversaient. Tout à la réminiscence de souvenirs anciens mais tant de fois ressassés, Cooper menait la petite caravane, faisant corps avec son cheval. Chaque foulée de sa monture le rapprochait de celle qui, depuis tant d'années, occupait toutes ses pensées. Une esquisse de sourire ne quittait plus son visage. Il avait l'impression que toutes les montagnes lui souhaitaient la bienvenue, les torrents riaient à son approche, les fleurs, éclatantes de couleur, lui souriaient, les branches des grands pins se pliaient pour lui toucher le dos quand il se penchait pour passer sous elles, le soleil lui adressait des clins d'œil en se couchant entre les cimes.

Le soir, il restait des heures accroupi devant le feu, absorbé dans ses pensées, gonflé de bonheur. Il demeurait ainsi bien après que Mayoké et Ohio avaient rejoint leur couche, sur un lit de branchages, à la belle étoile si le temps était clair, ou sous une claie recouverte de la toile de tente si les nuages menaçaient.

Un soir, alors qu'il buvait une dernière tasse de tisane d'épinette, Cooper entendit soudain les aboiements furieux de Torok et de Voulk. Les grognements que le reste de la meute étouffait masquaient difficilement leur peur et Cooper sut tout de suite qu'il s'agissait d'un animal menaçant.

Un instant plus tard, Ohio, rhabillé, était près de lui alors que Mayoké enveloppée dans une couverture, encore ensommeillée, s'approchait elle aussi du feu.

— Un carcajou ou un ours, jugea Cooper qui s'était emparé de sa carabine.

— Pas un carcajou ! Les chiens seraient autour de lui. Avec le nombre, ils l'auraient contraint à la fuite ou l'auraient acculé quelque part. C'est un ours.

— Espérons qu'il s'agisse d'un ours noir. Si c'est un grizzly, nous avons intérêt à rester sur nos gardes. J'ai eu un homme tué pendant mon expédition.

— Nous allons vite le savoir.

Les chiens grognaient toujours. Parfois l'un d'entre eux lançait un bref aboiement qui perçait la nuit noire, sans lune. Les deux meutes s'étaient rassemblées de chaque côté d'un grand rocher au pied duquel était monté le campement. Les chevaux se trouvaient derrière eux, broutant l'herbe grasse de l'alpage, de l'autre côté du rocher.

— Si seulement il faisait jour !

— Il ne se serait pas approché autant.

Ils entendirent distinctement un bruit de branches cassées dans la forêt, puis plus rien. Les chiens aboyèrent encore un peu et finirent par se calmer.

— Sans doute un ours noir attiré par l'odeur des truites que nous avons grillées.

Il était tard et ils se couchèrent, leurs carabines chargées à côté d'eux.

À l'aube, Cooper qui était le premier levé, comme souvent, alluma le feu, mit de l'eau à chauffer puis longea la rivière. Il n'eut pas à aller très loin.

— Nom de dieu !

Une énorme empreinte de grizzly creusait le

sable. À l'endroit où il était remonté vers la forêt, ses griffes avaient arraché l'écorce d'une grosse racine de pin et la chair blanche de l'arbre apparaissait. Il entendit un bruit de pas. Ohio arrivait.

— Ohio ! Tu m'as fait peur. Regarde !

— J'ai vu. Une sacrée bête. Filons. Il ne fait pas bon être sur le territoire d'un tel spécimen.

Ils récupérèrent les chevaux qui avaient remonté l'alpage jusqu'à l'orée d'une petite forêt de bouleaux où Mayoké tua cinq gélinottes avec sa fronde. Ils bâtèrent et se mirent en route, les chiens devant eux. La brume se leva lorsqu'ils sortirent de la forêt. Elle s'ouvrait sur de grands alpages qu'ils traversèrent en suivant les pistes d'animaux, nombreuses.

— Il y aura de l'orage ce soir, prédit Cooper en regardant de gros nuages noirs s'amonceler à l'ouest.

Puis ils pénétrèrent dans une vaste forêt, un peu étouffante, qui occupait l'immense vallée du fleuve Spazatia. Ils suivaient les sentiers d'animaux, mais plusieurs fois ils durent couper des arbres couchés en travers de la piste. Ils n'avançaient pas vite et marchaient sans arrêt, les chevaux à la longe derrière eux. Cooper éprouvait les plus grandes difficultés car, sans doigts de pied, il perdait souvent l'équilibre et souffrait silencieusement de ne pouvoir aider Ohio dans le serrage des cordes et l'abattage des arbres.

Le soir, ils n'avaient progressé que d'une dizaine de kilomètres. Mais cela ne découragea pas Ohio, bien au contraire. Ces difficultés étaient autant d'obstacles que les Blancs auraient à surmonter s'il leur venait l'envie de se rendre sur les territoires des Nahannis. Ces montagnes étaient la plus formidable des protections qu'on puisse imaginer et Ohio se félicitait d'y être né, loin de tout. Mayoké, qui n'avait jamais connu que les grandes plaines et les toutes petites montagnes Caribou, s'émerveillait à chaque instant, admirant l'incroyable variété de couleur des roches, brunes, rouges, blanches, la brillance des glaciers qui s'étiraient dans les moraines et resplendissaient sous le soleil, le vert profond des forêts où de gigantesques pins se disputaient la lumière avec de grandes perches de tremble et de bouleau. Elle aimait les torrents tumultueux qui gambadaient, turbulents comme de jeunes caribous, entre les cailloux. Elle adorait toutes ces fleurs aux couleurs infinies et marchait pieds nus dans l'herbe grasse des alpages dont le vert tendre devenait foncé là où la terre riche des hauteurs leur donnait de la force et une saveur incomparable. Elle suivait dans les rochers et les crêtes la course folle des jeunes mouflons et des chèvres, fascinée par leur longue houppelande de laine blanche. Oui, Mayoké aimait ce pays. Il deviendrait celui de l'enfant qu'elle sentait grandir en elle et chérissait déjà de tout son cœur. Cet enfant dans lequel coulerait le sang de l'homme qu'elle aimait et de son père qu'elle admirait.

Ils établirent leur campement dans une vaste clairière traversée par un tout petit ruisseau. Au loin, l'orage commençait à gronder. Ils montèrent leur tipi, non pas avec les peaux trop lourdes qu'ils avaient laissées à Cliff mais avec de la toile en coton huilé, légère et imperméable. Ils commençaient à s'organiser, laissant à Cooper ce qui n'exigeait pas deux mains habiles. Mayoké gardait toujours un œil discret sur lui et venait l'aider quand manifestement il ne pouvait passer une courroie dans une boucle, serrer un nœud, ni entraver un cheval. Elle intervenait avec une délicatesse qui touchait Cooper, au bon moment, avec le sourire. On avait toujours l'impression qu'elle se trouvait là par hasard et non parce qu'elle voulait l'aider.

Fatigués par la dure journée qu'ils venaient de passer, ils s'endormirent aussitôt après avoir mangé trois délicieuses gélinottes et avant même que les premières gouttes de pluie ne tombent sur la clairière. Les deux meutes étaient parties en chasse dans la forêt, chacune de son côté, et ne reviendraient qu'au milieu de la nuit, rassasiées et encore enivrées par leur chasse.

66

Ohio ouvrit les yeux le premier, bien après que l'orage fut passé sur eux, quelques heures avant l'aube. Il se dressa sur les coudes et, dans la noirceur de la nuit, épia les bruits, encore incapable de savoir ce qui l'avait ainsi réveillé en sursaut.

— Qu'est-ce qu'il y a ?

Cooper s'était lui aussi réveillé.

— Je ne sais pas.

Puis ils entendirent le hennissement très proche et effrayé de l'un des chevaux. Cooper craqua une allumette, repoussa délicatement les pieds de Mayoké qui touchaient l'emplacement du feu au centre du tipi et poussa un amas de branches sèches qu'il avait préparé la veille. Le feu prit aussitôt.

— Je vais voir.

Ohio s'habillait et sortit.

— Il en manque un !

Cooper fronça les sourcils. Il connaissait assez le grégarisme des chevaux pour savoir qu'ils ne se séparaient pas, surtout la nuit et encore plus lorsque, effrayés par quelque chose, ils se regroupaient près du campement.

Il prit sa carabine et sortit. Avec la petite pluie fine qui tombait, Ohio et lui avaient beau tendre l'oreille, ils n'entendaient rien. Pas question non plus de voir quoi que ce soit, la nuit était d'encre.

— Il me semble entendre quelque chose, par là-bas dans la forêt, dit Ohio au bout d'un moment.

— Il se sera coincé dans une racine avec ses entraves, cela arrive. Allons-y ! Viens m'aider à fabriquer une torche.

Cooper avait emmené ce qu'il fallait. Ohio enroula les bandes enduites de graisse autour d'un bâton et ils sortirent du tipi.

Ils se dirigèrent vers la forêt située tout en haut de l'alpage. Il pleuvait de plus en plus fort et la torche crépitait dans la nuit, menaçant de s'éteindre. Ils hâtèrent le pas. Soudain un grognement terrible, suivi d'un fracas épouvantable de branches brisées, les figea sur place.

— Mon dieu, l'ours !

Ils l'entendirent qui soufflait en s'éloignant.

— Pourquoi « l'ours », tu penses que c'est le même ?

— Il nous a suivis, Ohio. C'est forcément le même.

Ohio en doutait.

— Allons-y !

Cooper l'attrapa par le bras.

— C'est dangereux. Très dangereux. Il a eu peur du feu, pas de nous, et si la torche s'éteint, il va nous sauter dessus.

— Mais… et le cheval ?

— Le cheval s'est sans doute échappé. Je n'en sais rien. On verra demain. Viens !

Ohio fit demi-tour à contrecœur. Cooper avait raison. C'était dangereux et il n'avait plus le droit de s'exposer bêtement. Il y avait Mayoké et dans son ventre le bébé avec lequel il se promènerait bientôt dans les montagnes, lui apprenant à pêcher, à chasser, à piéger. Certains risques méritaient d'être pris, d'autres pas.

— Cela s'appelle la sagesse, dit Cooper à qui il avait confié ses réflexions.

Mayoké était réveillée lorsqu'ils revinrent sous la tente. Elle avait entendu le grizzly.

— C'est le même, n'est-ce pas ?

— Peut-être.

Ils ne se rendormirent pas. Les quatre chevaux restaient tout contre le tipi et hennirent sans arrêt puis, juste avant l'aube, les deux meutes revinrent, l'une à peine une demi-heure après la première. À leurs grognements, ils comprirent que le grizzly était toujours dans les parages.

Puis enfin, l'aube se leva, grise et froide, et les grognements cessèrent. Alors Ohio et Cooper se rendirent en haut de l'alpage.

— Oh non !

Au bord de la forêt, gisait la carcasse ensanglantée du cheval dont le grizzly avait arraché la tête d'un seul coup de patte.

— Regarde, c'est lui !

Ohio montra dans le sol boueux une empreinte où l'on voyait nettement le dessin des griffes dont une était cassée au milieu.

— Il est vraiment énorme. Un grand mâle.

Cooper scrutait les profondeurs de la forêt qui demeurait dans la semi-obscurité de l'aube. Il était là, quelque part. Torok grognait, le poil hérissé sur le dos. Les autres chiens, en retrait, restaient à quelque distance de la forêt qui abritait le monstre. Ils pouvaient humer son odeur forte de cadavre.

— Qu'est-ce qu'on fait ?

— On file. Il faut changer de vallée, quitter son territoire.

— Je fermerai la marche, décida Ohio.

Ils laissèrent la carcasse du cheval au grizzly en espérant qu'il s'en contenterait et arrêterait de les suivre puis, toujours sous la pluie, levèrent le camp. Les chevaux étaient excessivement nerveux, soufflaient, faisaient des embardées soudaines, les yeux exorbités. Les chiens, la queue basse, trottaient tristement sous la pluie. Torok, lui, ne quittait plus Ohio.

La progression était rendue encore plus difficile que la veille par la pluie et les nombreux arbres qu'il fallait abattre. Ils n'avançaient pas alors qu'ils auraient voulu fuir au plus vite. Ils avaient un peu surchargé le cheval bâté et placé le reste de ce que le second cheval de bât portait sur des sacs de part et d'autre de leurs selles.

— Cette forêt ne finira donc jamais !

C'était la première fois qu'Ohio voyait Cooper perdre son flegme et sa bonne humeur, et il y vit comme un mauvais présage.

Le soir, la pluie n'avait pas cessé et ils n'étaient pas sortis de la forêt.

— La rivière gonfle. Si la pluie ne s'arrête pas, nous serons bloqués sur cette rive.

— On ne peut pas passer le col par ce côté-là ?

— Mes notes disent que c'est impossible, la paroi de la montagne tombe directement dans la rivière, il faut traverser à gué.

La perspective de se retrouver coincés dans la forêt par la rivière les effrayait. Mais la soirée et la nuit se passèrent sans encombre.

— Je m'en doutais, dit Cooper, il est resté près de sa carcasse. C'était ça qu'il voulait. Il l'a eu et puis voilà. On a perdu un cheval mais ça aurait pu être pire.

La pluie s'arrêta enfin et quand ils atteignirent l'endroit où ils devaient traverser la rivière, les nuages commençaient à se disperser, laissant par moments briller le soleil qui allumait les montagnes et rendait tout à coup la vallée luxuriante et accueillante.

— Le niveau baissera dès demain. Accordons-nous une journée de repos et nous traverserons après-demain, proposa Cooper. Après cette satanée forêt, nous en avons tous besoin.

Le soir, les sourires étaient revenus sur les visages. Ils mangèrent une succulente galette de pain fourrée de myrtilles que Mayoké était allée cueillir, ainsi que des truites et des perdrix chassées par Ohio et Cooper peu avant la tombée de la nuit. Ils avaient déjà parcouru le tiers de la distance qui les séparait de la Stikine et cette constatation, ajoutée au reste, rendait l'ambiance excellente.

Ils se couchèrent tard, demeurant longtemps à rêvasser autour du feu, emmitouflés dans des couvertures et admirant le magnifique ciel étoilé qui s'étirait au-dessus d'eux, entre les montagnes, comme un immense ruban.

C'est Torok qui le premier donna l'alarme. Aussitôt l'enfer se déchaîna. Ils se réveillèrent en sursaut et entendirent les chevaux dont les hennissements désespérés se mêlaient aux rugissements du grizzly et aux grognements des chiens. Mayoké cria dans la nuit et Ohio crut que quelque chose lui était arrivé alors qu'il cherchait fébrilement sa carabine.

— Un feu, vite ! ordonna Cooper.

Ils entendirent le hurlement de douleur d'un chien puis celui d'un autre. Cooper ne put retenir Ohio qui se rua vers les lieux du drame. On ne voyait rien et, au risque de blesser un chien, il tira en direction du rocher contre lequel, lui sembla-t-il, le grizzly avait acculé les chevaux et coincé les chiens. S'ensuivit une terrible pagaille puis soudain le silence, terrible, seulement rompu par les pleurs de Mayoké et les gémissements d'un chien agonisant.

— Ohio ! Ohio !

— Je suis là.

Cooper arrivait avec une torche.

— Il est parti.

— Vite ! Il y a un chien blessé.

Ils se dirigèrent vers le rocher et butèrent contre un de leurs chevaux qui bougeait encore, la colonne vertébrale écrasée.

— Achève-le, Ohio.

Mais Ohio était déjà près du corps sans vie de Narsuak, la cage thoracique ouverte de part en part. Plus loin, Voulk gémissait. Il s'approcha mais sans la torche que Cooper avait gardée, il ne voyait rien.

— Je reviens, mon petit Voulk. Je reviens !

Il retourna près de Cooper et d'un coup de couteau acheva le pauvre cheval, puis revint vers Voulk qui avait le côté du corps maculé de sang et plusieurs plaies heureusement pas trop profondes, quoique assez impressionnantes. Ils le portèrent jusqu'au tipi où brillait maintenant un grand feu. Au loin dans la forêt, Ohio entendit les aboiements furieux de Torok qui poursuivait seul le grizzly, sans doute surpris par le coup de feu. Ohio, mort de peur pour lui, se rendit compte après coup du risque insensé qu'il avait pris en tirant au hasard sur le grizzly. Il aurait pu le blesser et l'ours aurait instantanément chargé. C'était une chance qu'il ait choisi la fuite plutôt que l'affrontement. S'il est surpris, un grizzly choisit généralement la solution agressive. Ohio le savait et pourtant une fois de plus, sans réfléchir, il n'avait écouté que son instinct qui lui jouait tant de tours. Il avait fait prendre par la même occasion d'énormes risques à Cooper et Mayoké. Rien n'aurait pu arrêter dans la nuit la charge du grizzly. C'était cela qui l'accablait, plus encore que la mort de Narsuak et la présence terrifiante de cet ours qui allait revenir.

— Ohio !

Il se retourna, laissant sa main sur Voulk. Cooper le regardait fixement.

— T'inquiète pas, maintenant c'est fini. On ne le laissera plus tuer nos chevaux et nos chiens…

— Mais comment ?

— On va le tuer, Ohio. On va le tuer cet infâme salopard car il ne s'arrêtera plus. Il ne tue plus pour manger mais pour le plaisir, alors on va le tuer. Ce n'est plus lui qui va nous poursuivre, c'est nous.

Ohio lut dans les yeux clairs de Cooper une froide détermination et une irrévocable résolution.

— Oui, maintenant c'est lui ou nous… et ce sera lui.

67

— Mayoké ! Mayoké !

Il la réveilla. Elle était en nage et respirait avec difficulté.

— Mayoké ! Tu as fait un cauchemar. Ce n'est rien, je suis là.

Ohio l'avait prise dans ses bras et sentait les battements précipités de son cœur. Elle tremblait et regardait autour d'elle avec des yeux effrayés et une expression misérable.

— Le jour se lève, Mayoké. Il n'y a plus rien à craindre.

— Le grizzly ? demanda-t-elle.

— Il est parti et nous allons le tuer aujourd'hui.

Elle se réveillait tout à fait maintenant et regardait Ohio, Voulk allongé contre lui, alors qu'elle se remémorait son rêve. Une terrible poursuite à la fin de laquelle Cooper transperçait le ventre du grizzly tenant Ohio dans son énorme mâchoire, mais à l'intérieur duquel était son enfant.

— Je vais te servir une tasse de tisane.

Elle la but.

— Qu'est-ce que vous allez faire maintenant ?

— Retrouver ce grizzly.

Elle souleva le pan du tipi et observa la rivière.

Le niveau de l'eau avait baissé. Ils pouvaient traverser. Elle se retourna et fit face aux deux hommes qui la regardaient, intrigués par son regard déterminé.

— Il ne faut pas chercher à le tuer.

— Mais... mais, Mayoké !

— Il ne faut pas !

— Il va continuer. Il va nous suivre et la nuit prochaine il va recommencer ! On ne peut pas le laisser faire. Il a tué deux de nos chevaux, blessé Voulk, tué Narsuak ...

— Il ne faut pas.

Cooper n'avait toujours rien dit. Il se contentait de la regarder, étonné par la véhémence de ses propos qui contrastaient si nettement avec sa manière d'être habituelle, toujours en retrait, observatrice.

— Tu ne veux pas que nous tuions cet ours ?

— Je ne veux pas qu'il vous tue, vous et surtout mon bébé !

Ses mots s'étranglèrent dans sa gorge et elle se mit à pleurer, un peu rageusement, car ils ne comprenaient pas, mais comment pouvait-elle expliquer ce qu'elle ressentait avec autant de netteté ? L'histoire était écrite dans son rêve prémonitoire.

— Il ne faut pas le poursuivre. Il faut fuir. Pour une fois dans votre vie, je vous en supplie, fuyez !

— Mais Mayoké, pourquoi ?

Elle criait maintenant.

— Mais parce qu'il va nous tuer ! Je le sais comme je savais qu'une partie de moi allait mourir et Mudoï est mort. Je le sais comme je savais que mon frère ne rentrerait pas du grand lac, je ...

Cooper s'était approché d'elle et la prit dans ses bras. Avec ses moignons de main, il caressa son visage pour sécher ses larmes.

— On va s'en aller, Mayoké ! C'est bon ! On va s'en aller !

Ils n'en reparlèrent plus.

Ils préparèrent leur départ, bâtant trois chiens et aménageant un espace pour Voulk sur l'un des chevaux de selle. La tension était palpable. Torok n'était toujours pas rentré et Ohio se retenait pour ne pas se lancer à sa recherche. Il déboula enfin, alors qu'ils vérifiaient leurs armes.

— Torok !

Il n'était ni blessé, ni même trop essoufflé. On avait l'impression qu'il revenait d'une courte promenade aux alentours.

— Je me demande s'il ne s'est pas contenté de se poster à quelque distance du camp, uniquement pour être en mesure de nous avertir à temps, dit Ohio en le caressant.

— Tu le crois capable de ça ?

— De bien plus. Regarde ce rocher, et le vent qui vient derrière lui ! Il coupe toutes les odeurs. C'est pour cette raison qu'ils se sont laissé surprendre cette nuit. Torok en a tiré les conclusions.

Voulk se laissa installer dans la toile de tente, calé entre deux piquets attachés à la selle.

— Il ne cicatrisera pas avant quatre ou cinq jours et il ne faudrait pas trop le cahoter.

— On ira doucement de toute façon.

Ils ne parlaient pas du grizzly mais ils y pensaient à chaque instant, tout était décidé et organisé en fonction de cette menace permanente.

Le niveau de la rivière avait certes baissé, mais la traversée restait dangereuse. Ils cherchèrent l'endroit qui paraissait le moins profond et Cooper s'engagea le premier dans l'eau, suivi de Mayoké. Ohio fermait la marche en tenant solidement les rênes du cheval d'une main et Voulk de l'autre.

Torok n'hésita pas et plongea dans l'eau à la hauteur de son maître. Dès lors tous les autres chiens suivirent malgré la répulsion pour l'eau qu'éprouvaient certains d'entre eux. Les chevaux perdirent pied rapidement et se trouvèrent entraînés par le courant mais ils nageaient bien et franchirent l'obstacle plus facilement que prévu. De l'autre côté, ils durent grimper la berge abrupte en s'aidant les uns les autres et Ohio porta Voulk jusqu'en haut car les mouvements du cheval l'auraient jeté bas.

Puis ils traversèrent la forêt où les chiens s'en donnèrent à cœur joie. Elle abritait de nombreuses nichées de gélinottes qui ne volaient pas encore ou si mal qu'ils en attrapaient la plupart. Au-dessus de la forêt, ils trouvèrent les alpages qu'ils allaient suivre en remontant vers le col. Là, ils passeraient dans une autre vallée dont Ohio se souvenait car il y avait tué un grand élan.

— Regarde ! s'exclama Cooper avec effroi en montrant la rivière au fond de la vallée.

Ohio la vit aussitôt. Énorme tache brune qui franchissait sur leurs traces les eaux agitées de la rivière. Ainsi, il n'avait pas abandonné la poursuite !

Ils accélérèrent le pas imperceptiblement. Mayoké, nouée par l'anxiété, n'osait pas se retourner de peur de voir apparaître le monstre, mais ils ne le revirent pas de la journée malgré les immenses alpages qu'ils traversaient, où le regard portait loin.

— Peut-être aura-t-il enfin lâché prise. Ces grands alpages devaient marquer la limite de son territoire.

— Le territoire d'un tel grizzly n'est-il pas infini ? demanda Mayoké qui se forçait à manger.

Sa question resta en suspens. Au loin, on entendait le cri d'un huart qui déchirait le silence du crépuscule. Ils avaient tout fait pour atteindre le col mais la distance était trop importante. Ils le franchiraient demain matin. Ils s'étaient installés loin de la forêt, sur l'alpage, et comptaient sur la lune montante pour y voir un peu et surveiller les abords de leur camp.

C'était la bonne technique, car dès les dernières lueurs du jour, ils virent au brusque changement de comportement des chiens et à celui des chevaux que le grizzly n'avait pas renoncé. Alors ils se relayèrent pour veiller, mais ni Ohio ni Cooper et encore moins les chiens ne purent fermer l'œil. À l'orée de la forêt mais sans jamais se montrer, l'ours rôdait.

Au petit matin, épuisés et un peu inquiets car la brume enveloppait le paysage, ils se remirent en route. Torok, sur ses gardes, ne cessait de regarder derrière lui, signe que l'ours les suivait. Il aurait suffi que l'un d'entre eux se poste derrière un caillou pendant que les autres continuaient pour le mettre en joue mais Ohio avait maintenant la même conviction que Mayoké. Cet ours n'était peut-être là que pour lui transmettre une sorte de message ? Se pouvait-il que tout soit lié, les vies et les morts, les événements entre eux, les rêves ? Qu'est-ce que cet ours était censé lui faire comprendre ? Il ne fallait pas le tuer, avait dit Mayoké, alors que lui-même avait tué. Plus il y pensait, plus cet ours et la menace qu'il représentait prenaient pour Ohio une autre dimension. Il se rappelait toutes ces choses qu'il avait vues, ce chaman qui prédisait le passage des élans et cet autre qui avait guéri Mayoké. Le monde était plus que cela. Plus qu'une simple question de vie et de mort entre ceux qui ôtaient la vie et ceux qui la donnaient, de gré ou de force. Que devait-il donner à cet ours et que devait-il recevoir en échange ?

Ils franchirent le col dans un chaos de rochers glissants d'humidité. La brume s'étirait toujours, se densifiant encore au fur et à mesure qu'ils redescendaient à la recherche de la forêt.

— Tu ne te souviens pas de cet endroit, Ohio ?

répéta Cooper alors que, l'après-midi passant, ils n'avaient toujours pas retrouvé un arbre.

— Je me souviens de grandes forêts où j'ai chassé un élan mais pas de cet immense plateau qui y conduit.

— Si nous ne trouvons pas de quoi faire un feu…

Cooper ne termina pas sa phrase. Chacun comprenait.

— Remontons en selle, proposa Ohio, quitte à crever les chevaux, mais trouvons la forêt. On se reposera demain.

Cooper regretta de ne pas avoir eu cette idée plus tôt. Certes les chevaux étaient déjà surchargés, exténués par plusieurs nuits de veille durant lesquelles ils n'avaient pas mangé ou presque, mais ils pouvaient encore les porter, ne serait-ce que quelques heures. De toute façon, c'était une question de vie ou de mort. Soit ils trouvaient de quoi faire un feu, soit ils donnaient au grizzly une nuit entière pour achever ce qu'il avait entrepris.

Plusieurs fois, ils crurent apercevoir la forêt mais ce n'étaient que des rochers. La nuit tombait. Plusieurs fois, Torok avait grondé et les chiens comme les chevaux étaient nerveux, parfois affolés.

Enfin, ils trouvèrent quelques buissons d'aulnes.

— La forêt ne peut pas être loin, dit Ohio, alors que son cheval épuisé commençait à flancher.

— Il vaudrait peut-être mieux s'arrêter ici, proposa Cooper. Il y a de quoi faire un feu.

— Là-bas ! hurla Mayoké.

Ils eurent le temps de distinguer dans la pénombre brumeuse de ce crépuscule apocalyptique la forme sombre du grizzly. Un terrifiant silence suivit cette affreuse apparition.

— Montre-toi !

Cooper avait épaulé son arme. Il attendait maintenant que le grizzly réapparaisse. Mais il ne revint pas.

— La forêt !

Ohio venait de l'apercevoir sur sa gauche, qui léchait la pente en haut de laquelle ils se trouvaient. Dans la pénombre incertaine de cette fin de jour terrible, ils cherchèrent du bois à l'orée de cette petite forêt chétive où ils s'attendaient à chaque instant à voir apparaître l'épouvantable gueule du grizzly. Ils allumèrent enfin un petit feu néanmoins réconfortant et mangèrent des gélinottes.

— Il faut absolument dormir, leur dit Ohio, sinon on ne tiendra pas. On va faire des erreurs dues à la fatigue et le grizzly, lui, va en profiter.

— Et lui, quand dort-il ?

— Qui te dit qu'il ne dort pas à l'heure qu'il est, confortablement installé sous un sapin touffu en attendant la nuit pour recommencer à nous harceler ?

— Je vais commencer et je vous réveillerai, décida Mayoké. J'ai dormi bien plus que vous ces derniers jours.

Ils ne trouvèrent aucun argument valable pour contester cette décision, sinon qu'une femme enceinte avait besoin de repos mais elle réfuta ce dernier d'un simple haussement d'épaule.

— À la moindre alerte, au moindre bruit suspect, au moindre grognement des chiens, tu nous réveilles, n'est-ce pas ?

— Promis.

Ils s'endormirent, Cooper bien après Ohio, vaincu par une extrême fatigue qui eut raison de toutes ses angoisses.

Ils se réveillèrent à l'aube. Mayoké s'était endormie assise et le feu était presque éteint. Tous les chiens aboyaient rageusement et ce que vit Cooper lui glaça le sang dans les veines. L'ours était dressé à une trentaine de mètres d'eux, grondant, la gueule ouverte.

— Mon Dieu, il va charger ! murmura Cooper en relevant doucement son arme.

Mayoké, qui s'était réveillée en sursaut, ne bougeait plus. Les chiens, la queue entre les pattes, s'écrasaient sur le sol et rampaient à reculons en grondant de peur, le poil hérissé sur le dos. Seul Torok, encore interposé entre l'ours et le campement, lui tenait tête.

— Non, ne tire pas ! dit-elle doucement, comme un souffle.

Mayoké suppliait et, sans réellement comprendre, il obéit. De toute façon, une balle ne suffirait pas à arrêter une telle bête, même en la plaçant parfaitement en pleine poitrine.

— Ne tire pas !

Elle le répétait tout bas.

Et l'ours ne bougeait toujours pas. Le face-à-face dura trois bonnes minutes qui semblèrent une éternité puis l'ours se remit souplement sur ses pattes et s'en alla, s'arrêtant fréquemment pour se retourner, comme pour vérifier s'ils étaient toujours là.

68

— Mais qu'est-ce qu'il veut cet ours, criait Ohio en prenant Mayoké par les épaules et la forçant à lever le regard vers lui. C'est toi qu'il regardait ! C'est après toi qu'il en a ?

— Je ne sais pas ! je ne sais pas !

Ohio, hystérique, la secouait, agité lui-même de tremblements nerveux incontrôlables. Cooper intervint.

— Doucement, Ohio ! Doucement ! Tout va bien. Il est parti. Mayoké n'y est pour rien !

Cooper s'adressa à Mayoké. Elle était hagarde, l'air totalement épuisé comme si elle venait de courir pendant deux heures.

— Tu savais qu'il n'allait pas charger, n'est-ce pas ?

— Oui ! Je me suis endormie et en me réveillant je savais aussi qu'il était là, avant même de l'avoir vu.

Ohio l'enlaçait maintenant tendrement. Elle posa son front contre son épaule et se mit à sangloter sans bruit.

— J'ai peur, Ohio.

— Cet ours a un comportement totalement inhabituel, incompréhensible, dit Cooper. C'est comme s'il cherchait à nous rendre fous. Il nous épuise, nous harcèle, il joue avec nous.

— Levons le camp et filons le plus loin possible d'ici.

— Les chevaux ont besoin de repos.

Ils restaient là, à quelques mètres d'eux, encore paralysés de peur, plutôt que d'aller brouter l'herbe.

— S'ils ne mangent pas, ils ne vont pas tenir le coup, laissons-les au repos, qu'ils profitent des heures de jour.

Ainsi en fut-il décidé.

Les chevaux se calmèrent peu à peu, puis commencèrent timidement à paître. La tentation était trop forte d'arracher quelques touffes de l'herbe grasse caressée par le soleil. L'alpage fumait comme un linge humide et des écharpes de brume traînaient, s'accrochant aux arbres dont les cimes semblaient en feu. Il faisait froid malgré le soleil qui réchauffait l'air et ils allumèrent un grand feu où ils cuisirent des galettes en buvant du thé. Ils étaient silencieux, absorbés dans leurs pensées. Pourquoi fallait-il toujours qu'un obstacle se dresse entre ce dont ils rêvaient et la réalité ? Pourtant, aujourd'hui ils n'aspiraient plus qu'au repos. S'allonger sur une roche chaude et écouter le glissement de l'eau et le chant du vent. Plus de projet de grands voyages ni pour Ohio ni pour Cooper, mais l'existence simple et sauvage dans les Montagnes. Qu'est-ce que ce grizzly cherchait à leur dire ? Et si tout cela n'était que pure imagination de leur part, que ce grizzly grincheux ne soit qu'un ours, un vulgaire ours dont ils devaient trouer la peau d'une balle !

Non ! cet ours était à part. Cette histoire, cet ours, ils devaient s'en imprégner et décider de ce qu'ils signifiaient et de ce qu'ils allaient en faire. Le bonheur ne consistait-il pas à atteindre l'harmonie avec la réalité que la vie donnait ? L'horreur dans la féerie d'un paysage, l'absurdité d'un ours dans l'intelligibilité d'une situation, la souffrance dans la joie d'un enfantement ? Cet ours était une leçon du paradoxe de la vie. Il était comme du sang sur la neige, signe de vie et non indice de mort, car là où un animal tuait, un autre vivait. Ainsi était le mouvement de la vie.

Ils entendirent un bruit mat, sourd, au-dessus d'eux, là où les chevaux s'étaient noyés dans la brume que le soleil avait levée. Puis le bruit distinct d'une galopade suivi d'un grognement terrible. Figés par l'horreur, aucun ne bougea. Deux chevaux arrivèrent au galop, s'arrêtèrent et se cabrèrent en fouettant l'air de leurs antérieurs, faisant voler des mottes de terre et d'herbe. Au même moment, ils virent au loin la masse brune de l'ours qui basculait dans la pente et pénétrait dans la forêt, traînant derrière lui comme s'il s'agissait d'un simple lièvre le corps désarticulé du troisième cheval.

— Cette fois-ci…

Cooper s'était levé et avait empoigné son arme en même temps qu'Ohio. Torok suivait chacun des gestes de son maître. Lorsqu'il se leva lui aussi, il le suivit et derrière lui, toute la meute. Mayoké n'avait toujours pas bougé et regarda s'éloigner les deux hommes en serrant ses bras autour d'elle.

Ohio et Cooper entrèrent dans la forêt, les chiens derrière eux, Torok ouvrant la marche. Voulk, blessé, était resté avec sa maîtresse en pleurs, et qui répétait « Non, non… », mais les deux hommes ne l'entendaient pas.

Ohio suivait Torok qui progressait prudemment dans la coulée par où l'ours avait disparu, arrachant quantité de branches et couchant des arbrisseaux.

Cooper, son fusil coincé sous le bras, scrutait les profondeurs de la forêt.

— Il ne doit pas être loin, chuchota Ohio.

— Il faudra tirer chacun son tour, toi en premier dans la poitrine et moi ensuite pendant que tu rechargeras… si tu en as le temps.

L'heure n'était plus aux hésitations. Ils allaient se venger et le tuer. Un point c'est tout.

La végétation, un mélange de sapins et d'arcosses rabougris, était dense et ils avaient le plus grand mal à avancer, les tiges couchées par l'ours et sa victime se redressant et barrant la coulée. Ohio ne pouvait s'empêcher d'admirer la force de l'animal qui avait réussi à traîner un poids pareil dans un tel enchevêtrement. Enfin, les arbres s'éclaircirent un peu. Ils s'arrêtèrent pour souffler et écouter, et entendirent des craquements plus bas.

— Il est là !

Torok restait courageusement en avant alors que le reste des chiens suivait les deux hommes. Ils avancèrent en biais dans la pente. L'ours avait cessé de descendre et marchait sur le flanc de la montagne. Puis ils aperçurent l'arrière-train du cheval et surent que l'heure de l'affrontement était venue.

Torok s'était arrêté et les deux hommes retenaient leur souffle, cherchant à localiser l'ours qui, à l'affût quelque part, les attendait, sûr de lui et de sa force. La tension était palpable et de grosses gouttes de sueur perlaient sur le front des deux hommes crispés sur leur arme. C'est Torok qui, le premier, s'élança. Ohio voulut le retenir mais il était déjà au niveau du cheval. Cooper dépassa Ohio et alla jusqu'à lui puis étouffa un cri.

— Mon Dieu !

Ohio était déjà près de lui et ce qu'il vit l'horrifia. Un jet d'adrénaline gicla dans ses veines. L'ours remontait vers Mayoké.

— Mayoooookéééé .....!

Il hurla pour l'avertir, à s'en arracher les cordes vocales, mais il doutait d'être assez près. Alors il se jeta dans la pente, s'accrochant aux sapins et aux branches pour ne pas glisser. Il s'écorchait le visage et les mains mais ne sentait rien. Une douleur intolérable s'était vrillée dans son ventre et il haletait, désespéré, déjà mort à l'idée de ce qui allait se produire.

Derrière lui, Cooper essayait de suivre mais, ne pouvant s'accrocher à la végétation, il allait deux fois moins vite qu'Ohio, dérapait, tombait et se relevait toujours. Ils avaient commis une erreur et ils allaient en payer le terrible prix.

Torok collait à Ohio dont il percevait l'affolement et la détresse. Il cherchait déjà comment l'aider, sachant en son cerveau rudimentaire que l'ours était responsable de cet état. En sortant de la forêt sur l'alpage, il marqua un temps d'arrêt et gronda. Ohio arrivait aussitôt après lui et le retint fermement par le collier. Les autres chiens l'imitaient et restaient derrière.

Là-bas, Mayoké, debout, faisait face à l'immense grizzly, dressé de toute sa hauteur.

Bien qu'il fût trop loin, Ohio monta son arme à l'épaule pour tirer, mais il était trop tard. L'ours chargea.

— Mayoké !

Elle ne pouvait rien. Elle n'avait ni arme pour se défendre, ni quoi que ce soit derrière lequel se cacher, pas un arbre, pas un rocher... C'était fini. Tout se passa en un éclair. Alors que l'ours retombait sur ses pattes pour charger, Ohio vit Voulk fondre sur lui. Pas une tentative d'intimidation, non, une attaque frontale, délibérée. Se servant de la pente, le courageux husky, en un bond fantastique, se jeta sur le cou de l'ours auquel il resta accroché, gênant sa course. L'ours s'arrêta à quelques mètres de Mayoké qui s'était laissée tomber sur le sol et demeurait immobile, roulée en boule. Le grizzly secouait la tête et essayait de saisir le husky accroché à son cou mais comme il n'arrivait pas à l'attraper, il se coucha sur lui, puis roula en le frappant avec ses énormes pattes. Ohio entendait les grognements furieux de la bagarre puis le hurlement de douleur du chien, propulsé en l'air par un violent coup de griffe et qui retomba sur le sol avec un bruit mat. Les deux combattants s'étaient rapprochés d'Ohio et de Torok qui s'élança à son tour.

— Non ! Torok !

Celui-ci s'arrêta net, comme retenu par un lien invisible. Le grizzly, furieux, était déjà revenu sur le pauvre Voulk qui gisait inanimé sur le sol et l'envoyait de nouveau en l'air d'un coup de patte méprisant.

— Sage, Torok ! Reste !

Le husky tremblait de rage contenue mais ne bougeait pas, se contentant de gronder, le poil hérissé.

Ohio, prêt à faire feu, attendait que le grizzly s'immobilise un instant pour tirer, mais celui-ci délaissant tout à coup le chien remonta au grand galop vers Mayoké, sa cible initiale. En un éclair, il était sur elle. Ohio n'avait pas eu le temps de réagir. Et quand bien même, il n'aurait pu ajuster son tir et n'aurait fait qu'attiser la colère du monstre. Cette fois, Ohio ne cria pas. Horrifié, impuissant, il assistait à la scène que Mayoké avait prédite, ce dont il n'avait pas assez tenu compte. Il se contentait de murmurer son nom, les lèvres serrées.

— Mayoké ! Ma petite Mayoké !

Il était inutile de bouger. Dans un instant, tout serait fini. L'ours s'était immobilisé et la fit rouler sur le côté en grognant affreusement. Puis il leva son énorme patte pour la frapper.

Alors l'incroyable se produisit.

Mayoké se mit soudainement sur ses jambes. L'ours se dressa lui aussi et ils restèrent un long moment ainsi, face à face. En fait quelques secondes, mais qui durèrent des heures. Le monstre de plus de trois mètres de haut dominant la frêle silhouette de Mayoké. Ohio crut voir l'ours pencher un peu la tête puis il retomba sur ses pattes et s'éloigna d'un trot souple vers le haut de l'alpage où il disparut bientôt sans se retourner.

Ohio se rua sur Mayoké que Torok atteignit avant elle. Elle pleurait doucement, le corps secoué de convulsions et elle se jeta dans les bras d'Ohio. Il l'embrassait, la serrait contre lui, s'abandonnait dans ses cheveux, bredouillait des mots sans suite. Il pleurait lui aussi, de rage car l'ours avait tué Voulk, mais surtout de joie car Mayoké était vivante.

69

Ce n'était pas un ours comme les autres. Mayoké l'avait vu dans ses yeux.

— Il ne nous fera plus de mal, avait-elle dit à Cooper quand il était arrivé, bien plus tard, en nage.

Mais comment le savait-elle ?

Un regard lui avait suffi. L'ours lui avait fait cette promesse silencieuse et elle y croyait. Pourtant, il avait chargé une première fois dans l'intention évidente de la tuer et Voulk lui avait sauvé la vie. Alors que s'était-il passé ?

Lorsque l'ours l'avait retournée d'un coup de patte, elle avait soudainement éprouvé le besoin de le regarder en face, d'affronter la mort plutôt que de la subir en espérant un miracle. Elle s'était levée et avait plongé son regard dans celui de l'ours. De petits yeux marrons, cruels et brillants, qui s'étaient voilés. Puis, dans son ventre contracté par la peur, elle avait senti bouger son enfant et en mettant sa main sur lui, un flux d'énergie l'avait traversée. Elle avait vu l'ours ciller puis la regarder avec un mélange de peur et de curiosité. Alors elle lui avait dit de partir d'une voix ferme.

Et il était parti.

Torok s'était rendu auprès de Voulk et avait hurlé en grattant le sol sous lui comme s'il avait voulu le remettre debout. Les autres chiens restaient prudemment à l'écart. Torok avait déjà durement éconduit ceux qui s'étaient approchés et maintenant ils obéissaient. Ohio observait tristement la scène. Les deux ennemis avaient traversé ensemble tant d'épreuves qu'ils en étaient venus à se respecter, puis à s'aimer. Voulk avait payé de sa vie son amour pour celle qui était devenue sa petite maîtresse et Mayoké regardait avec une tristesse infinie le corps déchiqueté et inanimé de celui grâce auquel elle avait surmonté tant d'épreuves.

— Mon Voulk. Mon seigneur des neiges, jamais je ne t'oublierai.

Elle le caressait et Ohio la regardait. Torok s'était couché contre lui.

Ils portèrent Voulk contre l'un des rochers qui, de loin en loin, brisaient la monotonie de l'alpage, puis creusèrent un trou et l'y déposèrent avant de le recouvrir de cailloux.

— Que le grand esprit t'accorde de cheminer au côté du grand troupeau dans l'au-delà, commença Ohio, bouleversé.

— Notre fils s'appellera Voulko, car tu es mort pour qu'il vive, dit Mayoké.

Cooper regardait respectueusement, impressionné par les liens qui unissaient ce chien et ces deux êtres. Les Indiens ne construisaient jamais de demeure éternelle aux animaux, sauf quand la situation l'exigeait, comme ici puisqu'une vie avait continué grâce au don de la sienne. Maintenant, une partie de l'esprit de Voulk vivait en Mayoké. Depuis l'au-delà, il lui transmettrait de la force et de l'énergie.

Les nuages, qui s'étaient accumulés durant toute la journée dans un ciel tourmenté par les vents, se déchirèrent dans l'après-midi et un soleil généreux inonda les alpages. Ils repartirent pour mettre un peu de distance entre leur campement et le cadavre du cheval que l'ours chercherait à retrouver.

Ils s'arrêtèrent, à peine une heure après, au bord d'un petit lac aux eaux d'un beau bleu-vert émeraude contre lequel la forêt s'appuyait et où ils purent faire provision de bois et de perdrix.

Les chiens restaient auprès d'eux, encore traumatisés par la tragédie. Ohio pêcha quelques truites qu'il leur distribua mais ils étaient sans appétit. La petite meute de Voulk était un animal sans vie, égaré.

— Cela passera, ils vont réintégrer la meute de Torok ou se trouver un nouveau chef.

— Nanook a une âme de chef de meute.

En effet, au petit matin, lorsqu'ils se remirent en marche, c'est Nanook qui se porta résolument en avant des quatre chiens de sa portée. Tagush tenta bien de lui ravir la place mais Nanook n'eut qu'à montrer les crocs pour lui en enlever toute velléité.

Ils passèrent le col le lendemain puis rejoignirent la vallée de la rivière Kodiak. Ils n'avaient pas revu le grizzly.

— Voilà la vallée, dit Cooper en indiquant une ouverture vers le sud-ouest.

— Tout a brûlé là-bas, lui confirma Ohio, on ne peut pas y repasser.

— Et par là ? demanda Cooper en montrant l'ouest.

— Le début est difficile. C'est une succession de plateaux et de canyons, mais à partir du col de la Wolverine, ce sont de grandes montagnes, des alpages et de profondes vallées.

Cooper reconnaissait le paysage, tout comme Ohio qui, à chaque pas, retrouvait des sensations délicieuses, des odeurs, des couleurs, le chant de certains oiseaux de montagne, la texture des roches et de la terre.

Ohio ouvrait la marche, à pied car il manquait un cheval, suivi des chiens qu'ils avaient bâtés en cousant quelques sacs dans la toile de leur tipi.

En haut de la Kodiak, ils s'arrêtèrent une journée pour chasser. Ohio fut étonné par les qualités de pisteur de Cooper qui, pourtant, éprouvait les plus grandes difficultés à escalader les versants abrupts. Il avait réussi l'approche d'une harde de mouflons et tué l'un d'entre eux avec la crosse de son arme coincée dans le creux de l'épaule et reposant sur son bras. Le moignon de doigt qu'il lui restait lui permettait d'appuyer sur la queue de détente.

— Tu vois, Ohio, ces armes que tu dénigres ont tout du même du bon. Je ne serais plus capable de décocher une flèche avec ça — il montra ses mains.

— Je ne dénigre pas tout, lui répondit Ohio alors qu'ils se reposaient, après avoir découpé le mouflon sur la crête d'une montagne. Je suis émerveillé par ce que vous avez inventé, fabriqué : les allumettes, les carreaux de verre transparent, les lames d'acier, les ustensiles de cuisine en fonte, les toiles et bien d'autres choses encore. Mais l'avilissement des Indiens que cela a entraîné, l'irrespect des grands principes de l'équilibre de la nature qui ont été bafoués, tout cela est condamnable et regrettable.

Cooper approuvait silencieusement en hochant la tête.

— La marche du monde est une énorme pierre roulant dans une pente, dit-il en poussant un caillou du pied. Tu ne peux pas l'arrêter mais tu peux dévier sa course pour préserver l'essentiel.

L'image plaisait à Ohio.

— Trouver dans notre existence ce qui est essentiel.

Ils regardaient l'immense vallée verdoyante drainée par le fleuve aux eaux argentées alors que montait vers eux le gazouillement confus de milliers d'oiseaux et plus haut, le cri strident de deux aigles décrivant des orbes dans le ciel tavelé de petits nuages. C'était l'une de ces soirées chaudes de l'été où l'on avait du mal à imaginer le même paysage, figé par l'hiver, avec le blanc indéfiniment, le silence total, oppressant, l'immobilité absolue. Là tout vibrait, bougeait, vivait, chantait.

— Jamais je ne laisserai quelqu'un insulter cette terre, dit gravement Ohio.

— Si je reste ici, je t'aiderai.

Ohio avait sursauté et Cooper lui confia ses pensées.

— Cela fait presque vingt ans, que je n'ai pas revu Sacajawa, Ohio. Vingt ans ! Te rends-tu compte ?

Ohio approuva silencieusement. Lui-même ne savait plus très bien. Il était parti depuis si longtemps. Qu'était devenue Sacajawa durant tout ce temps ? Il connaissait si peu sa mère. Elle était si secrète, parfois tellement mystérieuse. Il comprenait les doutes de Cooper et cette fragilité le touchait.

— Je suis sûr que le temps n'a rien changé en elle.

Cooper ne répondit pas. Il se leva et bascula sur son dos la charge de viande qu'ils s'étaient répartie, montrant ainsi à Ohio qu'il n'entendait pas prolonger cette conversation. Il gardait ses espoirs et ses incertitudes pour lui, comme un trésor.

Ils redescendirent vers leur campement dont on devinait l'emplacement dans la vallée grâce à la colonne de fumée qui s'élevait au-dessus des arbres. Ils étaient silencieux, absorbés l'un et l'autre dans leurs pensées. Ohio ne pouvait se défaire d'une vague appréhension qui grandissait au fur et à mesure qu'il approchait de son village. Il connaissait maintenant assez la vie pour savoir qu'elle donnait et reprenait les joies qu'elle distribuait.

Le lendemain, ils se remirent en route dans un brouillard humide et épais qui imprégnait leurs vêtements de cuir. Ils longèrent la rivière en suivant un sentier régulièrement emprunté par les élans, puis ils cherchèrent comment monter sur les hauts plateaux et trouvèrent un peu par hasard une combe qui permettait d'y accéder. Ohio ne reconnaissait rien mais il se savait sur la bonne voie. Durant trois jours, ils cheminèrent tranquillement sur le haut plateau où Ohio avait été attaqué par des loups. Puis ils traversèrent la rivière Baseek et longèrent non sans difficulté des canyons et des rivières encaissées, effectuant de multiples détours pour éviter des zones d'éboulis et des combes abruptes.

Au brouillard succéda une longue période de pluie entrecoupée de courtes éclaircies durant lesquelles ils essayaient de se repérer. Ohio était perdu. Ils s'étaient écartés de la route mais, en se dirigeant vers l'ouest, il était sûr de retomber tôt ou tard sur la grande rivière Semuak qui les conduirait au village du même nom où il retrouverait son ami Yumiah. Quand le mauvais temps les empêchait de se guider sur le soleil, la boussole de Cooper leur était d'une grande utilité.

Enfin, le beau temps revint et Ohio crut reconnaître au loin la forme particulière du col de la Wolverine. Deux jours plus tard, ils y arrivaient, après avoir erré dans une vallée saccagée par des feux de forêt et où les arbres calcinés, enchevêtrés les uns aux autres, gênaient considérablement leur marche.

Une intense émotion étreignit Ohio lorsqu'il atteignit ce qui était bien le col de la Wolverine. De là, il dominait toute l'immensité du paysage avec ses montagnes d'une écrasante majesté, ses pics, arêtes et aiguilles comme peints d'un blanc immaculé, les glaciers resplendissants de lumière, les alpages d'un vert profond disputant les pentes et les plateaux aux forêts que des torrents argentés traversaient.

— Chez moi ! Chez moi, répéta Ohio avec fierté.

Il enlaça Mayoké qui restait silencieuse, ébahie par la richesse et la féerie de ce qu'elle voyait. Elle posa la main d'Ohio sur son ventre arrondi.

— Notre enfant devra avoir de grands yeux pour voir toutes ces beautés.

Ohio goûtait l'instant avec volupté. Il avait enfin la délicieuse sensation d'être de retour et il se rappelait le jour où il était passé ici, seul, plein d'angoisses et d'incertitudes. Il revenait chez lui, riche de toutes les aventures qu'il avait traversées et récompensé de toutes les souffrances qu'il avait endurées. Dans ses bras se blottissait celle qui allait partager sa vie et dans son ventre grandissait Voulko, son enfant. Et Cooper était là, grâce à lui.

Et surtout, aujourd'hui, il savait qui il était.

70

Ohio se retourna et fit signe à Cooper et Mayoké, restés en arrière. Il avait trouvé un passage pour franchir la combe qu'il avait d'abord contournée par le bas mais dont la pente s'accentuait jusqu'à former une crevasse infranchissable. Alors il s'assit sur un rocher et admira le paysage où déambulaient les deux chevaux et sa meute de chiens, puis il suivit le vol rectiligne d'un harfang des neiges qui lui rappela le vieux chaman et leur balade initiatique. L'oiseau se dirigeait vers le col voilé par une petite brume de beau temps et, à l'instant où Ohio le perdit des yeux, il aperçut la masse noire d'un grizzly qui émergeait du brouillard.

— Ça ne peut pas ! Ça ne peut pas être lui.

Et pourtant, c'était la même démarche, légèrement désaxée à droite, la même robe, sombre sur le dos et plus claire sur les flancs, et surtout la même impression qui se dégageait de lui. Une impression contradictoire de puissance et de vulnérabilité.

Il les suivait. Il avait quitté son territoire pour les suivre. Pour les traquer. Et il approchait la petite caravane sous le vent, afin que les chiens ne puissent déceler sa présence.

Ohio se dressa sur un rocher et se mit à hurler en

faisant des signes, mais le vent emportait ses cris et ni Cooper ni Mayoké, concentrés sur un passage difficile dans ce terrain de rocaille, ne le voyait.

Ohio était découragé. Il observait l'ours lorsque soudain, le calme se fit en lui. Il se mit à le regarder autrement. Un lien invisible s'établit entre sa conscience et celle de l'ours, et il se rendit compte qu'il ne devait pas le considérer comme un ennemi mais comme faisant partie intégrante d'un milieu qu'ils aimaient et partageaient, et duquel l'un et l'autre tiraient leur subsistance, sans concurrence.

Il découvrit que l'agressivité de l'ours n'était que le reflet de sa propre pugnacité. Les animaux, il le savait car les chiens agissaient de la même façon, sentaient la disposition d'un homme à leur égard et aucun mot n'était nécessaire pour leur faire comprendre qui les aimait et qui en avait peur. Un animal sauvage percevait ces ondes que les hommes comme Keshad, le vieux chaman, lisaient dans le mouvement du temps. Ohio ne regarda plus l'ours en lui-même mais son attitude, ce qu'il exprimait au travers de sa façon de se déplacer. L'ours n'attaquerait pas. Ohio en eut la certitude et les battements désordonnés de son cœur ralentirent. Il s'assit et se surprit à sourire. Cette conviction était celle qu'il n'avait pas comprise lorsque le vieux chaman lui avait montré comment regarder un élan avant de le voir. Il se souvint du souffle des bisons que Mayoké et lui avaient perçu bien avant que le vent n'apporte le moindre bruissement, la moindre odeur. Il existait une autre manière de voir, d'écouter et de sentir. Mais pour cela, il fallait aimer, et maintenant Ohio pardonnait à cet ours. Il lui était reconnaissant de lui avoir ouvert les yeux en l'accompagnant sur cette route où ils avaient suivi les sentiers des animaux sauvages et respiré l'air parfumé des montagnes.

La sagesse des siens perdurerait s'ils parvenaient

à prolonger ce lien intime les unissant à leur territoire. Ohio n'avait pas oublié les paroles de Cooper. De l'autre côté de la mer, dans les pays qu'habitaient ces hommes capables d'abattre des animaux pour le simple plaisir de tuer, les loups, les ours et bien d'autres étaient exterminés. Bientôt, l'homme blanc n'entendrait plus le chant du loup et, dans les montagnes, il ne verrait plus l'empreinte de l'ours. Le Blanc ne comprenait-il donc pas quel lien l'unissait lui aussi à toute chose ?

Oui, Ohio souriait à cet ours qui avait tué pour se nourrir et pour se défendre car il lui avait fait prendre conscience que son peuple avait un choix à faire. Il devait décider quelle portion de tout ce qui l'entourait, tangible ou non, il pouvait détruire pour la transformer en richesse matérielle. Quelle quantité d'animaux à fourrure pouvait-il prélever pour l'échanger contre du thé, des armes ou des couteaux ? Il devait décider aussi quelle partie de sa richesse, née de cette intimité avec la nature, il était résolu à préserver. Quitte à lutter pour y parvenir.

Ohio quitta un instant l'ours des yeux pour regarder cheminer la petite caravane. Lorsqu'il releva les yeux, l'ours n'était plus là. Torok, qui avait vu Ohio, accéléra le pas, sans courir, car il était gêné par le sac de toile qui lui battait les flancs. Peu après arrivaient le reste des chiens, Mayoké et Cooper.

Mayoké qui désirait se délier un peu les muscles sauta de cheval et Ohio l'accueillit dans ses bras, et l'embrassa.

— Je prends ton cheval. Je n'en ai pas pour longtemps.

Avant qu'elle lui demande où il allait, il avait déjà sauté en selle et s'éloignait. Torok voulut le suivre mais Ohio lui ordonna de l'attendre. Il se rendit vite là où il avait vu l'ours disparaître, et trouva sans difficulté une empreinte, dans la petite combe par laquelle le grizzly était redescendu vers la vallée. S'il avait redouté dans un premier temps que ce soit bien le même ours, il l'espérait maintenant. Mais il n'avait plus besoin de se baisser pour observer l'empreinte. Il savait que c'était lui et il se contenta de regarder la piste qu'il avait laissée dans les herbes, écrasant au passage des campanules et des verges d'or.

71

Ils ne restèrent que deux jours à Semuak. La plupart des hommes étaient à la pêche plus haut, sur l'un des affluents de la rivière, là où les saumons étaient faciles à attraper. Yumiah, l'ami d'Ohio, n'était pas là non plus et surtout ils étaient pressés d'arriver. Ohio reviendrait le voir cet hiver et lui donnerait un chiot pour le remercier de tout ce qu'il avait fait pour lui.

Le village n'avait pas beaucoup changé depuis le passage d'Ohio, à l'exception des vitres qui avaient remplacé les peaux d'intestin de caribou graissé sur les cabanes, équipées maintenant de petits poêles en acier léger.

— Il n'y a pas de comptoir ici, pourtant, s'étonna Ohio, vaguement inquiet.

— Ce sont les Kutchins qui effectuent les ravitaillements et emmènent les peaux.

— Où donc ?

— Loin au nord, à au moins deux lunes en canoë.

Ainsi il existait un passage par le nord, et là-bas des Blancs s'installaient. L'étau se resserrait. Il était temps qu'il rentre et raconte ce qu'il avait vu. Il le fit au chef de ce village, Nimhan, qui lui avait sauvé la vie au début de son voyage. Cooper se contentait d'écouter, cautionnant et approuvant certaines de ses remarques. C'était à Ohio de dire son inquiétude en sa qualité d'Indien, et le fait qu'un Blanc de la réputation de Cooper l'approuve suscitait le respect et l'intérêt.

Nimhan écouta son récit et ses arguments sans rien dire, jusqu'au bout.

— Tu es bien le fils de Sacajawa, lui dit-il.

Cooper et Ohio ne comprenaient pas et ne dissimulèrent pas leur surprise.

— Un Tagish s'est rendu dans le village des Nahannis et a proposé des marchandises en échange de fourrures. Alors les Nahannis ont trappé plutôt que de chasser et une grande famine s'est abattue sur le village en hiver. Sacajawa les avait pourtant avertis.

— Une… une famine ?

— Oui, si terrible que de nombreux vieillards et enfants sont morts. Je crains que celui de Sacajawa ne soit mort lui aussi.

Cooper était devenu tout pâle.

— Sacajawa, un… un enfant ?

— C'est vrai, s'excusa Nimhan. Tu es parti depuis si longtemps, mais je ne peux te dire que ce que je sais. Or, cet hiver et l'autre aussi, aucun Nahanni n'est venu.

— Personne n'est venu échanger les peaux ?

— Non, Ohio. Tout a bien changé. Maintenant les Nahannis échangent directement avec les Kutchins approvisionnés par les Blancs. Ils ne viendront plus ici, je le crains.

Le chef, fataliste, semblait regretter le temps où les Nahannis venaient chercher dans son village ce qu'ils ne trouvaient pas au sud, comme les peaux de phoque, étanches, qu'eux-mêmes allaient échanger très au nord dans un autre village qui troquait avec les Inuits.

— Mais alors qui t'a parlé des Nahannis, de Sacajawa ?

— Un chasseur de passage et un autre plus tard, un Kaska. Il m'a dit que Rankhan était mort lorsqu'il était avec Sacajawa.

Ohio n'y comprenait plus rien. Cooper, livide, se taisait. Il fixait tour à tour Nimhan et Ohio.

— Rankhan est mort… et c'était lui le compagnon de ma mère ?

— Non, c'est un Sushine d'après ce que je sais.

— Oujka ?

— Je ne sais pas. Je crois bien. Ce nom me dit quelque chose.

— Mais depuis la famine, tu as eu des nouvelles ? Sacajawa est en vie ?

— Elle l'est. Je le sais car c'est elle qui a refusé l'installation d'un comptoir chez les Nahannis au nom de tous les clans de la rivière Stikine.

Ohio, abasourdi, observa un temps de silence. Lorsqu'il releva les yeux, il croisa le regard de Cooper. Il lui souriait tristement, avec fatalisme.

— Tout va bien, Ohio. Ce ne sont que des bonnes nouvelles, à l'exception de cette famine. Mais elle était sans doute nécessaire pour que les tiens prennent conscience de la fragilité de ce système. Sacajawa l'a semble-t-il compris aussi bien que toi.

— Mais..

Ohio, troublé, ne savait que dire. Cooper reprit la parole.

— Je le savais, Ohio. Je pressentais ce qui est arrivé, je veux dire… à propos de Sacajawa.

Ils retournèrent silencieusement à la cabane de Yumiah où Mayoké préparait leur départ pour le lendemain matin.

Ohio était consterné. Une fois de plus, les événements se liguaient contre lui. Pourquoi Sacajawa lui avait-elle fait cela ? Pourquoi ne l'avait-elle pas attendu ? Mais il se souvint qu'elle ne lui avait rien promis, rien demandé. Comment pouvait-il en vouloir à sa mère ? N'était-il pas légitime d'avoir envie d'un autre enfant et d'un compagnon après tant d'années passées seule ?

Cooper partit pour une longue randonnée à travers la montagne qui surplombait le village. Ohio était assis devant le poêle et rêvassait, en proie à mille incertitudes, lorsqu'il rentra. Il paraissait serein et soulagé.

— Ohio, j'ai pris une décision irrévocable que tu dois comprendre.

Avait-il besoin de le lui dire ? Il savait.

— Je n'irai pas avec toi au terme de ce voyage…

Ohio regardait le moignon de ses mains mutilées qu'il frottait l'une contre l'autre en parlant. Il souffrait pour lui mais il comprenait. Cooper lui expliqua pourtant.

— Tu diras à Sacajawa que je suis mort au cours du voyage qui me ramenait vers l'Angleterre et je compte sur Nimhan et les hommes de ce village pour toujours garder le secret. Sacajawa a enfin refait sa vie, elle a un compagnon et un enfant, et je souhaite de tout mon cœur qu'il soit encore en vie car elle mérite le bonheur. Elle a beaucoup souffert, Ohio, et je ne troublerai pas cette fragile mais précieuse sérénité qui doit être la sienne aujourd'hui. Ne pas la revoir, c'est m'épargner une souffrance et c'est aussi l'ultime preuve de mon amour.

Les derniers mots s'étranglaient dans sa gorge. Ohio, brisé par l'émotion, ne put ouvrir la bouche, pour dire quoi ?

— Je t'aime, Cooper. Je suis fier d'être ton fils.

Leurs yeux s'accrochèrent.

— Ce secret sera si lourd à porter.

Ohio et Mayoké décidèrent de reporter d'un jour leur départ pour prendre le temps de répartir les affaires et profiter encore un peu de Cooper, connaître ses projets. Cooper laissait la moitié de sa fortune à Ohio et voulait qu'il l'utilise dans le combat qui désormais serait le sien.

— C'est ma contribution à ce pays qui m'a tant donné.

— Tu ne lui en veux donc pas ?

— Je n'en veux à personne d'autre qu'à moi-même.

— Tu n'y es pour rien.

— Si, j'ai été trop naïf.

Mayoké n'avait émis aucun jugement sur le choix de Cooper. Ohio et Cooper se trouvaient dans la cabane lorsqu'ils entendirent un cri joyeux et des rires.

Ohio sortit. Devant la porte, un vieil homme serrait Mayoké dans ses bras. Ohio le reconnut tout de suite.

— Keith ! Ce bon vieux Keith !

Ils tombèrent dans les bras l'un de l'autre puis Keith se figea en apercevant Cooper sur le pas de la porte.

— Je ne peux pas y croire ! Je ne peux pas y croire, Keith ! Mon ami Keith !

Cooper avait l'air bouleversé. Ils s'étreignirent longuement, incapables l'un et l'autre de prononcer un mot, émus aux larmes.

— Keith ! Mais comment es-tu ici ?

— Bon dieu ! je vous cours après depuis des lunes !

— Des lunes ?

— Depuis le Mackenzie que je vous file, j'suis arrivé juste après votre départ, trois jours à peine. Alors j'ai refait mon paquetage et avec ce bon Dieu de cheval et cette foutue mule qu'a le crâne encore plus tordu que le mien je vous ai couru après. À croire que vous aviez le feu aux fesses ! C'est-y ce foutu grizzly qui vous a fait grouiller comme ça ?

Cooper riait et Mayoké le regardait tendrement, aussi heureuse qu'Ohio de revoir ce vieil homme aux yeux gris dont émanait tant de gentillesse bourrue.

— Le grizzly, tu l'as vu ?

— Bon Dieu non, sinon je lui aurais fait la peau avec ce qu'il vous a bouffé !

— Tu as trouvé les cadavres ?

— Bien sûr que oui ! J'vous suivais à la trace que je vous dis, et avec tous ces bon Dieu de corbeaux je pouvais pas les louper.

— Mais pourquoi... pourquoi nous poursuivais-tu ?

Il éclata d'un rire sonore et donna une grande claque dans le dos de Cooper. Son regard s'arrêta un instant sur ses mains mutilées mais il se ressaisit aussitôt.

— Ben, pour boire un coup avec toi, bon Dieu de bon Dieu. Ça fait un bout qu'on s'est pas vus, non ? Et puis je l'avais dit à Ohio, j'avais envie de voir ces putains de Montagnes avant de crever et je suis pas déçu. Si ta Sacajawa est aussi belle que ces Montagnes...

Cooper baissa les yeux.

— Qu'est-ce qu'il y a ? J'ai dit une connerie ?

Cooper lui raconta tout depuis le début, depuis le jour où ils s'étaient quittés jusqu'à aujourd'hui. Keith ne l'interrompit qu'une fois, lorsqu'il lui expliqua le complot de son beau-père.

— Bon Dieu de bon Dieu, je le savais ! Je le savais bien !

— Qu'est-ce que tu racontes ?

— Je le savais bien qu'il y avait un truc louche. C'est pour ça que je t'ai envoyé ce mot. Je t'ai vu,

Cooper, à ton retour et je te connais, je savais bien que c'était pas clair cette histoire. Je l'ai dit à Ohio, c'est pas vrai ?

Ohio acquiesça.

Puis Cooper continua. À la fin de son récit, il semblait épuisé.

— Je vais repartir avec toi, Keith !

— Et tu veux aller où ?

Keith le regardait en coin, bizarrement, presque méchamment.

— Je vais essayer de retrouver mon bateau et reprendre le commandement. C'est encore quelque chose que je peux faire avec ces mains-là. J'ai des tas de projets d'exploration. Je suis fait pour cela. C'est une vie que j'aime, celle que je n'aurais jamais dû quitter…

— Bon Dieu de bon Dieu !

Keith avait crié et s'était levé d'un coup, le visage transformé, la mâchoire crispée, et il regardait Cooper avec des flammes dans les yeux. On aurait juré qu'il voulait l'étrangler. Il semblait fou et Ohio se tenait prêt à intervenir.

— Mais qu'est-ce…

Keith était déjà sorti.

Cooper, interloqué, regardait Ohio et Mayoké, figés dans une attitude étrange.

Ils n'eurent pas le temps de se poser de questions. Keith, en proie à une colère incontrôlable, bouscula la porte et entra en trombe. Aveuglés par la lumière, ils ne virent pas tout de suite qu'il avait un fusil, un de ces nouveaux fusils à chien.

Il le braqua sur Cooper.

— Mais Keith, qu'est-ce… ?

— Tais-toi. Ferme-la. J'ai assez entendu de conneries comme ça et écoute-moi bien ! Je te jure que j'appuie sur cette bon Dieu de détente si tu m'écoutes pas. Tu me connais Cooper ? Je le ferai. Tu le sais.

Il avait l'air déterminé.

— Je te tuerai parce que de toute manière si tu ne vas pas voir Sacajawa tu es mort, alors je préfère encore le faire moi-même.

Ils ne comprenaient pas où il voulait en venir. Ohio et Mayoké se regardaient mais Keith les observait et ils sentaient qu'il ne se contrôlait plus vraiment, qu'il était prêt à tirer.

— Alors tu vas me promettre de reprendre ton foutu canasson et de lui botter le cul jusqu'à là-bas sinon je te troue la peau, tu m'entends !

Il avait crié et Cooper sursauta.

— Tu as perdu presque vingt ans de ta vie à cause de ta putain de morale qui t'a ramené en Angleterre. Tu as fait tout ce putain de voyage jusqu'ici pour la revoir et encore une fois, au nom de cette bon Dieu de foutue morale, tu veux repartir. Avec tes moignons de mains !

Il cracha sur le sol.

— Non ! Tu m'entends, Non ! Moi vivant, ça n'arrivera pas !

— Keith, ça ne te regarde pas, cette histoire !

Cooper retrouvait quelques couleurs mais n'osait pas encore se lever ni le défier. Il le sentait prêt à tout et en eut vite la confirmation. Soudain le regard de Keith s'illumina et il recula. Il retrouva un peu de calme et semblait content de lui.

— Tu sais ce qui va se passer ? Tu vas me jurer d'aller la voir, me le jurer vraiment, sur l'honneur, au nom de notre amitié et de ce que nous avons fait ensemble, sinon je me fais sauter la tête. Je te jure que je vais le faire, Cooper, tu te souviens de moi, n'est-ce pas ? Est-ce que j'ai l'habitude de promettre en l'air ?

Cooper fit signe que non.

Keith avait retourné l'arme contre lui.

— Je te donne deux minutes. Rien que deux petites minutes !

Cooper brisa le silence qui suivit.

— Bon Dieu, Keith ! Ce sont mes affaires, ça ! Qu'est-ce que tu...

— Tes affaires, elles sont devenues un peu les miennes depuis que j'ai envoyé cette lettre, sauvé Mayoké et prié pour tout ce qui va arriver ! Et moi, j'aurais aimé qu'un ami me botte le cul quand j'ai fait la plus grande connerie de ma vie, alors je préfère crever plutôt que de voir celui que j'admire sans doute le plus sur cette bon Dieu de Terre bousiller sa vie comme ça !

— Il a raison !

On entendit un juron étouffé et Ohio s'avança vers Cooper, le visage grave. Il le prit par les pans de sa veste et le regarda durement.

— C'est à moi que tu dois ça !

— Ohio, reste en dehors de…

— N'oublie pas, Cooper. N'oublie pas l'immense voyage que j'ai accompli pour aller te chercher, à toutes ces souffrances que j'ai endurées, jusqu'à ce jour où je suis allé te tirer de la mort. Tu me dois quelques jours de vie, Cooper. Tu me dois ces huit jours pour aller jusqu'au village.

— Keith et Ohio ont raison. Tu dois aller là-bas.

Ils se retournèrent ensemble. Mayoké avait parlé en s'approchant de Keith à qui elle enleva le fusil des mains avec douceur. Puis elle sortit.

72

Ils allèrent droit vers la rivière Kantishna, à travers les hauts plateaux de lichen que *haï-ouktou*, la grande harde, traversait à l'automne au cours de sa migration vers le sud.

Keith était reparti vers le nord pour aller visiter un clan kaska. Il promit à Ohio de redescendre au début de l'hiver jusqu'à son village.

Son village !

Ohio avait du mal à y croire. Se pouvait-il qu'il retrouve Ouzbek, Ulah, Nutak et tous les siens ? Il avait l'impression d'être parti depuis plusieurs dizaines d'années et en même temps, de n'avoir jamais quitté ce pays. Une partie de son esprit était restée ici et l'énergie que les Montagnes lui insufflaient lui avait permis d'aller jusqu'au bout de sa quête. Maintenant il savait qui il était et où il irait. Il connaissait sa force et ses faiblesses, et il était fier de ce qu'il avait accompli.

L'appréhension de la rencontre entre Sacajawa et Cooper s'atténuait au fur et à mesure qu'il approchait, alors qu'elle grandissait chez son père. Son visage se fermait, sa bonne humeur communicative disparaissait. Il s'était laissé convaincre d'aller au bout mais il n'en avait plus envie. Voir Sacajawa, avec son enfant et celui qui était le père. Que lui dirait-il ? Que ferait-il ? À quoi tout cela servirait-il ? Mais il ne ferait plus demi-tour. Keith avait raison. Il fallait aller au bout et affronter le destin la tête haute.

Ils franchirent en un peu plus de dix jours la distance qui séparait Semuak du petit village des Nahannis où ils arrivèrent par une de ces formidables fins de journée du mois d'août, chaudes et calmes. Ils restèrent un bon moment silencieux en haut du petit col, à admirer le ruban bleu de la Kantishna au bord de laquelle on apercevait le village, niché dans une boucle.

— Allons-y !

— Attends, Ohio, laisse-moi encore m'imprégner de ce paysage quelques minutes.

Cooper faisait des efforts pour respirer calmement. Ohio et Mayoké s'éloignèrent un peu et s'enlacèrent.

— Nous y voilà, Mayoké !

— Cet endroit vibre comme un bel animal.

Elle souriait. Ohio sentait son ventre rond contre le sien et il le caressa en un geste tendre et affectueux.

— Il bouge. Il est bien. Il sent que nous sommes arrivés !

Ils se retournèrent vers Cooper qui regardait la vallée, la tête posée dans les paumes de ses mains, et échangèrent un regard dubitatif. Cooper se retourna vers eux.

— Cette fois, nous pouvons y aller.

Ohio s'approcha de lui et lui donna les rênes de son cheval.

— Courage, Cooper.

Cooper prit résolument la tête de la petite caravane qui bascula dans la pente. Torok humait les senteurs de la montagne avec attention et balançait joyeusement le lourd panache de sa queue. Ohio se demanda s'il comprenait qu'il était de retour chez lui ou si le chien, percevant l'émotion de son maître, avait tout simplement calqué son comportement sur le sien. Il lui embrassa affectueusement la truffe et lui emboîta le pas.

Dès qu'ils atteignirent les premières cabanes, Ohio passa à l'avant du petit convoi et se dirigea vers la plage, au bord de la rivière, là d'où il était parti. Des enfants se mirent à crier et à courir. Ohio crut en reconnaître quelques-uns et entendit comme dans un rêve son nom qu'on répétait, que l'on criait joyeusement. Il souriait aux uns et aux autres, ferma les yeux lorsque Ulah le serra, le premier, chaleureusement dans ses bras. Il n'avait pas pu aller jusqu'au bord de la rivière. Le cercle de ceux qui avaient accouru l'avait arrêté avant. Le chef Ouzbek était parmi eux.

— Bienvenue, Ohio. Sois le bienvenu.

Il avait bien insisté sur ces mots et Ohio, bouleversé, ne put ouvrir la bouche.

Il était le bienvenu dans son village. On fêtait son retour. Il se retourna, cherchant sa mère du regard. Et il vit Cooper qui tenait, en un geste affectueux, Mayoké par l'épaule.

— Sacajawa… ?

Nutak lui répondit.

— Elle est avec Banks, un peu plus bas sur la roue à saumons de Kujouktu.

— Banks ?

— Son fils. Je vais aller les chercher !

— Non, j'irai.

Ohio présenta Mayoké à Ouzbek. Un cercle se forma autour d'eux.

— Sois la bienvenue, Mayoké ! Ce village est le

tien et nous nous honorons du retour de celui qui est passé ici il y a si longtemps, dit le chef en regardant Cooper.

— Je me souviens de toi, Ouzbek, et de beaucoup d'entre vous, déclara Cooper. Je... je n'ai rien oublié. Rien !

Ouzbek éleva la voix au-dessus du brouhaha.

— Que l'on aille chercher tous ceux qui se trouvent sur les roues, que l'on prévienne Ckorbaz et que l'on prépare un grand Potlatch, car aujourd'hui est un grand jour.

— Ckorbaz !

— Oui, notre chaman est bien vieux mais il se joindra à nous pour fêter ton retour.

Le chaman n'était donc pas mort ? Ohio ne voulait pas poser de questions. Il en aurait le temps plus tard.

— Dis-moi Ulah, est-ce que mon chenil est encore en état ?

— Il n'a pas bougé et Sacajawa a remis en place les morceaux de palissade qui tombaient.

— Allons-y !

Ohio, prenant Torok par le collier, entraîna Cooper et Mayoké vers le chenil où ils débâtèrent les chiens, puis ils les installèrent alors qu'Ulah apportait des saumons pour les nourrir.

— Oujka !

— Bienvenue, Ohio. Je réparais un canoë quand tu es arrivé, dit-il comme pour s'excuser.

Puis Oujka se retourna.

— Cooper ! dit-il simplement en le saluant.

— Et voici Mayoké, intervint Ohio dans un silence gêné.

— L'enfant sera magnifique, dit-il en regardant le ventre de la jeune Indienne.

Mayoké remercia puis Oujka revint vers Cooper. Ils se fixèrent pendant quelques secondes.

— Sacajawa est un peu plus bas au bord de la rivière, commença-t-il. Elle t'attend depuis longtemps. J'ignore ce que tu as fait pendant tout ce temps où elle t'attendait mais... c'est bien que tu sois là. J'ai toujours su que tu reviendrais parce que le chaman des Kaskas me l'a dit. J'y étais donc préparé. Et puis Sacajawa a changé depuis l'arrivée des Blancs. Elle est devenue une sorte de chef et je ne suis qu'un chasseur... Notre entente n'est plus.

Il sourit à Ohio.

— J'ai une cabane à trois jours de canoë d'ici dans les marais d'Isotia, j'y vais, puis je me rendrai dans mon village.

— Mais Oujka ! Tu es ici chez toi !

— Je reviendrai vous voir, pour l'arrivée du grand troupeau, et chasserai avec vous.

Et il s'en alla sans se retourner.

73

Ils traversèrent une petite forêt de bouleaux et d'épinettes en longeant la rivière et ils l'aperçurent ensemble, dans une clairière baignée de soleil. Banks jouait auprès d'elle.

Cooper s'arrêta pour contempler Sacajawa, protégé par un écran de végétation. Son émotion était palpable.

— Vas-y, Ohio, vas-y ! J'attendrai.

Elle était de dos, Banks babillant à ses pieds, et ses longs cheveux noirs brillaient dans la lumière rouge et rasante du crépuscule. Sacajawa consolidait avec des lanières en écorce de saule la claie de branchages sur laquelle séchaient des douzaines de saumons. Elle se retourna distraitement en entendant des pas et se figea, la bouche ouverte. Soudain elle se mit à courir, lentement d'abord, puis de toutes ses forces.

— Ohio !

Il la souleva de terre et la fit tourner autour de lui, avant de la serrer longuement dans ses bras.

— Ohio ! Ohio ! Je savais que tu reviendrais.

Elle s'éloigna d'un pas pour admirer ce fils qui était devenu un homme. Ohio la regarda. Elle ne lui avait jamais semblé aussi belle. Elle l'entraîna et s'agenouilla près de Banks.

— Regarde, Banks ! C'est Ohio, celui dont je t'ai tant parlé !

L'enfant leva ses grands yeux noirs.

— Il est magnifique.

— Viens, allons nous asseoir au bord de la rivière et raconte-moi !

Il lui raconta tout, Mayoké, Mudoï, puis enfin l'odieuse machination du beau-père de Cooper. À côté de lui, Sacajawa, livide, respirait avec difficulté.

— Mais alors, Cooper, tu l'as vu ?

Sa voix s'étranglait.

— Oui, je l'ai vu.

Sacajawa manqua de lui briser la main tant elle le serra fort. Elle bredouilla.

— Et maintenant... Il est... Où est-il ?

— Ça, ce n'est pas à moi de te le dire.

Et Ohio se leva en prenant Banks dans ses bras. Sacajawa s'aida d'un arbre pour ne pas tomber et se mit debout elle aussi. Ohio s'adressa au petit garçon qui le dévisageait de ses grands yeux joyeux.

— Sacajawa t'a parlé de mes chiens ?

L'enfant fit signe que oui.

— Alors viens ! Allons les voir.

Il regarda Sacajawa, ses joues trempées de larmes.

— Ohio...

Elle chancelait. Ohio s'éloigna. Il ne regarda même pas Cooper lorsqu'ils se croisèrent à l'orée de la forêt. Il ne se retourna qu'un peu plus tard, avant de bifurquer autour d'un rocher.

Alors, il vit Cooper qui, après s'être avancé dans la lumière, s'était arrêté, et surtout il vit Sacajawa, son visage que le soleil illuminait. À moins que ce ne fût l'éclat de ses yeux qui lui donnait cette magnificence. Elle marchait doucement, comme si le moindre faux pas pouvait encore tout arrêter. Cooper allait lui aussi à sa rencontre.

Lorsque leurs deux corps se trouvèrent et s'étreignirent, alors seulement Ohio parvint à détourner ses yeux baignés de larmes et il rentra doucement vers son village où une grande fête se préparait.

Impression réalisée sur Presse Offset par

BRODARD & TAUPIN

GROUPE CPI

19883 – La Flèche (Sarthe), le 03-09-2003
Dépôt légal : septembre 2003

POCKET – 12, avenue d'Italie – 75627 Paris cedex 13
Tél. : 01.44.16.05.00

Imprimé en France